講談社文庫

# 果つる底なき

池井戸 潤



講談社

目次

第一章 死因……7
第二章 粉飾……110
第三章 依頼書……191
第四章 半導体……236
第五章 回収……307
解説 郷原宏……395

# 果つる底なき

# 第一章　死因

## 1

　鉄扉を開けると、七月初旬のむっとする空気が足元になだれ込んできた。梅雨空はどんよりと重く、ここのところ降ったり止んだりという天気が続いている。午前十時。私は、融資先を訪問するために銀行ビルの裏口を出て、店から少し離れたところにある駐車場へ向かうところだった。土、日は人でごった返す渋谷も、平日の午前中となると街の人出はまだ少ない。とくに東急プラザのある表通りから一本入ったこの辺りは閑散として、回収前のゴミが収集場所から道路に溢(あふ)れている。

　私は、青い半袖のシャツにタイを結び、チャコール・グレーの上着を腕に掛けて歩いていた。持ち物はいつものように手帳一冊だ。たばこを点(つ)け、古本屋のシャッターが開いて顔見知りの主人がよっ、と手をあげるのに応え、その横のちっぽけなギャラリーに展示されている絵を見ながらストリップ劇場がある坂道の手前を左に折れる。

貸事務所が並ぶ通りの少し先を、見慣れた小太りの後ろ姿が歩いているのが目に入った。この蒸し暑いのにきっちりと上着を着込み、左手に大きく膨らんだ重そうな黒鞄を提げている。軽装でおよそ銀行員らしくない私と違い、こちらはどこから見ても典型的な銀行員にしか見えなかった。

「坂本——!」

声を掛けると、ふっくらとした丸顔がはっと振り返った。物思いにふけっていたのか、普段温厚な男にしては珍しく表情が硬い。面白くもなさそうに指で眼鏡のフレームを押し上げ、右手に握っていたハンカチを額に当てながら呟いた。

「なんだ、伊木か」

私は足を早め、いつになく無愛想な同僚の横に並んだ。

「回収か」

「ああ。でかいぞ」

いったん立ち止まり、また歩き出す。横顔に緊張感が見て取れ、普段なら飛び出してくる冗談のひとつもない。

「今日はどこ?」

坂本は答えの替わりに、にやりと笑った。

「なあ、伊木――」

歩きながら私の肩に腕をまわし、急に悪戯っぽい目でこちらを覗き込む。

「これは貸しだからな」

妙なことを言った。

「貸し？」

「いまにわかる」

坂本は丸顔を空に向けて高笑いしたが、次の瞬間にはいま笑ったことすら忘れてしまったかのような真面目腐った顔でさっさと自分の車を目指す。急いでいるのか、私との距離はどんどん開いていった。

一区画歩いた角に、桝井屋ビルと書かれた看板のかかった古ぼけた建物があり、その横が銀行専用のパーキングだ。二十台ほど入る小さなスペースで、業務用車と一般来店客の車両が兼用しているため業務時間中はいつも満杯に近い。まだ比較的早い時間なのに、空いている駐車用の区画はもう二つ、三つしかない。

坂本はそのまま足早にゲート脇を通り抜け、私が駐車場に着いたときには業務用車の三菱ミニカを勢いよくバックで出していた。窓が開いた。

「まあ、見てろ」

そう言い残すと、レンガを敷き詰めた商店街の道路を国道２４６号方面へと消えて行った。

## 2

坂本を見送ってから、どこかの下手くそがへこませたままになっているミニカのドアを開けた。顔をしかめたくなるほど車内の空気は熱く膨らんでいる。腕を伸ばしてまずエンジンをかけ、しばらくドアを開け放しながら、エアコンをフルまで上げて手帳を上着と一緒に助手席に放り込んだ。軽装だが、融資の案件を拾ってくるのにそれ以外必要なものなど何もないというのが、私の持論である。銀行のマニュアルによると、外訪員は黒い業務カバンに集金帳や印鑑を持ち歩くことになっているが、そんなものを持っていたら、ただの集金屋にされてしまう。

窮屈な運転席に座ると、熱をためたビニールシートが尻と背中にぺたりとくっついた。気色悪いのを我慢して床から突き出したマニュアルのギアをローに入れ、渋谷駅南口の交差点を左に折れて松濤方面へ向かう。松濤から富ケ谷、南平台の一角が私の担当エリアだ。東急本店の脇を抜けていき、旧山手通りを右へ曲がった。

どこに行かなければならない、という予定はない。適当に担当先を回り、「金を貸してくれ」と言ってくれる会社を探すのが私の仕事である。駅前のいつも混雑している道路に車を入れながら、頭のなかで数軒の訪問先をリストアップした。私の担当は全部で五十社近くあるが、そこに一ヵ月に一度は顔を出すというのが、あってないような仕事のルールである。

　この日、富ヶ谷の鉄鋼問屋を皮切りに、午前中かけてその界隈を彷徨き三軒ほどまわった。結果は、どれも空振り。ただ、成果がないのは別に珍しいことではない。新規融資の話など、二、三十軒当たってみて、一つあるかないか。そんなものだ。しかも、ある程度金額の張った話ともなるとさらに限られる。

　言い訳めくが、融資担当としては新しい貸し出しの話がなくても定期的に取引先に顔を出して社内の様子を見てくるのも立派な仕事である。たとえば経理部長のデスクにサラ金からの計算書がないか観察したり、階段に死蔵されている製品が野積みになっていないか、工事業者であればスケジュール・ボードに書き込まれた受注工事状況が減っていないか、そんなことを見てくる。製造業者であれば機械の年式がどの程度のものかチェックするし、社員の電話応対やトイレの清掃状況、社長の金回りを見るために車のタイヤが減っていないかといったことも見る。取引先の業況判断のためにマニュアル化された銀行の支店業務には、こういう地道な仕事も含まれるのだ。

　昼過ぎ、三軒目になる設計事務所の経理担当部長との面談を適当に切り上げると、私は徐々に渋滞してきた山手通りから支店に戻った。昼食をとり、何もなければ午後からまた取引先を回る。そんな仕事が延々と続くわけだ。格別楽しいわけではないが、苦痛でもない。

そんな仕事である。

ビルの裏手にある行員専用の通用口から入り、一階のトイレで用を足してから、融資課のある二階に上がった。デスクの上には電話の取次メモが並び、そのうえ名刺をホチキス止めした茶封筒が一つのっていた。中身は私の留守中に取引先の一社が持ってきた決算書の写し。赤のボールペンで書き込みがあったから、私の代わりに誰かが話を聞いたに違いない。

食事時でもありフロアに係員の数は少なかった。銀行員の食事は、業務に支障がないよう交替でとることになっている。ほとんどの支店に行員専用の食堂が設置されており、外に食事に出る必要はない。福利厚生というより、防犯のためだ。銀行員は犯罪の標的にされやすい。行員に外をうろつかせない配慮だ。いま姿が見えない行員たちは、五階の食堂か、三階にある休憩室でジュースでも飲んでいるはずだ。

私はデスクにつき、机上を埋めているメモと書類を整理し始めた。そのとき、ローンカウンターにいた小谷恵子が、顧客の応対の合間を縫ってやってきて小声で告げた。

「伊木代理、お戻りになりましたら大至急、支店長室に入ってくださいって。先ほど、古河課長が」

応接を兼ねた支店長室のドアは閉め切られている。ドア上部の小窓から灯りが漏れ、使用中であることを示している。銀行で「支配席」と呼ばれる支店長と副支店長のデスクは空席で、融資課長の古河の姿もない。

「来客？」

「いえ、違うと思います」

「トラブルか」

「よくわからないんですが。ええ、たぶん。さっき北川副支店長が飛び出していきましたから」

支店長室で対応を検討するほどのトラブルとなると、かなり面倒なものに違いなかった。

「わかった。ありがとう」

小谷は、小さく頭を下げ、ローンの申込用紙に記入している来店客の応対に出て行った。

「戻ったか」

支店長室に入ると、深刻な顔をした古河が空いているソファを指差した。肘掛け椅子に身を沈めていた支店長の高畠浩一郎（たかはたこういちろう）は私に一瞥（いちべつ）をくれただけで押し黙っている。考え込んでいる様子で頬に指を当て、あてのない視線を壁に這（は）わせていた。室内には二人だけだ。

「伊木君。さっき警察から連絡があって、どうもえらいことになってるんだよ」

私がソファに掛けると、古河は眉根を寄せた真剣な目を向けて言った。

「実は、坂本君のことなんだが」

古河は私の心情を慮（おもんぱか）るようにひと呼吸おいた。

「代々木公園脇にとめた車の中でぐったりしているところを発見されて救急車で病院に運ば

れたらしい。それがどうも――危ないというんだ」

「危ない――？」

古河が言っていることを理解するのにたっぷり数秒はかかった。やがて胸の奥で心臓が重々しい音を立て始め、喉が締めつけられた。

「交通事故、ですか」

「詳しいことはわからんが、そうではないらしい。富ヶ谷にある吉田病院って、知ってるよね？　そこに運びこまれて集中治療室に入ってるんだけど、容体が思わしくない」

古河の眉が痙攣（けいれん）したようにぴくりと動き、視線がいったんカーペットに落ちて、また戻ってきた。

「病院に運ばれたとき、もう意識不明だった。手を尽くしてもらっているが、どうも……」

眼鏡の奥から私を見ている小さな瞳を何度も瞬（まばた）きして、唇を強く結ぶ。

「家族には？」

「さっき連絡した。奥さんがいま病院へ向かってる。君、顔見知りだったよね」

「ええ。企画部で一緒でしたから」

曜子。その女性は私の友人の妻になって、一人の娘とつつましい生活を送っていたはずだった。

「私も行ってきます」

「ちょっと待った」

腕を古河に摑まれ、ソファに引き戻された。

「落ち着け。北川副支店長に向こうへ行っていただいてる。気持ちはわかるけどさ、連絡があるまで待ってくれよ。われわれが行ってもどうなるものでもないじゃないか」

古河は、苦悩に歪んだ表情で私を見た。

「それにさ、こうなることはあるんだよ。君にも私にも、突然、倒れる可能性はあるわけ。あとは運だよ」

運、か。

私はその言葉が妙に安心させる響きを持っていることに気づいた。運。運命。持って生まれた寿命。それは突きつけられる事実の厳しさを許容する言葉だ。

「祈るしかないって。なあ」

古河がまるで嘆願するかのような口調で言った。

だが、結局、その祈りは通じなかった。

午後一時過ぎ、坂本の容体を見守っていた北川から訃報が届いた。

坂本健司は死んだのである。

妻と三つになる娘を遺して、死んでしまったのだ。

# 3

坂本の死は、布に水を染み込ませるように静かに支店内に広まっていった。

夕方、病院から戻ってきた北川を待って、再び支店長室でミーティングが開かれた。坂本を除く支店の役席者十三人だけの簡単な打ち合わせだった。高畠支店長と北川副支店長の二人が肘掛け椅子に体を埋め、残りはソファと持ち込んだ折り畳み椅子に掛けている。

全員が揃うと、北川は、慌ただしさを口調に滲ませて言った。

「みんなもう知ってると思うが、坂本君が午後、急病で亡くなった。とりあえず、このミーティングが終わったら各課課長から課員に正式に伝えてもらいたい。浮き足だって、現金事故など起こさないよう十分注意すること。それが一番怖い。葬儀の段取りは詳細が未定だが、明日、通夜。明後日、葬儀となると思う。香典の会計、受付などは融資課が中心になって取り仕切ってくれ。頭取名、各課の弔電など抜かるなよ」

北川による事務的な指示が続く。一段落したとき、高畠が口を開いた。

「病名を聞いたか、副支店長」

北川はたばこのフィルターでガラステーブルを神経質そうにたたき、色白の頬をかすかに紅潮させている。

「ええ、どうもアレルギーのショック死らしいですな」

思わず北川の顔を見た。私だけではなく、その場にいた全員の顔がさっと上がったが、どの表情にも、軽い驚きと不審のようなものが貼りついている。

「アレルギー？　意外だな。私はてっきり、心筋梗塞やクモ膜下出血のような病気だと思っていた」

高畠の言葉は全員の感想を率直に代弁していた。アレルギーで人が死ぬのか？　私を含め、みんながそんな気持ちだったに違いない。

「ひどいアレルギーの場合は、死ぬこともあるそうですな。ただ、アレルギーを引き起こした原因については、もう少し調べてみないとわからないということでした。なにせ発見されたときにはすでに意識不明で、本人に聞くに聞けないという状況だったらしいですから」

北川は私たちの驚きをよそに淡々とした口調で続けた。その態度にあまり悲しみといったものは感じられない。

「明日の午前中、司法解剖するそうですから、それではっきりすると思いますけどね。ただ、わかったところで、いまさらどうしようもない」

「家族はどうだった」高畠が聞いた。

「奥さんが子供を連れて来てました。一応、挨拶はして来ましたが泣いていてあまり……当たり前ですけど。坂本の子供、いくつだ？」

その質問は私に向けられたようだった。

「今年、三つになるはずです」

「そうか」

どうでもいいことのように北川は言い、二本目のたばこに火を点ける。病院で喫煙を我慢していた反動がきているような吸い方だった。あるいはこの男なりに坂本の死に衝撃を受けているというのか。

北川は、話題を坂本から仕事へと変えた。

「とりあえず、坂本の抜けた穴をどうするか、決めないといけませんね、支店長。人事部に電話はしておきましたが、死亡により欠員がでた場合でも補充はしばらくできないようです。その間、彼が担当していた取引先は誰かに引き継ぐしかないでしょうな。それを考えていただかないといけませんよ」

高畠は、深い溜め息とともに融資課長のほうを向いた。

「古河君、あとのことを決めるまで少しの間、坂本の仕事をメンテナンスしておいてくれるか。大変なことになってしまったが、みんな動揺することなく、頼む」

古河が神妙な顔でうなずくのを見届け、高畠は立ち上がった。

「支店長、もう一つ」

北川が足を組んだまま、ドアに歩きかけた高畠を呼び止めた。顔をまっすぐ前に向け、高畠を見ようともしない。北川は副支店長だが、実は高畠よりも二つほど入行年次は古い。しかも、渋谷支店の副支店長になってすでに三年目であるのに対し、高畠は昨年十二月に着任したばかりだ。その経験の浅さから、支店内の事務的なことを北川が取り仕切る場面が随所で目立っていた。言葉遣いこそ丁寧だが、その態度はときおり、国際畑一筋のエリートではあるが支店実務に疎い高畠を嘲るようなところがあった。

「あとで警察が来るそうですから、外出はお控えください」

高畠は、しばし北川の言葉を咀嚼しているようだったが、わかった、と小さく言い残して支店長室をあとにした。

「どうして警察がくるんですか、副支店長」

高畠の姿がドアの向こうへ消えるのを待って、古河が警戒した口振りで聞いた。

「そりゃあまあ、路上に停めた車の中でこんなことになれば病室で死ぬ患者とは待遇も違うだろうな。いろいろ聞かれるだろうが、たいしたことにはならないと思う。ただし、君も質問されるはずだから、そのつもりでいてくれよ。外出は禁止だ」

「はあ」

「それから、君もだ」

北川は最後に私のほうに指を突き出し、抜け目のない瞳を光らせた。

午後七時過ぎ、警備員に案内されて、二人組の私服刑事が営業室に入ってきた。一人は背の低い五十歳前後で、日焼けした顔にごま塩頭。もう一人はそれより十歳ほど若い。

「坂本さんと一番親しかった方からお話を伺いましょうか」

挨拶もそこそこに、年輩の刑事が言う。応対していた高畠と北川の口からまっさきに私の名前が挙がった。そのまま応接室を兼ねている支店長室に入り、そこが面談場所になった。

「坂本さんとは仕事上どのような関係だったんですか」

質問は単刀直入に始まった。聞いているのは年輩のほうで、もう一人はメモをとるためのボードを膝にのせている。刑事は私の出した名刺の表と裏をしげしげと眺めてから、テーブルに置いた。

「同じ融資課の課長代理をしています。私は一般融資の担当、彼は回収の担当でした」

刑事は、言葉がすんなり耳に入ってこない様子で手のひらで頭を小突く素振りをした。

「回収というのは？　すみませんね、銀行のことはよくわからないもんだから」

「つまり、私の仕事は、取引先の企業にお金を貸すことです。問題のない貸し出しの返済管理は、私のような融資担当者もやりますが、坂本は、倒産するなどして行き詰まった企業から、貸し出した金を返してもらうことをとくに仕事にしていました。これを銀行業界では回収と呼んでいます。私たちが融資した取引先が倒産すると、担当が坂本になり、私たちに代わって彼が債権回収をするという関係です」

「つまり……金を貸す人と返してもらう人、この両方が同じ課の中にいるというわけですか」

　こめかみを揉みながら相手は要約した。

「そうです。融資の仕事は貸すだけじゃないですから。とくにバブル以降はどこの銀行でも倒産件数がふえて、融資課に回収専門の担当を置く支店が多くなっているんです。銀行の不良債権のことはご存じだと思いますが」

「ええまあ。お宅のお店も多い？」

「リストラ店の一歩手前です」

「なんですか、そのリストラ店というのは」

「あまりに不良債権が多い店で、それがゆえに支店の業務採算が極端に悪化している店をリストラ店舗と呼んでいるんです」

「あの、世にいうリストラ？　あなたはいくらぐらいお金を貸しているの？」

「管理しているのは、三百億ちょっとです。ちなみに坂本が管理していた不良債権額は約七十億近くあったはずです」

「この店全体では？」

「約二千五百億の融資残高があります。ローンを含めてですけど」

　ボードに記録する手は動いたようだったが、質問した本人の表情には反応がなかった。金額を聞いても現実味が湧かないからだろう。私も入行したときにはそうだった。いまでは笑い話だが、百万円を越える数字になると、桁を数えていたほどだ。

「融資課には何人いらっしゃるんです？」

最初の面談者だからか、あまり坂本に関係のない基本的な情報を得ようとしているようだ。あるいはそれも全員に同じ質問をするつもりなのか。

「この店は大きな店なので、十五人配属されています。支店全体では、営業課、それから外国為替、外回りの業務課を合わせて約五十名です。それにパートさんが十五名ほど。支店長、副支店長、各課課長。課長代理は各課二人います。あとは係員です」

もう一人の刑事は私の言った数字を、ボードに挟んだ紙に書き込んでいる。

「それで、坂本さんとは個人的にも親しかったんですか」

「はい。この店で一緒になる前からの友人でした」

「具体的には、いつから」

「入行したときからです。同じ研修グループでした」

相手は、ああ研修ね、と口の中で呟いた。

「研修グループが一緒だとそんなに仲良くなるものですか」

「人によります」

「伊木さんと坂本さんの場合は、ウマが合ったと」

「まあ、そんなところです」

「……なるほど。じゃあ、けっこう長いつきあいだったわけか」

「十年以上になります」

「それだけ親しくしていれば坂本さんの体質のことは知ってたんでしょう」

「いいえ。知りませんでした」

刑事二人は意外な顔をした。しかし、それは事実だった。坂本から体質の話など聞いたことがない。

「あなたが坂本さんと最後に会ったのはいつですか」

言葉遣いは丁寧だが、ときおり少しぞんざいな聞き方が混じる。気に障(さわ)るというほどではないが、刑事という仕事の泥臭さを想像させる。

「今朝、彼が出かけるときです。支店の外で会って、駐車場で別れました」

「話はされましたか」

「ほんの二言三言ですが」

「体調が悪いとか、そんな話はなかった？」

「ありません」

「坂本さんは体調をよく崩すようなタイプだったのかな。たとえば虚弱体質といったような」

「いいえ。健康そのもののように見えました。私よりもずっと」

二人の刑事があらためて私を眺めた。

「伊木さんだって、不健康には見えないよ。銀行員にしては」

質問役の刑事が、ふん、と小馬鹿にしたように言う。銀行員は、おとなしくて歯向かわないというイメージがあるのか、あるいは公的権力に弱いと思われているのか、公務員に馬鹿にされる傾向がある。この刑事たちの口振りにもそんな気配を感じた。銀行に調査にくる公務員には、金融当局以外に国税局員や税務署員がいるが、彼らはそれが当然であるかのように銀行員を顎で使い、銀行の金で食事をし、そして書類を散らかして帰っていく。尊大で鼻持ちならない連中だ。

「何かスポーツ、やってるの？」どうでもよさそうに刑事が聞いた。

「大学時代はアメフトをやっていました」

反応なし。私の言葉は相手を素通りし、壁の辺りで消えたようだ。

「なんのアレルギーだったんです」私は少しいらいらしてきた。

「それはまだ調査中で、現時点でははっきり言えないんでね。ところで坂本さんはよく業務の合間に喫茶店に立ち寄ったりということはありましたか。そういうところでうっかりアレルギー反応を起こすものを食べたかもしれないですよね。どうですか」

「心当たりはないですね。それに、坂本と最後に会ったときには、彼、かなり急いでいたみたいだから、あれから喫茶店に寄ったとは考えられないですよ」

「なぜ急いでいたのかな」

私は首を傾げた。回収の仕事だと思うが、行き先を聞いた私に坂本ははっきりと答えなかった。

「用事のあとに立ち寄ったとも考えられませんか。あるいはあなたが坂本さんを最後に見かける前。どっかの喫茶店でモーニングを食べたとか」

「行きつけの喫茶店はなかったと思います。それにモーニングのメニューに出てくるようなものは普段から食べてました。それでどうこうしたこともありませんし。少なくとも今までは」

「なるほど。ところで、あなたには行きつけの喫茶店はありますか。そこで仕事中に休憩するような」

別に隠しても仕方がないので、正直にあります、と答えた。道玄坂にある隠れ家のような店だ。坂本をお茶に誘うときにはその店で待ち合わせた。

「店の名前は？」

「リタ・マリー」

「何の店、それ」

「イタリア料理です」

「坂本さんも行ったことがある？」

「ええ。コーヒーだけ飲んでいました」

ビルの二階で地中海風の造りにテーブルが並んだ洒落(しゃれ)た店だ。記録役の手が動き、店の名前と簡単な場所がボードに記録された。

「いま話したこと以外で、何か他に気づいたことはない？」

そう言われてふと、その言葉を思い出した。坂本が私に言ったセリフ――。

「そういえば、私と最後に会ったとき、これは貸しだからな、とそう言ったんですが」

「貸し？　お金でも借りたの」

刑事の反応に、私は、話したことを少し後悔した。

「いいえ。ちょっと意味がわからなかったものですから、何かの参考になればと思って申し上げただけです」

刑事はつまらん冗談でも聞かされたような顔をした。

「まあ、事件と関係のあることを思い出したら教えてよ」

## 4

長い一日だった。

渋谷区西原にあるマンションに戻り、誰もいない部屋に灯りをともした。二十畳のリビングにはソファとテレビ、それに母の遺品であるグランドピアノが置いてある。奥の両側に部屋が二つ。一つは私の仕事部屋、もう一つはベッドルームに使っている。私には家族がいない。もともと体の弱かった母は、私が小学五年生のとき他界し、それからは父一人子一人の生活になった。父は外資系の薬品会社で多忙なサラリーマン生活を強いられていたため、母のいなくなったあとは男手ひとつで、何かと苦労をしたものだ。その父も私が就職した年に肝臓ガンで亡くなった。あっけない最期で、いままで育ててくれた礼をいう暇もなかった。

シャワーを浴び、ソファに横になった。頭の芯が痺れており、目の奥が痛んだ。疲れだ。しばらく休んでから、まだ濡れている髪にドライヤーをあて、冷蔵庫からビールを取り出した。炭酸が心に穿たれた穴に沁みた。灯りを消してしばらく暗闇を見詰めていた。眠れる気分ではない。坂本や曜子のことが次々と思い浮かんでは消える。考えるべきことと考えても仕方がないことが、まったく無秩序に頭の中で競合している。それが悲しみや憤りの感情とない交ぜになって、ますます救いがたい精神状態へと私を引きずり降ろしていくのだ。

電話が鳴り出した。

電話はリビングとキッチンを隔てているローカウンター脇の壁にかけてある。

「はい、伊木です」

相手は無言だった。どこかで人の話し声がしている。かすかに息遣いだけが伝わってきた。その瞬間、私にはわかった。

「曜子？」

彼女の名前を呼び、しばらく待った。ほんの何秒かの間だ。やがて、懐かしい声が耳元に届いた。

「どうして？」

それだけだった。声は啜(すす)り泣きになった。私はリビングの床に腰を下ろし、蛍光灯の豆電球の薄明かりを睨んだ。彼女にかける言葉は思いつかなかった。そればかりか、私の胸にも熱いものがこみ上げてきた。

どれくらいそうしていただろう。

「ごめんなさい」

電話の向こうから、小さく消え入るような声が届き、握りしめた受話器からツーツーという音が流れ出した。

「曜子……」

彼女の名を呟く。声は相手にではなく私を包んでいる朧(おぼ)ろな明かりのなかへ融(と)けていった。

## 5

寝室にしている東の部屋のカーテンからうっすらと夜明けの光が差す頃、浅い眠りに落ちた。目覚ましが鳴ったとき、疲れているという感じはあったが、再び眠りたいという気にはなれず、いつもより早めにマンションを出た。

　電車の中で読んだ朝刊に、坂本についての記事は見当たらなかった。

　支店に到着したのは七時半。いつもより三十分ほど早い時間だった。裏口から行員用の通路を通り、出欠を示すネームプレートを返そうとして、手を止めた。すでに坂本健司のプレートがなくなっていることに気づき、胸が痛んだ。

　融資課がある二階に上がると、先客があった。

　検査部だ。数人。胸の社章から同じ銀行の行員だとがわかるが、一様にある程度の年齢を経て、しかも鋭い視線と厳しい表情には、どこか支店勤務の平凡な銀行員とは一線を画す雰囲気がある。

　そのうちの二人が、坂本のデスクを開け、中を漁（あさ）っていた。ロビーにいた一人が私の姿を認めて近づいてきた。軽く頭を下げて挨拶を交わす。

「代理さん、かな」

「伊木です。よろしくお願いします」

「今日、検査だから」

相手は素っ気なく言い、私のデスクまでついてきた。鍵を開けるところからすでに検査は始まっているのだ。私は鞄の内ポケットにしまってある鍵を出してデスクの施錠を解いた。それから脇に退く。

検査官が私のデスクの抽斗(ひきだし)を開けた。現金や通帳、小切手や約束手形など、本来、金庫に保管しなければならないようなものがここで発見されると、人事考査にひびく。たとえ自分の口座の通帳でもデスクの中に保管することは許されていない。それが銀行の規定だ。

三段ある抽斗は、最上段に業務に使用する印鑑や文房具類が入っていた。文房具を入れるトレイが持ち上げられ、その下に何もないことが確認されると、二段目が開けられる。作成途中の書類、本部から発信された業務通達、集金帳の綴りがデスクの上に出され、一つずつ吟味(ぎんみ)されていく。検査官にもいろいろな性格があるが、この相手はかなり周到なようだった。それとも、今回の検査そのものに特別な意味があるということなのか。おそらく後者だと思った。通常この手の抜き打ち検査には、六ヵ月ほどの周期がある。前回渋谷支店が臨店検査を受けたのは二ヵ月ほど前のことで、本来ならばその時期ではない。

一番下の抽斗が引かれ、縦に並べて保管された書類のチェックが終わるまでの間、私は他の検査官の様子をうかがった。三人の検査官がロビーの片隅にある防犯カメラのモニタを覗き込んでいる。北川がすでに出勤していて、背広の上着が椅子の背にかかっていたが、本人は支店長室に入ったまま姿が見えない。臨店した検査チームの主幹と面談しているのだ。

　そこへ、ダークスーツを着た古河が渋面をぶら下げて出勤してきた。検査役の姿を見ても別に驚くこともなく、平静を装ったまま挨拶をして自分のデスクにつく。その様子から古河が事前に臨店を知っていたと気づいた。

「なんですか？」

　ひと通りの調べを終えた検査官が立ち去るのを待って聞くと、古河は唇をひん曲げ、辺りを憚（はばか）るように声をひそめた。

「とんでもないことが発覚したんだよ。坂本君、客の口座から金を引き出していたらしい」

「坂本が？」

　古河は、出勤してきたときのままデスクの上に載っているバッグを足元に下ろし、デスクの端の灰皿を机の真ん中にひっぱった。

「事務部が彼のオペレーティング記録をチェックして見つけたんだ。顧客名義の口座から、他行の坂本健司名義の口座へ送金されていたらしい。いろいろあるよ、まったく」

　古河はたばこの煙と一緒に溜め息を吐き出した。銀行のオンライン・コンピュータは、オペレーター登録した行員が所持しているカード・キーがないと動かない。オペレーティングの前にコンピュータに設置された認識スロットにカードを通すと、磁気ストライプに記録されている行員認識番号がコンピュータに記録される仕組みだ。記録をみれば、いつ誰がどんな操作を行ったのかという追跡調査が可能になる。

「金額は？」

「三千万円。大口定期一本だと。笹沢さんって、知ってたっけか、伊木君」

聞いたことがある。坂本が回収担当になる前、数億円規模のローンを組んだことのある裕福な老人だったと記憶している。

「笹沢さんも、ゆうべ銀行から連絡が行くまでまったく気がつかなかったらしいんだよ。まあ、定期預金なんて満期の知らせが来るまでは誰だってそんなもんだけど」

「送金の取り組み日はいつです」

「しっ」

古河は口の前で指を立てた。平らにした右手で抑える仕草をする。

私はトーンを落とした。「最近？」

古河の声は一段とひそめられた。

「一ヵ月くらい前だ。笹沢氏はそのとき外遊中でほんの数日前に戻ったばかりだそうだ」

「送金先は」

「大東京銀行の大手町支店」

古河がそう言ったとき、支店長室のドアが開いて北川が顔を出した。古河の姿を認めると、手招いた。

「お呼びか。相手銀行に金が残ってれば、なんとか穏便にすますこともできるんだけどね」

たばこを消した古河は、いったん脱いだ上着を再び着込んだ。

「他の連中にはオフレコでな」

重い足取りでドアの向こうへ消えていった。


しかし、穏便に、という古河の願いとはまったく正反対の方向へ事態が進展したことが、午後になって判明した。

三時過ぎ、デスク直通の内線電話を取ると、相手は企画部の西口淳だった。

「久しぶりだな。元気でやってるか、お前」

西口は大学の一年先輩で、私の前場所（ぜんばしょ）である企画部で調査役に就いている。前回会ったのは年末で、たしか企画部時代の仲間との忘年会だったはずだ。半年ぶりだが、本部エリートの西口は、理由もなく様子伺いの電話をしてくるほど暇な相手ではない。

「おかげ様で。カラ元気でも出さざるを得ないような状況に陥ってますよ。ご存じだとは思いますが。その件ですか」

西口の情報は早い。行員の不正送金などという大事件ともなると嗅覚と状況判断能力は抜群だ。

「まあな。かなり混乱してるようだが、何かわかったか」

「新しい事実はありませんよ。ご丁寧に事務部が調査した結果以上のものは何も。午前中に、副支店長が相手の顧客のところへ詫びに出向いたんですが、けんもほろろに追い返されたらしい。しかも何を勘違いしたか饅頭(まんじゅう)の折詰(おりづめ)の代わりに、あられを持参していた」

「丸く収まるところが、角張ったか」

押し殺した低い笑いが伝ってきた。くだらない話だが二都(にと)銀行では、客に詫びるときには、饅頭と決まっている。

「その客だが、さっき警察に被害届を出したぞ」

「本当ですか」

事態は支店レベルで抑えられる範囲を越えたということだ。

「人事部サイドで、なんとか行内限りに抑えようとしていたらしいが、力及ばずといったところだ。五時から緊急の役員会が招集される」

「マスコミ対策は?」

「広報室が人事の連中と連動して警察に行ってる。こっちはたぶん抑えられるんじゃないかと思う。ただし、客次第だ。あんまり騒がれると二都にも力の限界というものがあるからな。場合によっては、あらためて支店長に出馬してもらうことになるかもしれんな。無益な説得交渉にならないことを祈るが。お前も知ってる客か」

「顔と名前ぐらいは。そんなに頑固な人でもなさそうですが」

「きっと副支店長の交渉が下手なんだろう」

西口はさらりと言う。その通りだった。

「場合によっては、新聞記者がうろつくだろうが、お前、対応わかってるな」

「洗いざらいしゃべればいいんですか」

西口はふっと鼻で笑う。「やれるもんなら、やってみろ」

「店内にも箝口令（かんこうれい）が敷かれてますよ。どういうわけか、もうみんな知ってますけどね」

「ばかな」対応のまずさに西口はあきれた口振りだ。

その情報源は人事部で、支店の係員と個人的に親しい者がうっかりしゃべったのが発端だったが、それは黙っていた。西口の企画部と人事部は本部内のライバル同士だ。そんな連中につまらない喧嘩ネタを提供する気はない。

「後悔してるか」

突然、西口が聞いた。

「何をです」

私はとぼけてみせたが相手は無視して続けた。「組織のなかでの動き方を勉強してこい。そのうち、引っ張ってやる」

「なんのことだか、わかりません」

受話器から西口の聞こえよがしの溜め息が洩れ、私の脳裏にも三年前の出来事が蘇(よみがえ)ってきた。

当時、西口と私はアメリカ西海岸に拠点を持つある金融機関をターゲットとした買収案件を密かに進めていた。二都銀行が買収を決断した狙いは、二都に欠けているデリバティブなどの先端技術と海外での優良資産、リスク管理のノウハウを得るためだ。買収工作を指揮していたのは当時取締役企画部長だった佐伯昭太郎(さえきしょうたろう)。副頭取昇格の決め手となる買収案件で、出身校を軸とした派閥が総力を挙げて動いていた大型案件だった。

工作の中心は企画部配下の国際派たちだったが、なかで実行部隊を取り仕切っていたのは西口である。そのとき私は、彼の下で工作に必要な下調査を担当していた。

準備は周到に進められた。買収の申し入れ、現地人雇用や顧客対策、法的な問題が早急に詰められ、事案の提出からわずか数ヵ月の間に交渉のステップは最終局面まで上りつめようとしていた。そのまま進めば、指揮していた佐伯の副頭取昇格は間違いないように見えた。逆にそのためには絶対に外せない案件、それがこの買収だったのだ。

私が相手の帳簿類から簿外債務を発見したとき、派閥が下した結論は買収続行だった。彼らは私の調査結果を隠蔽(いんぺい)し、工作を継続しようとした。簿外は必ずしも不良債権ならず。買収が将来どんな結果をもたらそうと、佐伯さえ副頭取に昇格させれば後はなんとかなるという読みだ。そんな無茶を通さなければならないほど、深入りしていたのである。

だが、私はその決定に背(そむ)き、事実をそのまま行内の会議で明らかにした。簿外債務を負う金融機関を買収するわけにはいかないからである。たとえそれが派閥の領袖(りょうしゅう)である男の出世を阻(はば)むものであったとしても、それとは秤(はかり)にかけるまでもない問題と私は考えた。

結果的に買収案件は見送られ、佐伯の副頭取昇格は、その後一期二年間遅れた。

責任の所在は、私の初期調査不足ということになり、一ヵ月もしないうちに、私には企画部から渋谷支店勤務を命ずる辞令が発せられた。事実上の左遷である。

転勤を命ずる辞令には、事前の通知も何もない。ある朝突然上司に呼ばれ、転勤を言い渡される。私はショックを隠しきれないまま、銀行の慣例に従い新しい勤務先へ電話をかけた。赴任の挨拶のためである。

銀行の専用線で渋谷支店を呼び出し、出た相手に名前を告げた。

「伊木か。俺だよ」

その声にはっとした。坂本だった。動揺していた私は、親しい友人が渋谷支店に在籍していることすら気がつかなかったのだ。

「ああ、そうか」

そんな言葉が口から洩れた。

「そっちに行くことになった」

そう告げた私に坂本は、うん、と力強くうなずいたようだった。

「伊木。楽しみに待ってるぞ」

目の前に灯(あか)りが差した気がした。その言葉が私にとってどれだけ救いになったかわからない。その後も坂本は私の落胆を思いやり、励ましてくれた。


「一生、支店を回りたいか」

電話の向こうの西口が私の過去をたしなめるかのように言った。

「これはこれで面白い仕事ですよ。先輩もやってみたらどうです」

本心だ。西口は何かを言いかけ、無駄だと悟ったか話題を変えた。

「今晩、坂本君の通夜だったな。まあ、いろいろあるさ。気を落とすなよ」

西口はありきたりな言葉を継いで話を終えた。

## 6

客への謝罪から高畠が戻るのを待って、ミーティングが開かれた。支店長室には、高畠と北川、古河と私の四人だけが集まっている。重苦しい雰囲気のなかで、いらいらとした焦燥感が渦巻いていた。

「支店長、申し訳ありません」

古河が頭を下げるのを高畠は手で制した。

「まあ、一応こちらの誠意は理解していただけたようだ。だが、残念なことに警察には届け出た後だった。相手銀行の口座はどうだった、副支店長」

北川は唇を歪めてたばこの煙を吹き上げた。自分が失敗した顧客対応を高畠がまとめたことが気に入らないとでもいうようだ。

「警察で調べたところ、現金はすでに引き出されていたそうです。悪いことに引き出したうちの一回は当店のCDコーナーからです」

北川の口をついて出た新事実に、古河が絶望的な顔になり、肩を落とした。

「先方の銀行で調べたところ、三千万円の金を先月中に六回に分けて引き出していることがわかったんです。引き出した銀行は全部ばらばら。五百万円ずつ六回です。そのうちの一回は大胆不敵にも当店のCD機だったと、まあこういうわけですな」

銀行のCD機は一口座の最高引出金額に上限が定められており、一日につき五百万円までだ。それ以上引き出すためには日を変える必要がある。そのために六回、場所を変えてカードで引き出したということだ。

「なんとまあ」

高畠は蒼ざめた表情で、指を強く額に当てる。「当店での引き出しはいつだ」

「先月の十五日です」

「確認はとったか。ＣＤコーナーなら防犯カメラで撮っているだろう」

するとと北川は何かまずいことでもあるのか鼻に皺をよせ、言葉を選んだ。

「実は、その日ＣＤコーナーの防犯カメラが作動していなかったんです」

高畠は北川の顔を穴のあくほど見つめた。「どういうことだ、副支店長」

「当日、防犯カメラの入れ替え工事だったでしょう。覚えてらっしゃいませんか」

高畠の表情に、さっと何かがよぎった。心当たりがあるのか古河が顔をあげ、ぽかんと口をあけた。確か、そんな工事をしていた、ぐらいの記憶は私にもあった。

「まずいな、それは」

「ただ、当日はカメラがない代わりに警備員を一人配置して対応していますけどね」

「誰が現金を引き出したのか、確認のしようがないわけか」

溜め息をつき、高畠は体から力が抜けたように肘掛け椅子の背に体を投げ出した。

「わざとそういう日を選んだんでしょうな。工事のスケジュールは食堂の黒板に公表してありましたから。坂本も当然それを目にしていたはずです」

「ジャーナルはあったか」

ＣＤ機にはレジとおなじように取引を記録するためのジャーナルと呼ばれる記録紙がセットされており、引き出し時間とカード番号、引き出し金額、オンライン取引が完了したかどうかの記録が残るのだ。

「ありました。大東京銀行にも確認してあります。坂本名義の口座に間違いないそうです」

「警察対応について総務部からの指示は？」

「基本的には、捜査に協力するしかない、ということです。隠し立てをすると、あとでわかった場合申し開きができなくなりますから。リスク管理に手落ちがあったのではないかということを、もう調査役が言ってましたよ」

「工事中の対応は支店独自でやったわけではないはずだが」高畠が表情を曇らせる。

「書類にしていませんからね。電話で確認をとっただけです。その相手がそう言うんですから、本部の連中の調子のよさにはいつもながらあきれますよ」

長く本部にいた高畠に対する皮肉ともとれる言い方だ。高畠は北川から総務部の担当調査役の名前を聞き、あとで電話しておく、と言った。

「それと、代々木警察の刑事が来店して不正に使ったオンラインシステムを見ていきました。いまは本部で事情聴取しているようです」

高畠は打ちひしがれた様子で、手を顔に当てる。返事がないと知ると、北川は話題を変えた。

「ところで古河課長、あれだけ言っておいたのに、店内に情報が流れているようだな。どういうことだ」

古河の表情がさらに苦しげに歪んだ。北川は向かいの肘掛け椅子から不愉快極まる様子で古河の少し薄くなった頭を睨みつけている。

「人事部から洩れたようですよ。電話でうっかり口を滑らせた者がいるようです。誰かは知りませんが」

古河が気の毒だったので横から助け舟を出した。北川は嫌なものでも見る表情で私を一瞥し、その拍子にズボンに落ちたたばこの灰を慌てて払った。

「さっき新聞記者みたいな奴が支店の周りをうろうろしてたが、大丈夫なんだろうな。支店からこんな情報が洩れたら始末書じゃすまないぞ。顧客の金を盗んだなんてことが世の中に知れてみろ、わが二都銀行の信用は丸つぶれだ。誰か、新聞記者と話した奴がいないか、大至急確認して私に報告したまえ。新聞記者から話し掛けられたらノーコメント。食い下がるようだったら、私に報告する。徹底させろっ！」

北川は憎々しげに言い放った。

「古河課長も伊木代理も、坂本の悪事が他の行員に影響しないよう、よく注意しておいてくれ。悪いことをする奴というのは、すぐこういうのに刺激されるんだ」

北川は決めつけ、私を冷たく見据える。「君もさあ、坂本の友達だったわけだろう。お互い課長代理だったわけだし、なんでもっと相手のことをよく見てないんだ。今回のことは君にも責任があるぞ」

友人を監視していなかったのがどんな責任になるのか聞きたかったが、これが北川のやり方だった。妙な理屈をつけて人間関係や道義的な問題を指摘し、すみません、と言えば相手が悪いということにしてしまう。狡猾(こうかつ)な処世術に長(た)けた北川は、そうやって何人もの同僚や部下を踏みにじって出世競争をここまで勝ち残ってきた。

私は黙っていた。北川は私から詫びの言葉を引き出そうと待っていたが、何もないと知るといまいましげに舌を鳴らした。

「それにしても、三千万円、何に遣ったんでしょうか」

古河が疑問を口にした。坂本が不正送金したという相手銀行の口座から、三千万円全額が引き出されていたことはすでに連絡を受けていた。

北川は唇を皮肉に矯(た)めた。

「遣い途(みち)なんぞ考えてなんになる。どこの銀行でも不正はあるが、盗んだ金を教育費に使ったなんて話は聞いたことがない。ギャンブル、女、世の中にはその気になれば三千万円ぐらいの使い途はいくらでもあるからな。一晩でも使えるさ」

「坂本はそういう人間ではありません」

北川はぎらりと攻撃的な目を私に向けた。

「わかるもんか。君だって、彼の私生活をすべて知り尽くしていたわけではないだろう。私だって、君の私生活を知ってるわけじゃないからな。倒産した会社の娘と懇(ねんご)ろなんて話は、まったく知らなかったわけだ。そうと知っていれば、君を東京シリコンの担当から外しただろうし、そうすれば当行の損害ももっと少なかったかもな。いまとなっては仕方がないが」

　思いがけない反撃に言葉をなくした。意味ありげに北川はにやついている。箱からたばこを抜き、指で弄（もてあそ）んだまま私の反応を楽しんでいる。そう言われても仕方のない一面はある。だからといって、東京シリコンに対する融資を甘くしていたということは断じてないが、そんなことをいっても通じる相手ではない。

「はっきり申し上げますが、個人的な理由で、東京シリコンの融資を有利に進めたということは一切ありません」

　北川はにやついた笑いを歪め、どうだか、と呟き、ちらりと高畠に目をやる。

「伊木代理、いまはそんなことを話し合っているわけじゃない。君が自信をもってそう言い切れるのならそれでいい」

　高畠の言葉に北川の嗤笑（ししょう）がすっと消えた。

　そのとき、脇から古河が矛先（ほこさき）を変えた。「今日、坂本君の通夜ですが」

「支店長と私は一応、業務終了後に行ってくる」北川はつまらなそうにたばこをもみ消し、脚を組んだ。

「支店に戻られますか」

「何かあるのかね」

「いえ、別に何かということではありませんが」

木曜日だった。月初（げっしょ）の忙しい時期は過ぎていたが、一般的な決裁が遅れがちになっている。暗にそのことを古河は心配しているのだろう。北川は自分の決裁箱に山のような書類が溜まっているのをほとんど気にしていないようだったが、そのなかには、急ぎの案件もいくつか混じっているはずだ。

「帰るよ。私は」

「そうですか」

古河は歯にものが挟まったような言い方をして、苛立（いらだ）ちの浮かんだ北川の視線にさらされた。

「明日の葬儀は十時からだったね」

二人の会話など意に介さないと言いたげに、高畠が上着の胸ポケットから出した手帳を見ながら確認した。

「古河君たちは今夜から行くのか」

「はい。棺はいま彼の社宅で家族のもとにありますが、五時すぎには葬儀場に運ばれることになってますので」

そこで古河は言葉を切り、遠慮がちに聞いた。「あの――家族に、送金の件はもう？」

「まだだ。君からそれとなく話してみてくれないか」

北川の言葉に古河は苦しそうな顔をした。「私がですか？」

「君、今夜、彼の通夜へ行くんだろ？」

古河は視線を足元に落とし、それからまた顔をあげて弱々しい反論を試みる。

「できましたら、明日の葬儀が済んでからのほうがいいと思いますが」

「駄目だよ。三千万円は坂本家に弁償してもらう筋のものだからね、彼の実家から親御さんが出て来ているときに一緒に検討してもらうほうが先方だって好都合に決まってる。そんなこと君だってわかるだろう」

坂本の実家は新潟で、両親は長岡市内で小さな会社を経営していた。訃報を聞いて、すでに上京してきているはずだ。

「まだ言わなくていい」

不意に、高畠が言った。北川が横っ面を張られたように振り向く。

「支店長、しかしですね——」

「事実がきちんと判明してから、正式に私から言う」

「事実はもうほとんど判明したも同然じゃないですか」

「どう判明した」

北川は、情けない奴でも見るような目になる。

「ですから、坂本のオペレーター・キーが使われて、他行の彼の口座に送金されていたわけですよ。そんなこと他に誰がするんです」

「それだけで有罪にできるんなら警察も裁判所もいらんよ。それに、万が一、坂本の仕業だとしてもだ、その三千万円だけしか被害がないとどうして断言できる」

その切り返しには北川も反論できず、口籠もった。

「坂本の家族に話すのは本来君の仕事だ、副支店長。だが、どうやら君は遠慮したいようだから、私が話す。少なくともそれは今日や明日ではない。だから、古河君は余計なことは言わないように。遺族の感情を逆なでするようなことは絶対にしてはならん」

古河はほっと胸をなで下ろし、ありがとうございます、と礼でも言いそうなほど頭を垂れた。

7

葬儀場に設けられた祭壇の上には、引き伸ばされた坂本の写真が微笑んでいた。香の立ち込めた天井の高いホールに人の姿はあまりなく、弔問客は簡単な焼香を済ませると、半分は帰宅の途につき、あとは二階にある座敷へ向かう。宴会場のような大広間で、故人を偲ぶ輪があちこちにできあがっていった。

曜子は、親族が集まっているそばで、銀行時代の女友達に囲まれていた。何人かは現役で、私も顔見知りの女の子たちだ。

「伊木さん」

そのうちの一人が素早く目に留め、遠慮がちに手を挙げた。

私は、曜子のいる輪に加わったものの、彼女になんと声をかけていいのかわからなかった。だから、正座して、「残念だった」とだけ言った。

彼女が結婚を告げて以来、こうして、直接会うのは初めてだ。もう四年になる。坂本が私と曜子とのことを知っていたとは思わない。何度か誘われたことはあったが、坂本の自宅へ行ったことはなかった。友人の妻になっている彼女の姿を見たくなかった。相手が友人であれ、他の男であれ、同じだ。曜子が家庭を築いているという事実を認めたくなかったのかもしれない。もし、こんなことでもなければ、私は永遠に彼女の前には姿を現わさなかっただろう。

喪服の彼女はやつれ、青白い顔をして畳の上に座っていた。

「来てくれて、どうもありがとう」

彼女を囲んでいた友人たちが連れ立ってその場を離れた。その背中を曜子の視線が追った。

「知ってるのよ、あの人たち」

「何を」

曜子は応えなかった。すぐ近くで曜子の娘が安らかな寝息を立てていた。まだ、父親が死んだということを理解できる歳ではない。それがまだしも救いだった気がした。私自身は違ったからだ。母を亡くしたときのショックは、まるで焼き鏝でも押されたかのように、記憶の一番目立つところにくっきりと残っている。ベッドに横たわる母を今でもはっきり想い出すことができる。息を引き取る前、私の手を長い間さすり、私の表情を瞼に焼きつけようと、じっと見詰めていた母。その瞳に溢れた涙が青白い頬を流れ落ちていくさまは、私自身の涙で揺らいだ視界の記憶とともに、いまでも時々想い出し、胸を握り潰されるほどの悲しみを味わう。

「きのう、ごめんね」

私は応えず、うなずいた。ろくな言葉を掛けてやれなかったことを詫びたいのは私のほうだったが、黙っていた。それを言うと、何年か押さえつけていた感情が息を吹き返しそうな気がしたからだ。

「眠ったか」

首を横に振った。

「考えてた。いろんなこと。あの人と出会ったときのこととか――」

曜子を坂本に引き合わせたのは私だった。坂本と酒を飲む約束をしていた。そこへ同じ企画部で働いていた曜子を連れていった。坂本と曜子を引き合わせようとしたわけではない、結果的にそうなっただけだ。その頃、私と曜子は、中途半端な関係が続いていた。曜子は二十五で、私は二十九。私は単に同じ場所で働いている女の子として紹介しただけで、曜子との個人的な関係については一切触れなかった。

「その後のこととか」

その後、曜子は私に別れを告げたのだ。

「そしたら、ちょっと声が聞きたくなっただけ。でも、声が聞けるのは、あなたがまだ生きてるから。それに気づいたら、何も言えなくなった」

「涙が出たよ」

曜子は唇を嚙んだ。

「坂本の体質のことなんて、ぜんぜん知らなかった。参った。正直なところ。君は知ってた?」

「ええ」

曜子は近くにあった灰皿を私の前に置いた。私は首を振った。詳しく聞きたいと思ったが、彼女の気持ちを考えると、それ以上突っ込んで聞くことはできなかった。

「私には、なんでも話してくれた。私はなんでも話したわけじゃないのに」

なんでも話したわけじゃない。その言葉の意味は聞かなくてもわかった。娘のほうを見て、小さな声で言う。私にしか聞こえない、小さな声だ。「でも、幸せだった」

「君に似てる」

娘の顔を見ながら言った。曜子は少し笑顔になった。

「名前、知ってる?」

「紗絵ちゃん。うるさいぐらい坂本に自慢された」

「そう……」

曜子は握り締めたハンカチを目にあて、息を吸った。うっすらと涙を溜めた横顔は、私の記憶にある曜子とあまり変わっていなかった。指先を見た。すこし荒れている。もう一度横顔を見た。こんどは心持ち疲れがにじんでいるように見えた。寝不足による疲れではなく、普段でも消えない疲れだ。同じように私の顔にも曜子は疲れを読み取っているのだろうか。

「今日は、いてくれるの」

「ああ」

「ありがとう。あの人もきっと喜ぶと思う」

「あいつのためだけじゃない。君のためだ」

曜子は、戸惑うような笑みを返して言った。「少し優しくなった?」

それには応えず、私は親族に挨拶をしてその場を離れた。

座敷を出て、一階の斎場へ行った。フロアを見下ろせる階段をおり、受付に座っている同じ融資課の若手二人に困ったことはないか聞いた。とくになんの混乱もなさそうだった。

「さっき、新聞社の人が来ましたけど」

「何か話したか」

「いいえ。弔問の人に二、三人声を掛けただけで、すぐに帰ったようです。警察の人も来ていましたが、やはりもう帰られたようです」

それぐらいだった。私は、二人と別れ、明日葬儀が行われるホールに入ってみた。大きな祭壇の前は百脚ほどの折り畳み椅子がすでに並べられていた。数人が遺影に背を向けて、関係のない話をしているその脇を通り、座席の最後部まで歩いていって遠くから祭壇の坂本を見つめた。ふっくらとした顔にニコルの眼鏡。愛敬はあるが男前とはとても言えない顔が私を見下ろしている。なにか楽しいことでもあったのか、破顔している。カメラを向けているのは曜子だろうか。遺影の坂本は、殺伐とした職場で見る表情とどこか違っていた。生き生きしている。

「笑いすぎだ、坂本」

心の中で遺影に語りかけた。「死ぬやつがあるか」

七時前後には混雑していた斎場もいまでは閑散としている。午後九時過ぎ。通夜に残っている客はほとんど二階だ。折詰の弁当と、ビールも振る舞われている。この時間になると、焼香に訪れる人はぽつぽつとしかいない。たばこが吸いたくなったが、献花のひしめくなかでは憚られた。

ホールに一人の女性が入ってきた。彼女は、まっすぐ坂本の遺影の前まで行くと、丁寧に焼香し、手を合わせた。私には気づかなかったようだ。私は彼女が去っていくのを見送り、たばこを吸うために立ち上がった。

## 8

私は、参列の人の輪の後ろで、黒塗りの霊柩車に坂本の棺(ひつぎ)が運びこまれるのを見守っていた。

曜子は、親族の輪のなかで遺影を胸に抱いて立っていた。坂本の父親がマイクを持ち、挨拶の途中で泣き崩れたとき、嗚咽(おえつ)が広がった。私は曜子の指が、白くなるほど強く遺影を握り締めているのをぼんやり見ていた。彼女と坂本がどんな夫婦だったのか、私にはわからない。そこにいるのは、坂本健司の妻であり、私のかつての恋人ではなかった。

霊柩車が発つと、参列者たちは三々五々葬儀場から散って行った。私は坂本をのせた車が見えなくなるまで見送り、重くたれ込めた梅雨空の下を駅まで歩いて行った。

支店に戻ると、すぐに高畠に呼ばれた。喪章と黒いネクタイをとった高畠は、すでにいつものスーツに着替えている。高畠のデスクの前に立った私の横に、あらかじめ申し合わせていたのか古河が並んだ。

「坂本君が持っていた取引先だが、後任が決まるまでの間、君に担当してもらいたい。従来の担当先はそのままだ。負担になるが、古河課長もできるだけの手伝いはする」

予想はしていた。債権回収という仕事は、ある程度、融資業務の経験がないと勤まらない。入行して間がない若手では荷が重く、かといって二千億以上の貸し出しを管理しなければならない融資課長が片手間に担当できるほど甘い仕事ではない。

坂本のデスクの鍵を受け取り、彼が担当していた会社を数えた。全部でざっと二十社ほどあった。といっても、それらはすべて倒産、あるいは事実上行き詰まっている会社ばかりで、正常に運転している会社は一つもない。倒産会社は、正常な会社の何倍も、ことによると何十倍も手がかかる。

粘り、精緻な事務管理、専門的な法律知識、交渉力。債権回収は、およそ銀行員に必要なすべての能力を人並み以上に要求される酷な仕事だ。そのくせ評価はされにくい。そんな汚れ仕事を、坂本は感情を挟まず、ただ淡々とこなすことで自分との帳尻を合わせていた。荒っぽい交渉ごとが続くと、あの最後の朝そうであったように、きまって無口になった。陽気な男が貝になり、温厚で優しい男が感情を持たない歯車になりきることでしか解決し得ない矛盾がそこにあったからだ。

坂本から引き継ぐ何社かは、私自身も社長と面識がある。一時期担当していたり、あるいはこの二年半の間に、来店したときに言葉を交わすようになってできたものだ。

　急ぎの決裁のみを済ませ、午後一時すぎから古河と一緒に挨拶回りに出た。古河に顔をつないでもらわなければならないのは半分の十社に満たない。場所はすべて渋谷区内で、半日あれば十分回ることができる。明確にテリトリーが割り振られている銀行の支店では、取引先のほとんどはその同一地域内にある。実際、道路が空いていたこともあって、見込んだ通り、午後四時にはひと通りの説明と挨拶を終え、支店に戻った。

　銀行ビルの前で古河を降ろし、再び車を出した。山手通りを北上し、代々木八幡の交差点を左折して大山町方面へ抜ける。一方通行の幅の狭い道を走り、豪邸の建ち並ぶ一角をかすめ、交番のある交差点を直進した。小田急線の高架が見える手前に、白いコンクリート塀に囲まれた瀟洒(しょうしゃ)な洋館が現われた。

　その白い塀の前で業務用車を停め、サイドブレーキを引く。エンジンを切ると、高架を通過する電車の音がかすかに届いた。

　車を降りて塀沿いに歩き、洋館の裏手に建っている鉄筋造りの三階建てビルを見上げた。灯りは消え、ガラス張りのドアには鍵がかかっている。倒産した会社のビルというのはたちまち古ぼけ、廃虚のようになってしまうものだが、このビルにはまだ人の匂いが残っていた。

　それから、いましがた歩いてきた道を戻り、洋館を正面に見据える門扉をくぐった。鍵があるが、かかってはいない。門扉の間から手を入れてバーを上げると開く仕組みだ。その向こうには、タイルを敷き詰めた階段が半円を描いて上っている。庭に面した部屋の窓が開いていた。レースのカーテンは動かなかったが、人の気配がした。おそらく、もう私に気づいているだろう。

ドアの呼び鈴を押した。インターホンの赤いランプが点灯する。

「裏切り者のお出まし?」

名乗る前から先制パンチが飛んできた。

「裏切ったつもりはない」

「じゃあ何よ、最初からそのつもりだったわけ?」

「開けてもらえませんか」

「あなたなんて最低よ」

それから相手の声がトーンダウンした。「なんの用なの?」

「挨拶に来た」

「挨拶? これから我が家を競売(けいばい)にかけるって挨拶なら結構よ」

「担当が代わったので、その挨拶」

相手が沈黙した。鍵が外され、ドアが開いた。ポプリの香りと黒猫が忍び出てきた。

「だめよ、サキ」

彼女は手を伸ばして黒猫を抱き上げ、ドアの隙間から私を睨みつけた。

「挨拶に来た」

もう一度私は言った。「また、東京シリコンさんを担当させていただきますので、よろしくお願いします」

柳葉菜緒は、感情を消し去った言葉をくれる。

「それはどうも。ひとつお手柔らかに」

やおらドアを閉めようとした。閉まりかけたドアが私の靴を挟み、鈍い音をたてた。猫が逃げだし、後ろで束ねた長い髪が揺れた。細身のジーンズにTシャツ姿の彼女の眉間に少し皺が寄った。ノブを握った手はそのままだ。

「何すんのよ。警察を呼ぶわよ」

「嘘でしょ」

「じゃあ、大きい声を出す」

しばらく睨みあった。

「坂本が死んだんだ」

そう言うと、ドアが再び緩んだ。しばらく菜緒は言葉を探している様子だったが、どうぞ、と短く言って中へ消えた。

天井の高い玄関ホールに入る。アンティークの時計があり、まるで小鳩が挨拶でもするかのように顔を見せて一回鳴いた。ホールの向こうにはかつて見慣れた螺旋階段が記憶のまま優雅な弧を描いている。どれもこれも、わずか六ヵ月前までの富を象徴していた。

リビングに入ると、彼女がそれまで読んでいたらしい洋書がテーブルにのっていた。ソファにかけ、それを手にとる。ギリシャ時代の美術に関するものだ。菜緒は三田にある大学院に通っていて、美学美術史を専攻している。リビングは、年に何度か指導教授についてギリシャを旅行する彼女の戦利品で埋まっていた。大半が古代美術品のフェイクだが、小物のなかには本物もちらほら混じっていたはずだ。

私は、洋書をテーブルに戻し、キッチンでコーヒーを淹れている菜緒の後ろ姿を眺めた。ほっそりした線のなかに、どこかギリシャ彫刻の女神のようなふくよかな誘惑を隠している。

「どうしてた?」

その背中に向かって聞いた。

「べつに」

エスプレッソ・コーヒー・メーカーをセットしながらそっけなく言う。

私はコーヒーが運ばれてくるのを待ち、ソファの向かい側に菜緒が落ち着いてから、一口すすった。濃い味だ。菜緒は膝の上にソーサーを置き、小さなデミタスカップから優雅な仕種で飲む。

「坂本さん、どうしたの」

「急病で亡くなった。君も知っての通り、昨日通夜だった」

菜緒はカップを戻した。「なんで私が知っての通り、なの？」

「なんだ、そうか」

「会場の後ろのほうにいたんだ、あのとき」

「盗み見してたわけね」

「君が気づかなかっただけだ」

菜緒はそれには応えないで話題を変えた。

「坂本さん、どういう病気だったの？」

私はコーヒーをもう一口すすった。舌に残った苦みに懐かしさを覚えた。

「具体的な病名は知らない。何かのアレルギー症状」

「アレルギー？」

菜緒は顔を上げ、意外そうに聞いてくる。「卵アレルギーとか、そんなもの？」

きのう司法解剖が行われたはずだが、その結果については知らされていない。

「極端に反応する体質というのがあるらしい。坂本がそれだった。ただ、なんのアレルギーかは知らない」

菜緒は、飲みかけたカップを止め、思い出したように聞いた。

「坂本さんって子供いたの？」

「いた。一人」

「いくつ？」

「三つ」

菜緒はやりきれないという顔を私に向けた。私も菜緒も幼いころに母を亡くし、親子二人で生きてきた。それが私たちの共通点であり、二人の関係の出発点にもなっていたからだ。

企画部から渋谷支店に転勤になった私は、東京シリコンの担当になって柳葉から一人娘の菜緒を紹介された。五十社近くある担当先のなかでとくに柳葉朔太郎（さくたろう）に惹（ひ）かれたのは、彼のなかに単なる成功者ではない人間的な弱い部分があったからかもしれない。剛胆さだけではない繊細で人を思いやる心が柳葉にはあったのだ。

担当してどれくらい経った頃だろう。ある日、柳葉は、私が両親を亡くして一人住まいと知ると、自宅での夕食に招いてくれた。

そのとき、私は初めて菜緒を紹介され、同時に柳葉家が父一人娘一人という家族構成であることを知った。そして、柳葉は私を招くことでそれを教えたかったのではないか、そんな気がしたのだった。柳葉は、自分と菜緒が私と同じ淋しさを持った人間、同じ心の痛みを抱いている人間であることを私に言おうとしたのではないか——。

菜緒の手料理を三人で囲む夕食は、私に久しく忘れていた家族の温かさを思い出させた。柳葉の冗談に笑いながら、油断すると涙がこぼれそうになった。うれしかったのだ。同時に企画部からの左遷で正直なところ落胆していた私は、柳葉のような男に巡り会ったことを喜び、融資担当としての仕事の面白さに気づいた。出世を強く望むタイプではないと自分では思っていたのに、官僚的な本部機構のなかに身を置くうち、知らぬ間に卑屈な競争意識を植えつけられていた。銀行での処遇にがっかりしていた自分が愚にもつかない男に思え、滑稽にすら感じられた。

以来、柳葉家の食事にちょくちょく招かれるようになった私は、菜緒と親しくなり、たまの休みには二人だけで会うようになった。恋愛というより、家族を失い育った喪失感を埋めて温かさを求め合う関係とでもいったらいいだろうか。渋谷で待ち合わせ、映画やショッピングをした後、お茶や酒を飲んで帰る。そんなつきあいだった。それ以上にならなかったのは、菜緒がそのとき大学院への進学のことで頭が一杯だったこと、また取引先の社長の娘という職務上の関係がやはり私のなかで一線を引かせたからでもある。

柳葉朔太郎が亡くなってから、菜緒はこの広い洋館に一人で住んでいた。もっとも彼女の場合はその美しさゆえ、無聊を慰めてくれる相手に不自由することはないかもしれない。

「『期待しないで期待してほしい』って坂本さんは言ってた。そう言って帰ってった。父は、

『菜緒、見てろ』って。それが最後の言葉だった」

　菜緒の唇が固く結ばれ、そこから感情の危ういほどの一端を垣間見せた。「――みんな、いなくなった」

　私はしばらく言葉を継げず、黙って菜緒がデミタスカップを傾けるのを眺めるしかなかった。

「期待しないで期待してとはあいつらしいな」

　坂本らしい持って回ったような言い方。そうやっていつも人をやきもきさせて楽しんでいた。

「なんのことだった？」

「坂本さん？　お金が戻ってくるかもしれないって、そんな話。だから悲観するなって。なんとか頑張るからって、そう言って励ましてくれたわよ。親身になって相談にものってくれた。どっかの誰かさんみたいな冷血漢じゃなかったわ」

　菜緒は私に皮肉をこめて言った。

　そのとき、リビングの入り口からしっぽをたてた黒猫がゆっくりと入ってきて私のそばを通り、菜緒の足元にからだをすり寄せた。

「サキも元気そうだ」

　私の言葉は無視された。

「で、担当が代わったら、どうしようっていうの。私はここを出て行けばいいの？　また、あんな強引なことするわけ？」

　再び、菜緒の怒りに火がついた。

「信じてもらえないだろうが、必死で止めたさ」

「請求書を書いたの伊木遥大先生でしょ。あの取り澄ました筆跡は忘れようにも忘れられないわ——貴殿に保証願っております東京シリコン株式会社の債務をただちに弁済いただきますようお願い申しあげますってやつ。父の預金なんて生活費まで根こそぎ融資と相殺しておいて、何が弁済よ。私たちは次の日から生活に困ったのよ。そんなことあなたたちには全然わからないでしょう」

「わかるよ。ずっと心配してた」

「嘘つき！」

　サキの体が震え、反論しようとした私は菜緒の目から溢れそうな涙を見て言葉を呑んだ。

　菜緒の膝から降りたサキは、優雅な足取りで私のほうへやってくると足元に体をすり寄せた。飼い猫はどうやら、主人と私との仲違いを案じ、フィクサー役を買って出た気でいるらしい。

　黒猫を抱き上げ、グリーンの瞳を見つめていると、あの日の記憶がふいに生々しく胸にわき返ってきた。

## 9

「柳葉だ。大変なことになった」

柳葉朔太郎の切迫した太い声が受話器から響いてきたのは、半年前の一月三十一日、午後三時を少し回ったときだった。

窓の外は灰色。冬空から舞い落ちる粉雪が螺旋(らせん)を踊っていた。

忙しさに店内は殺気立っている。そのなかで私は受話器を握りしめていた。デスクの上には決裁待ちの書類の山。店内は、一ヵ月で最も忙しい一日の着地に向けて張りつめた緊張の最中にあった。

「どうしたんです」

普段から大げさなことを言う相手ではない。嫌な予感がした。

「信越マテリアルがさっき長野地裁に和議申請した。わしはもう駄目だ」

「まさか——」

気がついたときには、立ち上がっていた。椅子が背後にすべり、ほかのデスクにぶつかって派手な音をたてる。フロアにいた課員の何人かが私を振り返った。受話器を持つ手がどうしようもなく震える。私は残高照会をするために隣席のコンピュータ端末へ動き、コマンドを打ち込んだ。グリーンの数字がアウトプットされた。無情に並んだマイナス八桁の数字だ。東京シリコンの当座預金は、営業時間も過ぎたこの時間にまだ三千万円近い赤字になっている。その事実に愕然とした。しばらく視線を逸らすことができなかった。

「不足はもう埋まらん」

まるで私の行動が見えてでもいるかのように、柳葉のかすれた声が届いた。

「信越マテリアルからの入金をあてにしていたんだ、振り込みは入ってこない。このままじゃ、我が社は不渡りだ」

窓の外の灰色をした世界がすっと私の心の中にまで忍び込んできた。

「信越マテリアルの件、絶対に間違いありませんか」絶対に、という言葉に力を込めた。

「ああ。間違いなもんか」

苦悩を凝縮させたような声が答える。絶望からか、気の抜けた口調になっていた。

「役員の一人と、いまさっき連絡がついた」

「ほかに入金のあては？」

相手はしばらく考えていたが、そっと溜め息を洩らした。それが返答の代わりだった。私が聞くまでもなく、この男なら十分に考え尽くしたに違いない。その間にコンピュータが東京シリコンの決済明細をアウトプットした。当座預金を不足させているのは、一千万円単位の手形が数本。残りは数十万円からの小口の約束手形の決済だった。

電卓を叩き、当日の決済総額が五千万円であることを確認した。

「社長、これから言う金額と手形番号をメモしてください」

私は引き落とされた金額の大きいものから手形番号を添えて読み上げた。全部で五本だ。

「どこから回ってきた手形かわかりますか」

「わかる」

「親しい先ですか」

「十年来のつきあいだ」

「五本で何社ですか」

二社だ、と柳葉は答えた。時計を見る。午後三時十分。二社との交渉ならば時間的に間に合わないことはない。

「よく聞いてください。これからこの二社に連絡をし、依頼返却をお願いしてください。つまり手形を振り出した相手に取引銀行経由で回収してもらうんです。いったん相手に手形を引き上げてもらえれば、今日のところは当座預金の不足にはなりません」

「そうか、その手があったか！」

柳葉は活気づいた。

「社長、とにかく急いでください。時間がない。他行とのオンライン交信時限を過ぎてしまったら、アウトです」

「わかった。いますぐ電話してみる。待っててくれ」

受話器を置くと、心臓の鼓動が喉もとから聞こえた。望みはある、自分にそう言い聞かせた。柳葉が取引先との話をまとめ、相手銀行から電信で依頼返却をかければ今日のところはなんとか不渡りを免れることができるだろう。今後のことはそれからだ。

私は席を立ち、手を止めて一部始終を見ていた古河課長に仔細を告げた。黙って聞いた古河は、厳しい表情で舌打ちした。「まずいな」

十分もしないで、デスクの電話が鳴り出した。柳葉からだ。

「駄目だ！」

その声はほとんど悲鳴に変わっていた。受話器の中で音がハレーションし、ひび割れたように聞こえた。絶望、の二文字が緊張感でぼうっとなった私の頭に浮かんだ。「二社とも取引銀行で手形を割り引いているそうだ。依頼返却をするなら割り引いた手形を買い戻す必要があるが、その資金がない。あと数社にも電話をしてみたが、社長が不在でなんとも埒があかん。万事休すだ」

いや、あきらめるな——自分を叱咤した。何か手段がある。それを探せ。なんとしても不渡りを阻止するんだ。私はこめかみを指で強く押しながら他に有効な手段がないものか考えた。考えに考えた。唇を嚙み、受話器を握りしめたまま、しばらくロビーの壁を睨みつけていた。

だが、残念ながら、考えは浮かばなかった。

絶体絶命。そう観念したとき柳葉が口を開いた。

「なあ伊木君、これは相談なんだが」

湿り気を帯びている。干からびていたものが水を戻し、野望の光を手繰(たぐ)り寄せようとする、そんな響きがこもっていた。

「おたくに担保として差し入れている定期預金が五千万円ある。それを解約させてもらえんだろうか。そうすれば今日のところはなんとか凌(しの)げる。これからのことは相談だ。頼む。なんとか助けてくれ。頼む――」

「それは――」

難しい相談だった。担保預金解除は一種の賭けだ。相手が立ち直る見込みがなければ、銀行の傷口は大きくなる。

だが、もし立ち直るならば、主力銀行として当然の対処だと言っていい。無論、法律的にはどちらの選択をしようと銀行が罪に問われることはない。担保にしている預金を解除するかしないかは、銀行の考え方次第だ。

「掛け直しますからしばらくお待ちください」

いったん電話を切り、古河を振り返った。

「連鎖倒産か」

古河は、事実とも意見ともとれる言い方をした。すでにあきらめが混じっている風に聞こえる。救いたい。なんとか助けてやりたい、そう願った。

「担保預金を解除したいんです。助けられないでしょうか」

古河は唸った。腕組みをし、天井を見上げる。唇をぎゅっと結び、拳で額を何度も叩いた。それから、やおら立ち上がり高畠のデスクに歩み寄った。

「支店長、ご相談があります」

古河の口から支店長に事実経過が報告され、すぐに緊迫した検討が始まった。副支店長の北川がそれに加わった。

「倒産やむなし、ですかな」

北川はやけに落ち着いた口調で自らの結論を口にした。応えるものはいない。目をつぶった私の耳に、やがて、「短絡じゃないか?」という高畠の反論が聞こえた。

「副支店長、この会社は当店の取引先のなかでも親密に取引してきた先だ。それは君のほうがよく知っているだろう。別にオブリゲーションを負うわけではないが、君だって世話になっているはずだ」

「それとこれとは別ですよ」

北川は吐き捨てた。

「この会社は信越マテリアルなしでは生き残りは無理でしょう。たとえ、定期預金担保を解除したところで、すぐに倒産ですね。いまとれるものをとりましょうよ。そのほうが利口ですって」

「もう三億、裸だ。いまさら少しばかり回収しても、焼け石に水だ」

担保のない貸し出しを、銀行では「裸」という。高畠は怒りの捌け口を見つけられず、その言葉は我々の足元で焔のようにくすぶる。

「それじゃあ、融資部がなんと言うか」

北川は早々とあきらめ、与信所管部の名前を出した。「支店長、電話していただいたらいいでしょう。稟議をしてどうにかなるものなら、倒産したところで責任は連中に押しつけることができます」

言われるまでもなく高畠は、デスクの電話を引き寄せ、内線をプッシュしていた。すぐに激論が始まった。担当調査役との交渉がまとまらず、結局、その上席である融資部次長との直接交渉になった。

「当行の預金担保を解除すればなんとかクリアできるんです」

着任後まだ一ヵ月と経たない高畠は、電話に向かって力説した。だが、相手は頑として納得しない。

私の眼前で一進一退の攻防が続いた。支店長の高畠は国際畑で鳴らしたエリートだが次長より数年入行年次が若い。本部の専門ポストで力量を発揮するのと、いわゆる現場の一線で影響力を誇示するのとでは、勝手が違う。

じりじりと時間が経過していく。押し問答が続く。しばらくすると、隣に立っていた古河が私の肘をつついた。

「君は、さきに稟議の準備をしてくれ」

「わかりました」

預金担保解除を主張する高畠のもとを離れてコンピュータまで駆け寄り、担保条件変更の稟議を打ち込んだ。稟議書は二枚だ。一枚目が稟議事項の要約、二枚目が与信管理データの計数。その二枚目の用紙がようやくプリントアウトされたとき、古河に呼ばれた。

眉間に皺を寄せた高畠は、熱に浮かされたような顔をしていた。

「もういい」

「どういうことですか。稟議も受け付けないとは、いったいどういうことなんです。人の一生がかかってるんですよ。私たちが助けなければ何人もの人々が路頭に迷うんです。そんな大事なことを電話だけで決めてしまうんですか」

「おい、伊木！」

北川がどなり、力任せにテーブルを叩いた。

「すみません」

謝ったのは古河だ。威嚇するように上体を起こしている男の目を私は睨みつけた。小さくて光のない鉛の目だった。

心臓が音をたてている。北川とのやりとりを黙って聞いた高畠は、眺めていた東京シリコンのファイルを閉じ、デスクに両肘をついて指で額を押さえた。目を閉じ、そのままの姿で、数分間動かなかった。数分間だ。その途方もなく長い黙考の間、いつのまにか支店長席の周りを囲んだ行員たちの誰も言葉を発しなかった。皆が凍りついてしまい、熟考している男を見つめている。

高畠が頭を上げ、黙ってデスクの電話をとった。

「二都銀行の高畠です。社長さんをお願いします」

高畠の喉が動き、柳葉が出たのがわかった。

「ああ、社長。高畠です。どうも。伊木から話は聞きました。いまお申し出の件について本部と詰めたところです」

高畠は言葉を切り、一段と低い声で続けた。

「社長、これはあきらめてもらうしかない」

東京シリコンの倒産の瞬間だった。それから続いた会話のほとんどは耳に入らなかった。

よろよろと自分のデスクまで歩いていき、椅子に体を投げ出す。バスを待つ人たちの長蛇の列と、その上に降りかかる雪。ときおり鳴るクラクションのほかに、分厚いガラスの向こう側からは音らしい音はほとんど聞こえてこない。

――なんとか助けてくれ。

その言葉が、心の奥底で何度もリフレインしていた。

助けられなかった。

その事実は、投げかけられた言葉に対する私の限界を物語っていた。

私は亡霊のように呼応する言葉たちを振り払い、窓の向こうに張りついてしまった視線を無理矢理剝がした。

誰かが私の肩を叩いた。坂本だった。彼は手に持っていた紙コップ入りの熱いコーヒーを差し出した。

「飲め。落ち着くぞ」

熱い液体が徐々に体に沁み込んで次第に生気を取り戻すまで、私は動く気力さえ失っていた。さまざまな思念と現実が頭の中で混在し、茫洋としたままようやく息をしている、そんな状態だった。

いつ思い出してみても、遠い過去に経験した隔絶した記憶のようにも、まるで昨日経験したばかりの生々しい記憶のようにも感じられ、私の心をただ混乱させる苦い経験だ。

「坂本」

しばらくして、前のデスクで丸い背を見せている彼に声をかけた。行き詰まった東京シリコンは私の担当から外れ、近日中に坂本の担当になる。私の声に何かを感じ取ったか、やけに真剣な顔が振り返った。

「東京シリコン――頼むぞ」

「ああ。まかせとけ」

力強い坂本の返事だけが、唯一の救いだった。

## 10

古いミニカの、しけた音を立てるエンジンを掛けると、交番の角を右にまがり代々木上原駅の高架をくぐった。

菜緒が怒るのも無理はない。

あの日――。

第一回目の不渡りが確定した東京シリコンと柳葉社長に対して「請求書」を作成した。取引先が行き詰まると、銀行の融資担当者がやることはまず請求書を書くことだ。これを配達証明付き内容証明郵便で出す。完全にマニュアル化された手続きで、菜緒が言ったように請求書を書いたのは私だ。東京シリコンへの融資は多岐にわたっていたが、請求書ではその一つ一つの明細を書き上げなければならない。手のかかる仕事だった。

私がその書類を作る間、北川と古河が東京シリコンに出向き、小切手帳や手形帳を取り上げ、さらに預金を全額相殺するという手荒なことをしていた。古河にあとで聞いたところでは、柳葉社長は「迷惑をかけられない」と、無条件に北川の指示に従ったらしい。

ところが、それだけで終わらなかった。

深夜、まだ支店に残っていた北川が言った。

「伊木君、東京シリコンに電話してくれないか。これからもう一度行ってくる」

「これからですか」

耳を疑った。時計の針はすでに深夜零時を回っている。

「それがどうした。こんな緊急事態にこれからも何もあるか。電話して、社長に待ってろと伝えてくれ」

「こんな時間に押しかけるのは非常識じゃないですか」

「非常識？　非常識はどっちだ。不渡りを出して迷惑をかけられてるのはこっちじゃないか。お前、わかってるのか」

もちろん、そんなことはわかっていた。そういう問題ではない。私が非常識だと言ったのは、午後五時以降の督促は違法だからだ。サラ金が禁じられていることを銀行がやってもいいわけがない。

「とにかく電話しろ。これは命令だ」

それから古河に顔を向け、太い指を私の鼻先に突きつけた。「古河課長、こいつの教育はどうなってんだ。課長代理だぞ、こいつ」

　フロアには北川と古河、私のほかには坂本が残っていただけだ。坂本は仕事の手を休め、心配そうに私と北川とのやりとりを聞いている。若手の係員がいないのをいいことに北川はさんざん私をこき下ろした。

「伊木君、副支店長のおっしゃる通りだ」

　古河が言った。すがるような目が私に訴えている。

　折れるしかなかった。

　電話をすると、菜緒が出た。

「これから、そちらにお邪魔したいんだけど」

「これから？　こんな時間に押しかけて来るっていうの？」

　私は言った。「北川副支店長がそっちに行く」

「父は疲れて眠ってしまったの。あんまりショックで。休ませてあげないと。もともと心臓もよくないし。お願い、明日にして。明日なら、少し父も落ち着いていると思うから」

「だめなんだ。もう副支店長がそっちに向かってる」

　菜緒が泣き出した。私は詫びる言葉もなく、ただ受話器を握りしめていた。

　その夜、北川と古河の二人は東京シリコンの事務所に押しかけ、自宅で休んでいる柳葉を強引に引っ張りだした。北川は柳葉の前で私の書いた請求書を読み上げ、受領書に捺印(なついん)させたという。古河から聞いた話だ。北川を待っていた菜緒が引き取ってくれるよう泣いて頼んだらしいが、北川はきかなかった。自宅のリビングにまで押しかけ、そこで横になっていた柳葉をたたき起こした。雪の降る夜だ。深夜になって、うっすらと積り始めた雪の上を裸足（はだし）のまま事務所まで歩いた柳葉は、混乱する頭で差し出された担保関係書類に強引に署名捺印させられたのである。

恨まれて当然だ。

第一回不渡りを出しても、銀行の協力があれば立ち直る会社もある。だが、東京シリコンの場合は、期待した銀行の協力は得られなかった。

あの担保預金を解除していれば助かったかもしれない――。

そう考えれば、主要取引先の連鎖倒産という要因はあっても最終的な引導を渡したのは他ならぬ銀行だ。私は時々、柳葉があの断末魔の電話を掛けてきてから行内で交わされた議論を思い出してみる。支援の是非が検討される過程で出た意見は、どれも、東京シリコンの側に立ったものではなかった。顧客不在のまま、銀行の論理を優先させたあげくの融資打ち切り――そう言われても仕方がない。

旧山手通りから２４６号線へ合流するあたりから混雑が激しくなってきていた。渋滞の波にのみこまれ、のろのろと進み、また止まる。歩道を歩く人に抜かれながら東邦生命ビルを見上げた。そのてっぺん辺りだけ雲が薄くなっており、ぎらつくような銀色になっていた。

うるさいほどエアコンが回転していたが、冷房の効き目はいまひとつだ。その埃っぽい匂いのする冷風を体に浴びながら、柳葉朔太郎に思いを巡らせた。

一月末の第一回不渡りから金策に駆け回っていた柳葉は、二月半ばのある寒い朝、自らの命を絶った。相模(さがみ)湖畔に停められたメルセデスには排気ガスが引き込まれ、柳葉は大量の睡眠薬を服用したまま眠るように運転席に横たわり、波乱ともいえる人生の幕を閉じたのだ。

その葬儀はいまにも雪が舞いそうな暗い厳寒の空の下でひっそりと行われ、唯一の家族である柳葉菜緒が喪主をつとめた。数人の親戚と弁護士が立ち会うなか、柳葉の棺は渋谷区大山町の自宅から近くの代々幡(よよはた)斎場へ運ばれていった。

私は柳葉の遺体と菜緒を乗せた霊柩車が住宅街の角を曲がって見えなくなるまで見送り、会葬者に混じって代々木上原の駅へ向かった。冷たい風に吹きさらされたホームに立っていると、ちらちらと粉雪が舞い始めた。まるで柳葉の遺灰を思わせるそれは、ホームを覆う屋根と防音壁をよけて私のコートの上に落ち、すぐには溶けずゆっくりと黒い染みになっていった。

現実に背を向けた——。

北川などはいまでもそう思っているだろう。だが、柳葉は逃げるような男ではなかった。どれほどの難局にも立ち向かうだけの精神力を持った男のはずだった。

柳葉はいまから二十年ほど前にも一度、倒産したことがある。そのときは公害問題が原因だった。柳葉の経営する工場付近で水俣病と同様の症状を訴える患者が続出し、訴えられたのだ。調べてみると、工場排水からメチル水銀を含んだ有害物質が検出され、柳葉は操業停止に追い込まれた。賠償交渉のもつれから周辺住民との関係が悪化し、最後はデモに囲まれ、投石のなかを会社更生法適用のために裁判所の門をくぐったという。

「伊木君、ほら見てみろ。この指」

そう言って、柳葉はいつか、節くれだった左手の指を伸ばして見せてくれたことがある。その手の他の指はまっすぐ伸びているのに、人差し指だけが内側に曲がっていた。

まさに反旗に囲まれ、そこから脱出しようとしたとき、群集の中から飛んできた礫（つぶて）が、顔をかばっていた指の骨を砕いたのである。骨はつながったが筋は切れたままだ。このとき、再建をかけた会社更生法は申請したものの、更生計画は途中で挫折した。公害問題を起こした会社と取引することが、社会的なイメージの低下につながるからである。高度成長の犠牲としての水俣病やイタイイタイ病が社会問題になっていた時代に、メチル水銀を含んだ工場排水が取りざたされた企業とそれまで通りの取引を継続してくれる相手は予想以上に少なかった。

それでも柳葉は逃げなかった。会社を清算し、財産を失い、多額の借金を抱えても、妻と生まれて間もない菜緒を抱えて、死にもの狂いで働いた。そして、東京シリコンという会社を年商二十億円の企業に育て上げたのだ。

逃げたのではない。

柳葉が自らの命を絶ったのは、何かの事情があるはずだ。

第一回目の不渡りを出したあとの柳葉が、金策に走りまわっていたのは、周知の事実だ。だから、「菜緒、見てろ」という柳葉が残した言葉の意味するところは、おおよその察しがつく。どこかに金繰りのあてがあったということだ。

しかし、柳葉社長の死により、東京シリコンはあえなく月末に第二回不渡りを出して銀行取引停止処分になった。事実上の倒産である。二十人ほどいた社員も散り散りになり、いまもその清算は宙に浮いたままだ。

菜緒は、銀行の強引な債権回収のおかげで生活費にも困ったと言った。いまどうやって彼女が暮らしているのか、それはわからない。もう少し穏やかな話し合いになっていたら、それも聞いてみるつもりだったのだが、できなかった。

前を走っていた東急バスが蒼い煙を吐きながら駅前の交差点を左に曲がった。バスはそのままターミナルに入り、再び満員の乗客をのせて出発する。バスの発着は、この時間帯になるといつもやや遅れ気味だ。

私は駅前通りを左折し、業務用車で埋まっている駐車場のゲートをくぐった。空いていた奥のスペースにバックで突っ込む。車を降りて歩き出すと、飲み屋の軒先からはすでに鳥を焼く煙が吹き出し、香ばしいにおいが鼻孔をついてきた。

# 11

営業室のドアを開けると、私のカウンターで一人の男が待っているのが見えた。

午後五時を過ぎ、支店の慌ただしさも一段落している。早々に計算照合を済ませ、一日の片づけを始めた一階の営業課から金庫室のある二階へ何台ものキャビネが運び上げられていた。まるで羊の群れのようなキャビネの列をよけながら、私は遠くからその男を観察した。

四十過ぎ。ダブルのスーツ、ワイドカラーの青いシャツに洋物らしい派手めのネクタイを小粋に締めている。洒落た身なりだが、それが似合っていて嫌味がない。どこかの会社の社長という雰囲気ではなかった。

私は手にしていた手帳をデスクに置いた。男が立ちあがり、頭を下げた。

「坂本さんに御不幸があったと聞きまして。債権書類や電話でのやりとりでお世話になっていたんですが、なんと申し上げてよいやら」

丁寧に挨拶した男がくれた名刺には、「信越マテリアル株式会社　取締役財務部長　山崎耕太」と印刷されていた。私は場所を変え、ロビーの片隅にある応接コーナーへ山崎を案内した。

「わざわざ長野からいらっしゃったんですか」

信越マテリアルの本社はたしか長野市だったはずだ。その頭があって言ったのだが、名刺の住所が外神田になっていることにあとで気づいた。

案の定、山崎は、いえいえ、と手を振った。「信越マテリアルの工場は長野で、そこが本社所在地にはなっていますが、外神田に東京本社というのがありまして。長野にひっこんでいたのでは商売になりませんから」

「ご商売といっても、いまはどうなんです？」

私はテーブルの上に置いた山崎の名刺をもう一度見た。再生紙に印刷された飾りっ気のかけらもない名刺だ。和議申請中の会社だ。通常の商売ができているわけがない。しかし、東京シリコンを倒産に追いやった会社の取締役は、一度死んだ企業の遣いにしては顔色もよく精力的な印象だ。

「まあ、和議が成立するかどうかにかかってます」

山崎は、名刺入れから新たに一枚を差し出した。

——株式会社二都商事　金属グループ金属課　課長　山崎耕太

それで合点がいった。

「商事さんからですか」

二都銀行と同じ資本系列の巨大商社だ。二都商事は、グループ内では、ただ「商事」で通る。二都銀行、二都重工とともに財閥系グループを牽引する「御三家」の一つだ。課長の肩書きは、誰でも得られるものではない。おそらく数十人の部下を統率しているはずだ。

「出向です。紐付きですが」

紐付き、と付け加えたところに、この男のプライドを感じた。

「二都商事で信越マテリアルの取引を開拓したのが私でした。何年やっても先を読む目は上達しません」

苦笑した。謙遜である。山崎の態度には隙がない。腰が低く、嫌味なところもない。一流企業の営業マンにはプライドを鼻先にぶら下げているような輩が少なくないが、この男にはそれもない。あるのは全身から発散している意思の強さだ。それは一目見た瞬間から、こちらに明確に伝わってきた。

山崎は黒いブリーフケースから茶封筒を取り、どうぞ、とテーブルの上でこちらに押して寄こした。封筒の中に手を入れる。『和議再建案』と表紙に書かれた提案書が入っていた。

「実は来週の月曜日、信越マテリアルの和議債権者集会が予定されています」

山崎は私の反応をうかがって、そろりと遠慮がちに聞いた。「ご存じでしたか?」

「いいえ。知りませんでした」

私は正直に応え、少し言い訳じみた説明を連ねた。「今日業務の引き継ぎを言い渡されたばかりで、個社別の詳細は把握していません」

どうやら私の答えは山崎の予想通りだったらしい。

「やはりそうでしたか。私どもとしては、御行様にご承諾をいただいて、ぜひ和議を成立させたいと考えておりまして。本日はそのお願いに参上したわけです」

「ちょっと待ってください。私どもにですか？」

話が読めない。

「私どもは信越マテリアルさんと直接取引していたわけではありませんが。それなのにどうして債権者集会に出席できるんですか」

東京シリコンに対しての債権はあるが、信越マテリアルに対しての債権はない。したがって、信越マテリアルの債権者集会に二都銀行が出席すること自体、筋違い——私はそう思った。

いえいえ、と山崎はまた手を振り、そのあたりの事情を説明した。

「御行では、私どもの振り出した約束手形を東京シリコンさんを通じて割引をしておられます。その手形はすべて、私どもが和議申請した段階で不渡りになっているはずですが、一部については東京シリコンさんに買い戻す資力がなく、御行で所持しておられる」

「それが債権？」

山崎は私を直視してうなずいた。「そうです。ざっと一億円ほどの手形残高のはずですが」

私はその席に持ち込んだ東京シリコンのクレジット・ファイルを開け、話の中身を確認した。間違いない。

「なるほど。理屈はわかりました。で、和議の見通しはどうなんですか」

私はテーブルの端の灰皿を中央に寄せてたばこをくわえた。山崎は灰皿を見なかった。吸わないらしい。

「率直に申し上げて、どうかな、というところです。負債総額は合計で五十億円近くになりますが、意見がまとまるかどうか、正直なところ自信はありません」

「二都商事さんは、賛成なさるのですね」

「もちろん。私がこうしてお邪魔しているのもその意思表示だとお考えください。先ほど支店長さんにもそう申し上げました。賛成いただけるとのことで、ほっと胸をなで下ろしたところです」

わずか一億程度の債権者に対してここまで根回しをするというのも考えてみれば大変な労力だが、それだけに和議にかける山崎の決意のほどが感じられた。高畠が賛成の意思表示をしたということは、本部との調整が決着していることを意味している。

「もし、和議が成立しなかった場合の配当はどうなりますか」

この質問に、山崎の表情がつと厳しくなった。

「正直申し上げて、債権額の大半は戻らないような状態ですね」

「そんなに――」悪かったのか。そう言いたかった。

「和議計画では、二都商事を含む特定の大口債権者に対しては十年で債権を全額お返しすることを考えています。また、五億円以下の債権者に対しては、五年返済が条件です。これは御行にとっても、それから東京シリコンにとってもメリットのある話だと確信しています」

「東京シリコンからは誰が債権者集会に出席するんですか」

「弁護士さんがいらっしゃるようですね。あそこはまだ管財人もなく未処理ですから」

清算するのか、再建するのか、まだ債権者との調整がついていない。未処理というのはそういう意味だ。良くも悪しくも柳葉一人で保っていたような会社だ。大黒柱が抜けた途端、まさに骨抜きになってしまって、調整役を買って出る者もいない。ただ、私が不思議なのは、菜緒の生活費もそうだが、東京シリコンでは取引先からの取り立ての噂を聞かないことだ。事務所の様子にせよ、菜緒の暮らしぶりにせよ、どこか平仄が合わない。

「賛成ですか、東京シリコンさんは」

それとなく聞くと、山崎の表情が曇った。

「実を言うと、あまりいいお返事はいただいておりません」

「なぜです」

東京シリコンの債権額はおそらく五億円近くに上るはずだ。信越マテリアルの全和議債権の十分の一。おそらく大口債権者の一つに数えられているだろう。債権カットが含まれないこの条件でなぜ反対するのか私には理解できなかった。

「まあ、返済期間が長すぎるということです。その間、利息がかさんで五年で返してもらっても、意味がないと。また、明日にも弁護士さんのところへお邪魔するつもりですが、どうでしょうか」

　ふと、根本的な疑問がわいた。

「そもそも東京シリコンの弁護士は誰の意見を反映しているのですか。まさか弁護士自身の判断で反対しているわけではないでしょう。社長は亡くなられたし、意思決定すべき人がいないと思うんですが」

　山崎は顔をしかめた。

「それがどうも、柳葉社長のお嬢さんらしい」

　いまいましいとでも言いたげに、腕を組んだ。

　驚いた。

　菜緒が？

　山崎の表情が再び精力的なものに変わるさまを見ながら、逆に自分の胸のうちに差した新たな翳に気づいた。

「弁護士が、そう言ったんですか」

「まあ、はっきり聞いたわけではありませんが」

　山崎は椅子に浅く掛け直し、額を寄せてきた。声を低める。

「こいつは相談なんですが、御行からなんとか東京シリコンさんを説得していただくわけにいきませんか。和議が成立すれば東京シリコンの取り分も増える。それは御行の債権回収にも寄与すると思うんです。いかがでしょう」

突き出した額は陽に灼け、彫りの深い顔の造りを一層精悍(せいかん)に見せている。その顔に向かって、言った。

「おっしゃることはわかりますが、たぶん無理だと思います」

「なぜ」

「関係が悪化している。情けない話ですが、債権回収のやり方がまずくて先方の怒りを買ってましてね、意見できるような友好関係にないんです。お話は頭には入れておきますが、期待しないほうがいい」

「そうですか」

丸めた口から息を吹き上げると山崎は開いていたブリーフケースのタブをかけた。強引なところはあるが、思ったより押してこない。あるいは、最初から私の答えを読んでいて、あえて言ってみたか。おそらく後者だろう。反応については坂本で、すでに確認済みとみた。

山崎は話題を変えた。

「伊木さんは、この店は長いんですか」

「二年半になります」

「じゃあ、そろそろ転勤ですか」

「どうですかね。それは高畠に聞いてください」

私の転勤はあったとしても、坂本の死でさらに遠のいたのは事実だ。

「この前はどちらに？」

「企画部におりました」

「昇格で支店に出られたんですか」

「いえ。横滑りですよ」

山崎の表情に微妙な動きがあった。私を見つめる目に何か問いたげなものが混じったが、意志の力ですぐに消えていった。出世を望むエリートになればなるほど、人事に含まれたちょっとした綾（あや）に対する嗅覚も優れている。本部の中枢である企画部在籍の調査役にとって、融資係の課長代理が次のポジションとしてふさわしいかどうか、山崎は瞬時に回答を導き出したはずだ。勝ち組か負け組か、という分け方をすれば、いまの私は明らかに負け組だ。

「山崎さんは、ずっと金属畑ですか」

「入社以来ですから、もう二十年近くになります。バカの一つ覚えですよ」

ご謙遜を、とでも言えばいいのか。黙っていたら山崎は笑いをすぐに引っ込め、坂本の名を出した。

「ところで、坂本さんですが。ほんとに惜しい方でした。葬儀に私も参列したかったのですが、外せない用事もありまして、失礼させていただきました。人間、先のことはわからないものですね」

「まったくです」

「ご家族の方もさぞかしショックを受けられたでしょうね。突然ですから。まだお若いでしょう。伊木さんと同期、それとも――？」

「同期入社です」

山崎は不正送金の件について知らない。まだマスコミで取り上げられてはいないからだ。もし新聞の記事にでもなれば、たちまち山崎も気づいただろう。同じ資本系列の話題はいち早く目に止まる。そういうものだ。

「私も来週には和議の件が片付きます。落ち着かれましたら、ひとつどうです」

酒を飲むしぐさをして楽しそうに笑う。外交辞令。そうですね、と曖昧な言葉を返しておいた。

## 12

坂本の仕事を引き継いでからの数日は、悲しむ暇がないほどの忙しさにまぎれ、過ぎていった。

その夜。私が感じているのは、疲労が七割、食欲三割ぐらいだろうか。

京王線幡ヶ谷駅の地下ホームから階段をのぼって甲州街道の南側に出た。首都高速新宿線の高架が蓋をするように空を覆い、排気ガスと耳鳴りのような騒音が一日中こびりついている、殺伐としてはいるがほっとする街である。

食欲を満たすために、途中のコンビニで弁当を買った。店を出て、商店街をまっすぐ歩く。甲州街道の喧噪は背後に小さくなり、一分も歩かないうちに都会の夜に溶けてしまう。人通りはまばらだ。店は八百屋や雑貨、文房具を売る個人商店が中心で、八時を過ぎると半分ぐらいは閉まる。この時間に店を開けているのは、コンビニ、ラーメン屋とちっぽけな居酒屋が数軒、それに地元の顔見知りだけでなりたっているようなスナックぐらいだ。コンビニとラーメン屋以外にはどちらにも私は入ったことがなかったが、あまり繁盛している様子ではない。

商店街の途中で右へ折れる。区立図書館の前を通り過ぎた突き当たりが私のマンションだ。駅からだと徒歩で七分。十五分ほど歩く気があれば代々木上原の駅にも出られるロケーションだ。

私がこのマンションを買ったのは、ここから歩いて五分ほどのところにある一戸建ての家に、かつて住んでいたことがあったからだ。母もまだ元気な頃で、私が記憶している最も幸せな数年間をそこで過ごした。母の病気が判ったのは、父の転勤について札幌に引っ越してからだ。

人生のなかで本当に幸せな時間というのは一体どれくらいあるのだろう。母が亡くなってからの父は、いつも淋しげだった。その父が急死したとき、現世では長く添い遂げられなかった二人がきっと再び結ばれたのだと自分に言い聞かせた。誰になんと言われようと、親子三人で幸せに暮らしていたあの頃の記憶は、私にとってかけがえのない想い出だ。ここに戻ってきたのは、その記憶を少しでも大切にしたいからだった。幼い私の手をひいて、童謡を歌いながら歩いていた母の面影や父の優しさを忘れないためだ。

私が新築で売りに出ていたこのマンションを見つけ、渋谷に舞い戻ってきたのは父の死後しばらくしてからだった。マンションの購入資金は、外資系企業の現職役員だった父の退職金と金融資産を充てた。余った金で墓所を買い、相続税は保険金で支払った。

越して来たとき、私たちが住んでいた家はすでに取り壊され、三階建てのビルになってどこかの会社事務所になっていたが、それでも私はここに来てよかったと思う。ここは私のホームタウンで、原点だからだ。

マンションの玄関わきに、刑事が立っていた。年輩のほうが軽く手をあげ、私がそうするのと同時に頭をさげた。話を切り出したのもやはり彼で、若いほうはこの前と同じように感情のこもらない視線を私に向けている。

「すみませんな、こんな時間に。銀行に電話したら、先ほど帰られたということでしたので、こちらに伺わせてもらいました。ちょっといいですか」

「ええ。ここではなんですから、どうぞ」

突然の訪問にはやや戸惑いも感じたが、立ち話というわけにはいかないようだった。

「これからお食事ですか」

コンビニのビニール袋に目をやった年輩刑事はすかさず聞いた。

「ええ」

「毎日こんな時間？」

「そういうわけではありませんが、最近いろいろあったから」

相手は納得したようだった。

「銀行の支店では、残業しているときにメシは出ないんですか」

私は苦笑した。「出ません。出てくれるとありがたいんですけどね」

刑事は黙ってうなずき、エレベーターの表示を見上げた。五階につくところだった。

「自己紹介がまだでした」

自宅に案内し、リビングのソファを勧めると、年輩の刑事が名刺をくれた。警視庁代々木警察署、暴力犯捜査第一係の巡査長という肩書きがどれほどのものかわからない。

「大庭(おおば)といいます。こちらは滝川」

若いほうが無愛想な顔のまま軽くお辞儀をした。私より二つか三つ上。刑事という職業にそれほど熱意を感じないのか、つまらなそうに見える。会釈のかわりに咳払いをし、バッグから大学ノートを出して膝に置いた。私はとりあえずコーヒーを淹れようと立ち上がり、ついでに道路に面したリビングの窓を開けた。室内は、一日中締め切っていたためによどんだ空気がこもっていて、空気の入れ替えが必要だ。道路は狭いT字路につきあたる一方通行で、交通量も少ない。人の歩く靴音が届く静かさだ。部屋の中のそれとは異なる生暖かい空気がカーテン越しに入ってきた。網戸を閉め、レースのカーテンは開けた。外から覗かれることはない。エアコンはつけなかった。

ドリップをセットしているとき、電話の留守録を知らせるボタンが点滅しているのに気づいたが、刑事に聞かれたくなかったので、そのままにしておいた。私がサーバーにコーヒーを落としているあいだ、二人がそれとなく室内を観察しているのがわかる。あまりいい気持ちではない。

「ミルクと砂糖は？」

キッチンから聞くと、家具を眺めていた顔が、さっとこっちを見た。

「あ、お願いします」

私はカップをのせたソーサーにスティックタイプのシュガーとフレッシュを置き、スプーンをつけた。

「お疲れのところ、気をつかっていただいてすみませんね」

別段すまなさそうではなく大庭は言い、スティックの中身とミルクを当然のように全部入れたコーヒーを勢いよくかき回す。さっきから愛想よく振る舞っているが、内心は何を考えているのかわからない目をしている。私は自分から訪問の理由を聞き出すつもりはなかった。相手が世間話をすればそれにつきあう。しばらく、二人がコーヒーを飲むのを見守った。コーヒーは二人分だけで自分のものは淹れなかった。食事の前にコーヒーを飲むと、食欲が削(そ)がれる。

「ピアノ、弾くんですか」

大庭が居間の片隅に置いたグランドピアノに向かって空いている左手を曖昧に振った。意味もなく間を埋めるだけの質問だ。

「ええ、まあ」

弾くことは弾く。一週間に一度か二度。そのほかに心を落ち着かせたいとき、弾く。そういうときのピアノは楽器というより、薬になる。精神安定剤(マイナー・トランキライザー)だ。見かけより私は繊細な人間なのだ。

「しかし、あんなでっかいのを持ってるなんて相当の腕なんでしょう。アメフトにピアノですか」

大庭はさして感心した口振りでもなく言う。私の趣味を憶えていてくれたらしいが、ありがたくもない。

「母のものです」

大庭は一瞬カップを持ち上げる手を止めてきょとんとした。

「お母さんの？」

ずずっという音をたててコーヒーをすすり、うまかったとでもいうように舌を鳴らしてカップをテーブルのソーサーに戻した。いつもは母親と二人きりなのか、という疑問が大庭の顔に浮かんでいた。コーヒーはまだ半分近く残っている。滝川はすでに飲んでしまって、手持ちぶさたに私を見ていた。

「伊木さんのお母さんは、ピアノの先生か何かですか」

初めて滝川が口を開いた。はっきりした口調できびきびした早口。小太りでごま塩頭の大庭と違い、こちらは髪を七三に分けた公務員タイプで紺にストライプの入った背広に流行とは無関係のタイを合わせている。二人ともスーツ姿だが、身だしなみにはあまり気を遣っていない。たばこの匂いが強くしみついていたが、私は灰皿を出さなかった。部屋の中では吸わないことにしているからだ。ヤニがピアノに入り込み、傷む原因になる。

「ええ、そうでした」

「今は？」

「亡くなりました」

滝川は私を見詰め、そうですか、それはどうも、と言う。「いつお亡くなりになったんです？」

「随分前ですよ。私がまだ小学生のころです」

　父はそのピアノを苦労して所有し続けていた。決して手放そうとはしなかったし、年に一度は調律までしていた。父が亡くなってからは私がそれを引き継ぎ、いまでも母が使っていたときのままの状態を保っている。私がピアノの手ほどきを受けたのは母からで、母が亡くなってからは独学になった。教室に通ったことも、ピアノの教師についたこともない。我が家にある楽譜（スコア）はすべて母が持っていたものだ。私も子供のころ、アシュケナージに憧れ、一時ピアニストになりたいと思っていたこともある。しかし、どうがんばってもあの域にまでなるのは無理だということが年とともにわかってきて、諦（あきら）めた。やはり、才能が紡（つむ）ぎだす芸術には、いくら努力したところで凡人には到達しえない域というものがあるのだ。才能とはある種の共通言語のようなものだ。その言語圏に生まれ育ったものでなければ操れない機微（きび）がある。

「趣味でピアノなんていいですな」

　大庭は刑事のくせにサラリーマンのようなお愛想を言う。それが前置きのつもりだったか、黙っていると本題を切り出してきた。

「ところで、亡くなられた坂本さんもこの部屋にいらっしゃったことはあるんですか」

「ええ、何度かあります」質問の主旨が理解できないまま、私は応えた。

「それはどういうときに?」

「たとえば、職場の連中と飲みに行った帰りとかに、うちに寄って飲むことはありましたね」

「なるほど」

刑事は質問を続けた。「反対に、伊木さんが坂本さんの家に行かれたことはありますか」

滝川は大学ノートになにやらボールペンで書き込んでいる。ちまちました書き方で、筆圧のかかった細かい文字を想像した。

「ありません」

「坂本さんがこちらに来るだけだったということですか」

「そうです」

「坂本さんの奥さんはどうです」

私はようやく刑事の矛先に気づき、ひそかに警戒した。「どうって?」

「ここにいらっしゃったことはない?」

「ありません。彼女が結婚してからはね」

「じゃあ、それ以前は?」

「二、三度はあったかもしれない」

嘘だった。一時期、曜子は毎日のようにここに来ていた。スペア・キーを持っていて、仕事帰りに寄り、食事を作ってくれたりした時期があった。いまから五年近く前の話だ。それから徐々に冷めていった。いや、冷めたというより、私の方から距離を置いたのだ。家族の死により幸せが削り取られていく経験を重ねた私は、家庭を持つことを決心できなかったのだ。それが曜子と私との間に横たわっている過去だった。彼女はそれを坂本には話していないと言った。話す必要もなかった、と私は思う。

「どういう関係だったんです、お二人は」

「友人、です」

「親しい？」

大庭は私の目をじっと見据えた。

「ええ、まあ」

「今でも彼女——曜子さんですか、彼女と連絡はとってる？」

私は、留守録の点滅を想い出しながら、いいえ、と言った。

「何が言いたいかわかりますか？」

私は黙って相手の言葉を待った。

「あなた、先日お話を伺ったとき、坂本さんがアレルギー体質だということを知らなかったと言った。ぶっちゃけて聞きますけど、あなた本当は知ってたんじゃないのかな」

「まさか」

私の目を凝視する。大庭はふっと勢いを抜き、穏やかな口調になった。

「坂本さんと最後に会った日の午前中にはどこにいらっしゃいましたか」

「あの日は取引先を二、三軒回っていました」

「その取引先の名前を教えてください」

私は、その日訪問した取引先の名前とおおよその住所を言い、滝川がそれをメモした。

「訪問した取引先はどこも坂本さんが見つかった代々木公園から近いですね」大庭が馬鹿なことを言う。

「銀行にはテリトリーというものがありますから、渋谷支店の取引先が代々木公園に近いのは当たり前です。警察だって同じでしょう。それとも、代々木警察では渋谷警察のテリトリーまでパトロールして回るんですか」

「まあ、そういうことはありませんがね」

しゃあしゃあと大庭は言い、思わぬ反論に驚いたように滝川と顔を見合わせた。

「坂本さんの検死結果がでましてね。蜂のアレルギーだったようです」

今度は私が驚かされる番だった。

「蜂――!?」

「ほら、よくあるでしょう。秋頃になると蜂に刺されて死亡するといった話が。あれと同じようなもんです。ここに蜂の針が刺さってました。それとここ――」

大庭は、太く短い自分の首を傾けて左手でたたき、それからその左手の甲を右の人差し指で指した。

「たぶん、車を運転しているときに蜂に襲われたんでしょうな。何匹もいたと思います。他にも何ヵ所か刺された痕がありましたよ。可哀想にね」

怒りが大庭の瞳に宿る。メモをとっていた滝川が顔をあげて私を見ていた。来訪の目的がやっと理解できた。

「こういうアレルギーというのはすぐに痙攣と呼吸困難に陥るらしいね。坂本さんにしてみればナイフで刺されたも同然だ。伊木さん、あなた蜂に刺されたこと、ある？」

大庭は質問を続けた。口調が少しなれなれしくなった。不快だ。

「ええ、何度かは」

「私もだ。でも、こんな都会で車の中に少なくとも数匹の蜂がいるというのも妙だ。おかしいと思わないかね」

「それで私を疑ってるわけですか」

刑事は、ほう、という顔で私を見た。滝川も見ていた。

「だれも伊木さんのことを疑ってるなんて言ってないんだけどな。でも、坂本さんと最後に会ったのはあなただよね。坂本さんの車を見送ったのはあなただけだ」

私はこの安っぽい駆け引きに次第に腹がたってきた。

「どう思う?」大庭が聞いた。

「何がです?」

「坂本さんは偶然に蜂に刺されて亡くなったと思うかい」

「そんなことわかりませんよ、私には」

沈黙。ほんの数秒、大庭と睨みあった。

「坂本さんがトラブルに巻き込まれていた、というような話、聞いたことはありませんか」

大庭は質問を変えた。それとともに巧みに口調も変えてくる。

「いいえ、そんな話は聞いていません」

「坂本さんの仕事振りはどうでした」

「できる男でした」

「強引?」

「まあ、ときには」私は認めた。

「恨まれることもあり得るほど?」

「どうかな。ですが、その程度で——」

「殺されちゃかなわないよね」

その通りだ。

「わかりました」

大庭は大きく息をし、それから指を動かして滝川に合図を送った。滝川は大学ノートを脇に置くと、鞄を開けて黒いプラスチック・ケースに入ったものを取り出す。ビデオテープだった。

# 13

「まあ、坂本さんのアレルギーの話はこのへんにしておいて、今日伺ったのはもう一つ――ちょっと、ビデオデッキをお借りしたいんですが」

「どうぞ」私は近くにあったリモコンでビデオデッキとテレビのスイッチを入れ、刑事が持ってきたテープを入れた。

「ちょっと見てもらいたいシーンがあるんです」

再生ボタンを押すと、モノクロの映像が、坂本のことで思考能力が鈍っている脳に単調な視覚情報を送り始めた。見慣れた支店のロビーが映っている。音声はない。人の列が見える。コマを継ぎ合わせたような粗い映像で、人の表情も細部まではよく見えない。

「これはおたくの銀行のロビーです」

大庭はソファを立つと、テレビの前ににじりより、両膝をついた。「ほら、この男――ちょっと、止められますか」

　ポーズのボタンを押した。ＣＤコーナーの順番待ちをしているサングラスを掛けた男の上で大庭の指が止まった。大庭は、私からリモコンを受け取り、操作に戸惑いながらもう一度再生ボタンを押した。

「防犯カメラなんでちょっと映りが悪いんですが勘弁ねがいますよ。よく見てください。今度はＣＤ機の前に立っています」

　長髪で、色はわからないが濃い目のシャツに同系色と思われるタックパンツをつけている。身長はかなり高いが、痩せぎす。撫でつけた長めの髪は首の後ろあたりで跳ね、毛先は上を向いているようだ。目はサングラスで隠していて見えない。脇にはセカンド・バッグを抱えている。見覚えのない男だ。

　次に、背中が映った。かなり長い時間。他の客は何人か入れ替わっているのに、この男だけは同じ機械の前にいる。男が振り返った。一瞬だけ横顔がのぞいた。ここで大庭がリモコンを操作し、画像を戻した。コマ送りで進める。後ろ姿。手が動いている。こちらを向きかけた。順番待ちの列の手前。歩き出している。何か気になるものでもあったのか、頭が動く。横顔。

　大庭が画像を止めた。指先を、そのサングラスの隙間のかろうじて映っている目に当てた。

「どうです？」

　カメラを意識していないせいか、トロンとしたところのある虚ろな表情だ。面白いものでもないかと退屈している顔にも見える。何が面白いかは人によって違うが、この男の場合は、相手を傷つける皮肉や残忍な笑いを呼び覚ますような何かだろう。近寄れば怪我をしかねない危うい雰囲気がある。そのとき、何かが私の意識に働きかけたが、わからなかった。

「見覚えありませんか」

　もう一度凝視した。何か——だが、わからない。

　私は首を横に振った。

　大庭はテープを巻き戻し、最初から再生を始め、同じ質問をする。「どうです？」

「見たことのない男です」

「よく思い出してみてくださいよ。知り合いのなかだけではなく、あなたの支店で見かけた人なども含めて考えてみてください」

　そうしてみたが、結果は変わらなかった。

　大庭は、落胆した顔は見せず、テープをデッキから出してソファに戻った。

「坂本さんの不正送金を引き出したのはこの男ですよ」

　それは私も予想していたので驚かなかった。むしろ、坂本でなくてほっとしたほどだ。それから気になっていたことを聞いた。

「その日は防犯カメラの工事をしていて、録画テープがないと聞いていたんですが。さっきの映像はどうやって手に入れたんです」

大庭はさも愉快そうににやりとした。

「実はね、業者がカメラのテスト撮影を繰り返していたわけです。そのテープが残っていて偶然、発見したわけですよ。お宅の銀行の未使用テープの箱の中でみつけました。この男、他の銀行の防犯カメラにはヘルメットをしたままで写っていましたよ。犯人は、まさかこんな映像が撮られていようとは夢にも思わなかったでしょうな」

大庭は、慎重に犯人と言っただけで具体的に名前をあげはしなかった。

「坂本が関係していると考えてるんですか」

「他に誰か怪しい人がいます？」

そう聞かれると、返答に窮した。不正送金は事実であり、誰かが坂本のカード・キーを使い、オペレーションをしたことはわかっているが、具体的な名前は思い浮かばなかった。ただ、直観的に坂本ではないと思うだけだ。

「もし坂本がこの件に関与しているなら、なぜ自分で現金をおろさなかったんです。防犯カメラが回っていないと知っていれば、この男に頼まなくても自分でおろせば済む話だ」

「それは私も考えましたが、警備員がいたからじゃないでしょうかね。警備の方とは顔見知りなんでしょうな、みなさん」

大庭の言う通りだ。たいていの警備員は顔も知っているし、言葉も交わす。

「大金をおろしていれば、怪しまれるかもしれないですからな。あなただって、支店の誰かが何百万円もの金をバッグに入れるのを見たらどうしたんだろう、と不審に思うんじゃありませんか」

大庭は私の顔色をうかがうようにじっと視線を注いできた。

「坂本さんが亡くなった事件と、この男がどう関係があるのか、そこが問題ですよ。蜂に刺されて死んだ男が、実は不正に関わっていた。事実ならば、妙な偶然ですよね」

「殺人事件だと、そうおっしゃりたいわけですか」

大庭は目を大きく見開き驚いた様子をつくった。

「断定するわけじゃありませんよ。不正送金の件にせよ、状況証拠だけで坂本さんの犯行だと断定するわけにいきませんからね。ただ、単なる事故だけではない可能性があるからこうして話を伺っているわけです。なにか心当たりがおありなら——後で思い出したとかね、そういうことがあれば、そこに連絡してください」

大庭はテーブルの上の名刺を指さした。滝川が大学ノートとビデオテープをバッグに入れ始める。

「いろいろ、ぶしつけな質問をしてすみませんね。これも仕事なもんで」

大庭はありきたりな言い訳をして腰を上げ、滝川もそれに続いた。

二人を見送ってから、留守録のボタンを押した。入っていたのは、受話器を置く音だけだった。どこの誰かもわからない。

買ってきた弁当をテーブルに広げたが、箸をつける気にならず、代わりに冷蔵庫からビールを取り出した。空気の入れ替えはもう十分だ。窓を閉め、ようやくエアコンをつけた。ソファにすわり、今し方までテレビに映し出されていた男の姿を思い出そうとした。男の表情がおぼろなのは記憶のせいではなく、画像のせいだ。

蜂。

私は刑事の言葉を頭のなかで反芻（はんすう）していた。

貸し——坂本の最後の言葉。

男。

疲れているせいか、五百ミリリットル缶をゆっくり半分ほど飲んだところで酔いがまわり始めた。十二時を回ってから夕刊に目を通し、しばらくテレビを眺めたが、内容はまったく頭に入らない。

アルコールのせいで、それまでどこかに押し込められていた疲労がどっと出てきてソファに横になった。回転が鈍くなった頭の中で、大庭とのやりとりが何度も繰り返された。

——坂本さんにしてみればナイフで刺されたも同然だ。

大庭の台詞（せりふ）はこすってもこすっても脳裏にこびりついて離れない汚物のようだ。落ちないのは、そこに真実の片鱗があるからだろう。

蜂。

――おかしいと思わないかね。

たしかに、事故じゃないとすれば、考えられることは一つしかなかった。

他殺。殺人。しかも、計画的な……。

でも、なぜ？

いくら考えても、坂本が殺される動機になるようなものは思い浮かばなかった。坂本は真面目な男だった。真面目すぎた。そうとも言える。

いつ果てるとも知れない思念が私にからみつき、息苦しくした。ソファを立って寝室のベッドに横になる。寝苦しい夜の間中、何度も現実と非現実との間を行き来しながら、いつしか降り出した強い雨の音を聞いていた。

# 第二章　粉飾

## 1

坂本の死からちょうど一週間が経過したこの日、私は、朝七時過ぎから、すでにデスクで仕事を始めていた。片づけなければならない仕事は山のようにあった。時折窓に吹きつける雨も、電車が到着するたびに駅から吐き出される傘の群れも、私にはなんの関係もなかった。まだ電車が混みあう前から私はここに座っていたし、坂本の取引先を引き継ぐためにその日一日は外出をすべてキャンセルしてあった。

私は、とりあえず当日中に作成しなければならない書類だけをぜんぶ書き上げて古河の決裁箱に放り込んでから、坂本のデスクに向かった。彼の遺品は未整理のままで、それを片づけるのも、その日、私がやるべき仕事の一つだった。

私は坂本のデスクにおいてあったＩＢＭのノートブック・パソコンを開け、スイッチを入れた。このパソコンは、坂本が自費で賄ったもので銀行の備品ではない。彼は、スケジュールのほとんどをこれで管理しており、ソフトを開けてみれば死の前、坂本がどんな仕事をしていたのか、把握することができるはずだった。

パソコンが立ち上がると、スケジュール・ソフトが自動的に起動した。スタート・アップに指定されているようだ。ソフトは、月単位と、一日の詳細なスケジュールを書き込める日単位とに分かれていた。

坂本は、一日の終わりには必ずこのスケジュール・ソフトに翌日分の仕事を入力していた。時間、取引先企業の名前、面談の相手、場所、そして予想面談時間などが、坂本らしい几帳面さで記録されている。坂本がこれほどまでに詳細な記録を残していたのは、単に性格に依るところだけではなく、裁判沙汰になったときに必要になるという職務上の理由が大きい。

経営に行き詰まった会社が銀行を訴えるケースは少なくない。貸手責任や担保の無効を訴えてくる相手企業に対して、いつどこでどんな交渉をしたのかという記録を残しておくことは、それが正式なものではなくメモ程度の記録であったとしても有利な証拠として働くのである。坂本はそれを、要求されている水準を遥かに越える周到さで実践していた。

スケジュールの面談記録一つ一つには、たいていメモ番号が付けられていた。たとえば、次のようなものだ。

10：00　渋沢地質・大木弁護士（来店）／9001294―961216 01

最後に記録されているのがメモ番号だ。9001294は、取引先企業を示す認識番号で金融機関では顧客情報番号（CIF）と呼ばれているものだ。そのあとは日付で西暦二桁と月日。最後の「01」は当該面談で作成された枝番のようだった。多くは01だが、たまに02や03がある。これは一回の面談で、複数のメモが作成されたことを意味している。

問題はメモの在処（ありか）だった。あまりコンピュータに詳しくない私は、苦労してシステムと格闘しながらファイルのディレクトリを調べなければならなかった。いらいらしながら何度も無駄な操作を繰り返したあげく、三十分ほどして同じハードディスク内の書類専用フォルダを見つけた。フォルダ内のファイルは、すべて番号で管理されており、それがスケジュール・ソフトの面談記録に振られた番号と間違いなく一致していた。

メモの内容は、倒産し、清算される段階になった会社との交渉記録だ。不動産担保の処分、ゴルフ会員権の差し押さえ、弁護士との交渉記録――生々しいドキュメンタリーだ。相手の態度、言外の思惑や目的、こちらの発言内容などが克明に記されている。メモの最後を飾るのは坂本のコメントだ。むろん、穏便なものばかりではない。回収のためには、現に人が住んでいる家屋さえ競売の対象となることは珍しくない。債務者の意向に反した差し押さえなど、法的執行を検討するものも含まれる。

銀行という組織の一員として、その利益を最優先させることを求められた坂本のメモはいかにもメカニックで意図的に私情が排されている。優しさゆえ、あえてそうせざるを得ない、そこに坂本の苦悩があるような気がした。

一日ごと遡りながら、坂本のスケジュールを手繰り寄せていく。最初に調べた数週間の間に作成されたメモは数十本にも及んだ。スケジュールとそれらをつきあわせる作業はじりじりするほど時間がかかり、午前中はあっという間に過ぎていった。

メモのなかには、トラブルの記録もある。そんなときには、大庭とのやりとりが頭に浮かんだ。坂本が債権回収した取引先の逆恨みも動機として考えられないことはないが、可能性は薄いと思った。多少の口論やその場限りの激情で計画的な殺人を犯すとは考えられないからだ。肝心なのは、坂本を殺したところで銀行の債権回収が立ち消えになることはないということだ。そんなことは銀行と取引している相手なら誰でも知っている。

午後、継続してスケジュールを辿っていた私は、一つ気になる記述を見つけた。坂本が死んだ日の一ヵ月ほど前、水曜日のスケジュールだ。

１０９調査　９７０６０４０１

メモが見当たらなかった。坂本のミスだろうか。念のため、ハードディスク内のすべての書類で検索してみたが、結果は同じだった。六月四日のスケジュール最上段に記録されたその一行が特に注意を引いたのは、マークが「最優先」になっていたからだ。

そもそも「１０９」というのが何なのか、私にはわからなかった。ＣＩＦ番号がないところをみると、取引先名でないことだけは確かだ。

日付か？　そう思った。だとすれば十月九日、あるいは一月九日ということになる。前の年の十月九日を表示してみた。面談記録は三社だ。

１１：００　中山不動産販売・社長（自宅）／９０１２６４８—９６１０００９０１
１４：００　上原インテック・権堂経理部長（事務所）／９１６６５４３—９６１００９０１
１６：００　八重洲開発・狭間弁護士（来店）／９１０２６８３—９６１０００９０１・０２

最初の二社は私が引き継いだ取引先リストからはすでに消えていた。坂本の残したメモは債権回収の見通しを示しており、その後回収して取引を終えたのだ。債権回収が完了した会社の資料はもう手元にない。ファイルには「済」表示がなされ、とっくに書庫の奥深くに

「埋葬」されてしまっている。この二社は回収が完了してからすでに数ヵ月が経過しており、いまさらという感が強い。コンピュータ内のメモを読んだが、トラブルらしいこともいっさい書かれていない。考慮の対象から外した。

三社目の八重洲開発は九月末に行き詰まったばかりで、十月の段階では債権処理の真っ最中だったが、その後会社更生法が適用され、銀行の回収は一応の目処（めど）がついている。トラブルもない。一月九日のほうは「休暇」となっていた。年末年始が多忙だったために、遅れて正月休みをとったのだろう。当然ながら、こちらはスケジュールが何も入っていない。

「どうだ」

背後で声がして、肩をたたかれた。古河が坂本のパソコンを覗き込み、精緻に記録されたスケジュール欄を何か異次元のものでも眺めるような目で見た。

「よく記録してますよ。さすがとしか言いようがない」

私は率直に坂本の仕事ぶりを賞賛した。これだけの仕事をこなせる者はそうはいない、というのが私の印象だった。同じことをやれと言われても、その自信はない。

「課長、この『１０９』ってなんのことかわかりますか」

古河は私が指した箇所を見て、それから壁のほうを指さした。

「１０９（いちまるきゅう）じゃないのか？　東急の。あそこは当行も親しくつきあっているからな。１０９で何かを調べると。坂本の担当で、アパレル関係の取引先はなかったか。そこの商品の陳列状況とかさ」

　古河は勝手な話を膨らませていく。

「そういう会社はないですね。デザイン会社は一軒ありますが、建築関係です」

「じゃ、個人的なことは？　奥さんの誕生日に贈るプレゼントが１０９にないか調べる」

「メモ番号がついてるんです。だから、それはないでしょう。誕生日のプレゼントを探しに行ったことを業務報告する必要はないですから。私が調べたところによると、ここには個人的な記録がいっさいありません。このまま裁判長の前に出しても恥ずかしくないような内容ですよ」

　古河は机に両手をついてしばらく液晶ディスプレイを眺めていたが、諦めて腰をのばした。

「たいした意味はないだろう。調査となっているから、調べた結果どうでもいいことだった、ということなのかもしれん」

　確かにその可能性はある。

「他には？」

「いまのところ、別にありません」

「まあ、しばらく頑張ってくれよ。それとな」

周囲に気を配り、古河は小声になった。「ゆうべ、刑事が行っただろう」

私は驚いて古河を振り返った。「課長も？」と聞きそうになって、大庭刑事の言葉を思い出した。「銀行に電話をしたら」と彼は言ったのだ。

「電話をとったら刑事だったんだよな。なんだったんだ」

応対したのが古河で助かったと思いつつ、私は昨夜の訪問を認めた。だが、古河にすべて話すことはできない。とくに曜子とのことは。

「蜂だって？　ほんとかよ、おい」

古河は信じられないというように目を丸くする。どうやら、古河も坂本の検死結果については初めて聞いたらしい。だが、坂本が殺されたかもしれないという刑事の話は伝えなかった。まだ推測の域を出る話ではない。

私の話に古河は身を乗り出した。「それで、そのビデオの男は見たことあったのか」

「いいえ」

「なんだ、そうか」古河は残念そうに言い、浮かぬ顔になった。刑事と同じように坂本との関係を懸念しているのだとわかる。部下の不正やスジの悪い交遊がわかれば、責任を負わなければならない立場にあるからだ。古河は強く出世を望むタイプではないが、コースアウトするには確かにまだ早い。

「その後、あの件はどうなんです」

「調べてはいるが、どうやら不正送金はその一件だけのようだな。他にはない」

「やっぱり、坂本がやったと？」

古河は、まるで踏み絵でも差し出されたような顔をした。

「そうは思いたくないさ。ただなあ……」

私はそれ以上聞きたくなかったので、もういいです、と言った。

「冷たいな」

「まあ、事実は事実ですからね。真実は真実としてあるにせよ」

「そらまた意味深長だな。ところで、これから刑事が来るっていうんだ。坂本の仕事内容について話が聞きたいらしい」

どうやら大庭は聞き込みの範囲を広げるつもりのようだ。

「課長が応対するんですか」

古河は背後の席に北川が不在なのを確認して顔をしかめてみせた。

「本来は副支店長の仕事だけどな。まあ、実際、あいつの仕事内容は俺が一番把握してることは確かだ。仕方がない。ほんと、くたびれるよ」

古河は苦い顔をして、私が座っている坂本のデスクから離れていった。

１０９に関する情報は、それ以降のメモにも見当たらなかった。ついにスケジュール・ソフトに記録された最後の日となる先週の水曜日、つまり坂本が死んだ日のスケジュールを開いた。そして、意外なことに気づいた。

空白だったのだ。

いや、午後には確かに予定が入っているが、午前の、坂本が出かけて行ったあの時間帯には、なんのスケジュールも入っていない。

それまでの坂本の仕事振りを考えると、違和感があった。

しばらく腕組みをしたまま考えていると、来店客用のエレベーターが大庭と滝川をフロアに運んできた。私を見ると、ちょっと頭を下げて挨拶しただけで、よそよそしくカウンターの前を通り過ぎていく。その奥で古河が待っていた。

午後二時を過ぎていた。ずっと液晶画面を見続けた目に痛みが走る。私は自分のデスクにあったアドレス帳をめくり、電話を手にした。

「青山クリニックです」

受付の女性が出た。

「二都銀行渋谷支店の伊木といいます」

「あら。久しぶりね。元気だった？」

相手の声色が変わり、事務的な応対から親しみのある口調になった。

「ええ、まあなんとか。先生、いらっしゃいますか」

「いるわよ」

受付の女性はくすりと笑い、そのあと電話の向こうで院長、院長と呼ぶ声がくぐもって聞こえた。やがて唐突に「美しく青きドナウ」が受話器から流れ始め、十秒ほどで、始まったときと同じように唐突に切れた。

「青山だ」聞き覚えのある嗄れた声が出た。

「二都銀行の伊木です」

「利息なら払っておるぞ。それなのにまだ文句があるのか」

「もう、担当じゃないんですよ、先生」

「けっ。ろくなもんでないわい。人の顔見りゃ、金、金。そんなに金が欲しいか、おまえら。で、今日はなんだ」

「先生、アレルギーについて詳しいですか」

「お前、誰に向かって質問しとる。わしゃ四十年、医学の第一線でやっとるんだぞ。銀行屋ごときに詳しいかと聞かれるほど情けないことはないわ」

「ちょっと聞いていただきたい話があるんですが、お伺いしてもいいですか」

「いつ?」

「できれば今日」

ちぇっ、と電話の向こうで吐き捨てる声がした。それから少しまともな調子になって、お前のことか、と聞いた。ちがいます、と応える。

「これから四時まで休診だ。来たけりゃ勝手に来い」

私は坂本のパソコンを終了させ、本体の電源を切った。刑事と古河の姿はなく、かわりに応接室の扉が閉まっていた。

支店は三時の閉店に向けて最後の追い込みに入っている。古河の代わりに未決裁の書類に目を通し、溜まっている仕事を片づけた。月の前半でもあり事務量はそれほど多いものではない。処理を終えるのに、時間はかからないはずだ。

2

青山クリニックは、パルコや東急ハンズが建っている一角から井の頭通りへ下る坂道の途中にあるビルに入っている。一階と二階をクリニックが使い、三階から五階までを事務所用に賃貸していた。

私は一階の脇にある階段を上がり、濡れた傘を壁に立て掛けてインターホンを押した。返事はない。もう一度ボタンを押そうと手を伸ばしたとき、ドクターがひょっこりドアから顔を出した。

「入れ」

スラックスにポロシャツというくつろいだ姿だ。白衣は着ていない。歳は七十になるかならないかだが、がっしりした体で老人という印象からはほど遠い。上がったところは小さな薬品置き場で、正面にある大きなドアの向こうが青山医師の書斎と休憩室を兼ねた部屋になっている。立派なマホガニーのデスクと四方の壁を埋め尽くしている圧倒的な専門書は相変わらずで、モスグリーンの深いカーペットに革張りの寝椅子（チェスターフィールド）とオットマン付きの肘掛け椅子が置いてある。

「突っ立ってないで、座れ」

寝椅子に掛けた。ドクターが書斎と続きになっている隣の部屋に入ると、冷蔵庫が開く音がした。

「お前が来るというので、看護婦がみんな逃げていっちまった。コーヒー、紅茶、緑茶、ウーロン茶、ミカンジュースに、なんじゃこれは——けっ、ただの水か。どれにする」

「コーヒーください」

「熱いのと冷たいのがある」

「冷たいやつを」

「まるで茶店（サテン）だな」

しばらくするとアイスコーヒーの細長いグラスを持った青山が戻ってきて、それをテーブルに置いた。自分は熱いコーヒーをマグカップに入れ、エアコンの吹き出し口の下に置いた茶色の肘掛け椅子に体を沈めると、うまそうに飲んだ。

二年半前。渋谷支店に赴任した私の初仕事は、この老医師の窮状を救うことだった。当時、ドクターは、本業であるこのクリニックの他に、友人から任されたあげくに結局権利を買い取らざるを得なくなった病院の経営と投資マンション、ゴルフ場開発投資、節税対策と称するいかがわしい保険、株式投資がどれもうまくいかず、ほとんど破産寸前にまで追い込まれていた。いろいろな銀行やノンバンクから高利で借り入れた金は十億円を越え、本業での儲けどころか、全財産をそっくり持っていかれそうな状態だったのだ。私は青山に十二億円融資し、それで他の金融機関からの借り入れをすべて返済させた。借り入れを一本にまとめることで返済額を大幅に削減しただけでなく、支払い金利の低減に成功し、ついで余剰資産を売却し資産の再構築を進めたのだ。強引ではあったがそれが奏功し、クリニックは無事立ち直った。以来、ドクターと私の仕事に端を発した親密な関係が個人的に続いているというわけだ。

「で、なんの用だ」

しばらくコーヒーでくつろいだ後、青山は面倒くさそうに言った。

「電話でもお話ししたとおり、実は、アレルギーについて少し教えてもらいたいんです」

「なんのアレルギーだ」

「蜂の、です。単刀直入にお伺いしますが、それを利用して蜂アレルギーの男を殺すことはできるものでしょうか」

青山は顔を斜めにし、上目遣いで眼鏡越しに疑わしげな視線を向けた。「なんでそんなことを聞く。人でも殺すのか」

「先日、友人がそれで亡くなりました」

「どこで」

「この近くです。運転していた車の中に蜂がいて刺されたのだと思います。車は代々木公園脇の路上で発見されました」

　青山医師は茶色がかった目で私の表情をうかがう。「当たり前の話だが、そういうことが可能かどうかは、個人差がある。その友人を診(み)たわけではないから、なんとも言えん」

「アレルギーの過敏反応が死因だと警察からは聞いています」

「アナフィラキシー・ショックか。まあ、警察がそう言うのなら間違いなかろう。可哀想に。お前の友人はヤクザか何かか」

「いえ、銀行員です」

　医師は、自分が蜂に刺されたかのように顔をしかめた。

「おっかない仕事だな、なあおい」

「アナフィラキシー・ショックっていうんですか？　どんなものなんです」

「一般的に報告されておる症状としてはだな、血圧低下、気管支痙攣(けいれん)などを伴う呼吸困難、発疹(ほっしん)、蕁麻疹(じんましん)といった皮膚への発症、下痢や嘔吐なんぞの消化管機能障害というところだな。これを引き起こすアレルギー物質としては、蜂みたいな昆虫の毒だけじゃなく、食物

——卵やピーナツ、牛乳、大豆、小麦、魚なんかがある。どれに反応するかは人それぞれだ。アレルギーというのは、本来われわれ人間に備わっておる免疫が正常に作用しなくなって起こるんだが、アナフィラキシーの場合は、その症状がきわめて突発的で、しかもかなりひどい。あまりにも過敏な人、あるいは手当てもせず放っておいたケースでは死ぬこともある」

「蜂に刺されてから症状が出るまでの時間はどれくらいなんです——？」

「すぐだよ。数分で起きる。命が惜しかったら一刻も早く病院で治療を受けることだ。アナフィラキシーで死ぬのは、呼吸困難と循環機能の不全が原因だ。したがって、治療法としては、イソプレテレネールやエフェドリンといった心臓刺激薬や昇圧薬、血管収縮薬の投与ということになる」

薬の名前が聞き取れず私が口を挟もうとすると、ドクターは面倒くさそうに省略した。

「要するに点滴だ。ただ、残念なことに多くのケースでは、患者本人が甘く考えて、治療を受けなかったために症状が悪化したり、命を落としたりしておる。お前の友人がそうだったかどうか知らんが、しばらく車の中で様子を見ようと思ったかもしれんな。あるいは、症状がひどすぎて、とりあえず車を脇に寄せ、そこで意識を失ったか——わしが診たわけではないから、それはなんとも言えん」

「致死量というのはあるんですか——アレルギー物質の」

「微量。極めてな。空気中に含まれたものでも発症することがある。検出すら難しいぐらいの微量で出る」

「そんなにわずかで?」

数匹の蜂は十分過ぎるほどの致死量だったということだ。

ドクターはエアコンの風に当たりすぎて寒くなったかのように首をすくめた。

「ひどい話だな。アレルギーを持つ者にとってのアレルゲンというのは、我々にとってのナイフや拳銃と同じことさ。それを利用して人を殺そうなんて考えつく奴は、よほど非情で、子供染みた奴だよ」

青山はエアコンのスイッチを切ると、ブラインドを引き上げた。

3

夜九時を過ぎても、まだ混乱した情報の中をさまよっていた。営業室に残っているのはもう私一人で、坂本が残した資料や彼が担当していた取引先企業の貸し出しに関する情報を個社別に集めたクレジット・ファイルに囲まれていた。迷子になって途方にくれている子供のような気分だった。

「まだ、がんばってらっしゃるんですか」

急に声をかけられ驚いて振り返ると、警備員の高橋が営業室の入り口に立っていた。

「もうすぐ、帰りますから」

「あんまり働きすぎると体によくありませんよ」

「そんなに働いちゃいませんよ。帰るときには言いますから」

坂本の遺品をそれに入れるために、床に置いた茶色の段ボール箱を足下に引き寄せた。結局、最初にやろうとした仕事が最後になってしまった。

机の右袖は三段の抽斗(ひきだし)で、そのどれもが書類や資料で満杯状態になっていた。私はそれをいったんすべて机上に出した。私物とそうでないものを分類するのはちょっとした引越しに似て、大掛かりで手間のかかる仕事だった。書類のほとんどは社外秘だが、一部の資料や書籍、ノート類は私物だ。書籍も何冊か入っていた。『スーパー財務分析入門』とか『債権回収の事例研究』といった類(たぐい)の専門書である。それと最下段の抽斗の奥に『ベンチャー経営』という雑誌が落ちているのを見つけた。坂本がそんな雑誌を読んでいるのは知らなかったので意外な気がして脇にどけた。読めば、坂本が考えていたことに少しでも近づけるかもしれない、そんな考えもある。

少ないと思った私物は意外に量があり、段ボール箱の八分目まで埋まった。その上にさっきまで操作していたノートブック・パソコンを置く。

「こんなもんか」

ふと、デスクマットに挟まっている写真に気づいた。家族写真だ。低い樹木が稜線を埋める背景に、坂本と曜子が笑っている。曜子の腕の中で、まだ幼い娘が小さな指で何かを指している。風が強いのか、曜子は左手で娘を抱き、もう一方の手で髪を押さえている。やけに満足した様子の坂本が笑いかけていた。

私は、その写真を銀行の封筒に入れ、折れ曲がらないよう自分のソフト・アタッシェケースに入れた。まだ少しだけ空いている段ボールのスペースに、見終えていないクレジット・ファイルを突っ込む。これで段ボール箱はずっしりと重くなった。それを抱えて営業室を出たとき、映画『ワーキング・ガール』のなかで解雇された従業員が私物を段ボールに入れてオフィスを出ていく光景をふと思い出した。

階段を降りていくと、職員出入り口脇の警備員室にいた高橋が、私の姿に驚いてタクシーを止めに走った。小雨がぱらつくなかそれを追いかけ、乗り込んだ私は自分のマンションまでの道筋を告げる。とうに遺品を届ける時間ではなくなっていた。

マンションのドアを開け、苦労して運んできた段ボール箱を奥の仕事部屋まで運び込む。肩からぶらさがって何度も腰や足にぶつかったアタッシェケースを仕事用のデスクにのせ、肉体的に、というより精神的に疲れ果てた体をしばらく椅子で休ませた。

夕刊を開き、冷蔵庫からビールを出し、点滅している留守録のボタンを押した。無言電話が一件と、同窓で同じ銀行につとめている友人からのお悔やみが一件。飲み会の勧誘が一件――。

リビングのテーブルに刑事が置いていった名刺がそのままになっていた。いやったらしい大庭とのやりとりを思い出すと気分が重くなる。捨てようかと思ったが、思いとどまってキッチンのコルクボードにピンで止める。

様々なものに侵され、居場所を失っているような精神状態を私は持て余していた。自分を取り戻す時間と空間が必要で、思いつくものは風呂とピアノぐらいしかない。だが、ピアノはだめだ。この時間になると、昼間聞こえないような消音ペダルを踏んだ音も、安眠を妨害するに十分な騒音に変わる。風呂を選んだ。

熱い湯船に長くつかっているとビールのアルコールが抜けた。

Tシャツとジャージに着替え、コーヒーを淹れてデスクの電気スタンドに明かりを灯した。段ボール箱をあけ、銀行から運んできた残りのクレジット・ファイルを開く。倒産し、解体寸前の会社たち。倒産会社との取引は、債権の回収が完了した段階ですべて終息する。約定書類はものによって永久に残るが、管理する必要はなくなるのだ。ここに残っているのは、債権回収が未済であるか、督促しても返済の目処(めど)が立たない、つまり死ぬにも死にきれない、まるで現世を漂う亡霊のような会社ばかりである。

私は、一時間ほどかけて三社のクレジット・ファイルに目を通した。取引の内容や、債権回収の状況はわかったが、それ以上のものは発見できなかった。坂本の仕事を引き継ぐことが主な目的だったが、まったく別のものを求めて書類の間を往復している自分に何度も気づいた。坂本が殺されたならその理由があるはずだ。そんな思いが無意識のうちに私に働きかけていたからだ。

私は三冊目のファイルを閉じてデスクの端に積んだ。残っているのは、私の鞄に入っているファイルだけだ。そのうちの一冊を取り出す。それは、かつて私が見慣れたファイルだった。

東京シリコン――。

懐かしいものを手にしている感触があった。アルバムを開くようなものだ。開けてみると、中身は私が管理していた頃からあまり変わっていないことがすぐにわかった。坂本のメモがいくつか挟まっているが、その多くは柳葉朔太郎社長の自殺に関する情報だった。その他のものも内容は同情的で、菜緒を思いやってのことに見える。菜緒や弁護士と面談して得た情報をそのつど記録に残した短いものに過ぎなかった。

期待しないで期待してほしい――菜緒から聞いた坂本の言葉を思い出した。

坂本の書いた数枚のメモは、その稟議書が綴じられているページの最上部に重ねてとめてあった。そのなかには坂本が菜緒にかけた言葉を裏付けるようなものは見当たらない。

ページをめくるうち、黄色い付箋が、資料の間に貼ってあるのを見つけた。思わず、手が止まった。付箋にはある文字が記されている。

――109
そうなっていた。同じ場所にレポート用紙が挟まっている。そこには、坂本の手による几帳面な数字が並んでいた。最初、それが何を意味しているのかわからなかったが、よくよく見ているうちに、与信(よしん)、つまり融資の残高を計算したものだということに気づいた。

「これに関係があるのか」

私は坂本がレポート用紙の上でやったことをトレースしてみようと思った。東京シリコンへの融資残高を倒産の一年前、つまり昨年一月から拾い上げて合計し、月ごとに並べてみる。

端数を省略した大雑把(おおざっぱ)な数字は次のようになった。坂本のメモと一致している。

二月　八千五百万円
三月　九千二百万円
四月　一億三千万円
五月　一億二千五百万円
六月　一億七千万円
七月　二億一千万円

八月　二億二千万円
九月　二億四千万円
十月　二億四千五百万円
十一月　二億九千万円
十二月　二億九千五百万円
一月　二億八千万円

東京シリコンに対する融資枠は、昨年三月までは一億円だったのだが、その後、柳葉社長からの依頼で数次にわたって枠を広げ、一年ほどの間に三億円までになった。十一月から一月までの三ヵ月間には、新たに設定した融資枠の上限に張りつくほどの状態になっている。

当時は、貸し出しの増加を頼みに来た柳葉の、信越マテリアルの業績が急伸しているから、という説明がやけに説得力があった。信越マテリアルの業績が上がれば、同社を主な販売先としている東京シリコンの売り上げも伸びるが、同時に仕入れも増加する。そのための立て替え資金が今まで以上に必要になるという話は、簡単明瞭でわかりやすい構図だ。高畠の前任者になる当時の支店長も北川も、融資枠の拡大にはほぼ二つ返事だったはずだ。前支店長の藤枝謙は、任期一年ほどで本部に戻り、いま企画部長となって西口淳の上にいる。

貸し出しの増加分は、その大半が「手形割引」という種類の融資で占められていた。信越マテリアルが代金として支払った手形をその期日前に銀行が買い取って現金化するのだ。銀行が買い取った日から手形期日が到来し、手形が決済されるまでの期間が実質的な貸し出しになる。一般的にありふれた融資手法である。

たしかに、信越マテリアルの和議により、最終的にその割引が連鎖倒産の原因となったことは否めないが、だからどうだというのだろう。上場をめざして急伸している会社を主要取引先としていれば、これくらいのピッチで残高が増加することも当然あり得る。

私は坂本が残した付箋に疑問を投げかけながら、しばらく抽出した数字をいじっていた。わからなかった。坂本が何に気づいたのか、理解できなかったのだ。

私はあきらめ半分で、ファイルの中身をもう一度チェックした。見逃しているものがあるかもしれない。資料一枚ずつに丁寧に目を通していく。

あった。

決算書の一部だ。いや、正式なものではない。試算表だろう。毎月の売り上げがアウトプットされている。あるのはその一ページだけで、正式な決算書がファイリングされるべき場所に、あまりにも当然のごとく綴じられていたために、かえって気づかなかった。私が計算した割引月とは一ヵ月ずれるが、同社の売上高は次のようになっていた。

一月　二億一千万円

二月　一億九千万円
三月　二億五百万円
四月　一億七千万円
五月　一億六千万円
六月　一億九千万円
七月　一億五千万円
八月　一億七千万円
九月　一億九千万円
十月　一億八千五百万円
十一月　一億六千万円
十二月　一億七千五百万円

私はその数字に吸い寄せられるように視線を這(は)わせた。

自分が見ているものが信じられない。この数字が正しいとすれば、売り上げが増加したという柳葉の説明はまったくのでたらめということになる。ファイルを探せば、当時、柳葉が提出した資料があるはずだが、見るまでもなかった。貸し出しそのものが二億円以上も増加しているのに会社の売り上げそのものはまったくの横這い——こんなことは常識的にあり得ない。

あとだからわかることだが、確かに行き詰まっていた会社に対する売り上げが急伸するなどという馬鹿げた話があるわけはなかったのだ。坂本は融資枠増加を申請した私の稟議を読み返してみて、そう疑問を抱いたのではないか。正直なところ、当時の私は信越マテリアルという会社を盲信していた。同資本系列の二都商事がかなり突っ込んだ取引をしていることも信頼する材料になっていた。私が見逃したこうした点を、坂本は冷静に考え、突き止めた。

参った――。

そんな気分だった。私はしてやられたのだ。

すぐに次の疑問が持ち上がった。

東京シリコンは本来、営業に必要のない金を借りていたことになる。それならばその金はどこへ行ったのか？

信越マテリアル。

答えは火を見るより明らかだ。私が割引に応じた信越マテリアルの手形は、多くが融通手形――つまり売り上げの実体が伴わない手形だったということだ。

東京シリコンはその手形を割引し、得た借入金は信越マテリアルへ送金する。信越マテリアルはそれを運転資金に供するというわけだ。

「くそっ、融手だったのか」

思わず顔をしかめた。ショックだ。そのとき、坂本の言葉を思い出した。彼と最後に会ったときだ。

——これは貸しだからな。

その意味はまさにこれだったのだ。返す言葉が浮かばなかった。痛恨、と表現してもいい失敗だ。

だが、この融通手形を発見したとしても、東京シリコンに金が戻ってくることにはならない。信越マテリアルは、すでに和議申請中の会社だ。融通手形であれ、それは和議条件に沿って通常債権と同様に扱われる可能性が高い。坂本が何を理由に菜緒に期待しろといったのか、結局、私にはわからなかった。

「それに、これだ」

私は「109」と書かれた黄色い付箋に視線を落とした。坂本が遺した謎の伝言である。

やはり意味はわからない。

ふと窓の外が明るんできたのに気づき、暗澹たる気分でデスクのスタンドを消した。

4

翌日、営業課の宮下に過去の口座残高の記録を見せてくれるよう頼んだ。銀行のオンライン端末が記録として保持しているのはせいぜい一ヵ月程度で、それ以前のものはすべてマイクロ・フィルムに納められ金庫に保管されている。それは営業課の管轄（かんかつ）で、当店でそれを任されているのは宮下だった。

「税務調査か何か？」

宮下は開店前の準備のために忙しく手を動かしながら聞いた。

「東京シリコンの口座残高推移を調べたいんだ」

手が止まった。「いま頃？」

「ちょっと気になることがあってさ」

「ま、いいけど。でも、それなら前に坂本も調べてたと思うけどな」

「坂本が？」

「ああ。なんだか深刻な顔をして――いまのお前みたいにさ――同じようなことを言って金庫内の鍵を奪い取っていきやがった」

言葉は悪いがべつに悔しげな様子はない。人のいい宮下はそれを懐かしい想い出のように語ったのだった。

「それ、いつ頃？」

「まだ最近だよ。先月の初めの頃じゃなかったかな」

私は思わず宮下の顔を見た。「ヤツ、そのとき何か言ってなかったか。調査の内容がなんだとか、なんでもいい。思い出してくれ」

「と、言われてもなあ」

宮下は首を傾げた。「憶えてねえや。なんかまずいことでもあるのか」

「まあな」

宮下は鍵を集めたボックスから小さな鍵を一つ摘(つま)み上げて私にくれた。プレートに「27」という数字と、「マイクロ・フィルム」という、宮下の下手くそな字が油性のペンで書かれている。

「じゃあ、ちょっと借りるよ。それからフィルム・リーダーもいいかな」

「ああ、いいよ。午前中は空いてるから、勝手に使ってくれ」

宮下はデスクに顔を向け、出納係から届けられた札束を手にした。左手に持ち、三回手首を振ると、きれいな扇形に広がる。それを五枚ずつ右の親指で数えるのが札勘(さつかん)の基本テクニックだ。

私は二階の金庫室に入ると、床から天井近くまで埋め尽くした鉄匣(てっこ)から二十七番の扉を探した。目的の資料を保管したプラスチックのファイル・ケースは難なく見つかった。それを持ってフィルム・リーダーが置かれた一階の部屋へ行った。

フィルム・リーダーを使うのは、かなり忍耐のいる仕事だ。金庫室から持って来たファイルに保管されているフィルムは、月単位で数年間分ある。そのなかから、調べたい月のものをピックアップし、さらに東京シリコンという個別の口座明細を記録した部分を探り当てコピーする。まったくありがたいことに、全過程とも手作業だ。

私は東京シリコンが倒産した今年一月から過去一年間分のデータをコピーするつもりだったが、三ヵ月分をやり終えたあたりで目が痛くなった。おまけにリーダーに付属しているコピーはじりじりするぐらい遅く、三度に一度は紙詰まりを起こす。

ようやく十一時過ぎにデータを全部取り終え、コピーの束を抱えてその部屋を出た。その二時間ほどの間に私のデスクを埋め尽くした様々な書類を分類し、急ぎのものを片づけてから菜緒に電話した。

「なんの用？」

不機嫌な声。その主にこれから行く、と私は告げ、相手がぶつぶつ文句を言う前に電話を切った。あとでゆっくり見るつもりでコピーの束はそろえてデスクの上に置き、いつもの手帳と東京シリコンのクレジット・ファイルを小脇に挟む。業務用車のキーを持ち、久々に晴れ間ののぞいた空の下へ出ていった。

「なんなの？」

ドアを開けた菜緒はデニムのワンピース姿で私を睨みつけた。

「調べものを手伝ってもらえないだろうか」

私は玄関に立って言った。菜緒は訪問販売のセールスマンにでも接しているようにドアの隙間を十センチほど開け、不機嫌な顔を覗かせている。今日はドアにチェーンがかかっていた。

「なんで私がお宅の銀行の手伝いをしなきゃいけないわけ？　冗談じゃないわ。人の都合も聞かずに勝手に押し掛けてこないでよ」

「銀行のじゃない、いまは個人的に調べてるだけだ」

「どう違うのよ」

閉まりかけたドアを手で押さえた。チェーンが耳障りな音をたてる。私は持ってきた資料を菜緒に見せた。売上高の数字が並んでいる試算表のほうだ。

「これが出てきた。出所を確認したい」

「何よ、それ」

手が伸び、書類がドアのなかへ吸い込まれた。

「坂本がファイルしてたんだ。経理用のパソコンからアウトプットしたものじゃないかと思う。ここから出たものかどうか、確認したいだけだ」

書類から顔を上げ、真偽を見極める目で私を見た。

「仕方がないわね」

菜緒は少しつっけんどんな調子で言い、ドアを押さえている私の手を見た。「どけてよ。チェーン外せないじゃない」

菜緒はいったん家の中に入り、事務所の鍵を持って出て来た。自宅から同じ敷地内を通って東京シリコンの事務所へ行き、裏口のドアに鍵を差す。

開けたところに鉄の階段があった。彼女はデスクも電話もそのままになっている二階の部屋に入り、片隅のパソコンを指さした。

「あれよ。一ヵ月以上前だけど、坂本さんが来て、パソコンから何か書類をプリントアウトしていったわ。使い方わかる？」

「わからない」

菜緒が肩をすくめた。「それは残念。私もわからないのよ。坂本さんはわかったみたいだけど」

「坂本はパソコンが得意だったからな」

「あなたは？」

応える代わりに私も肩をすくめる。菜緒がスイッチを入れると、ハードディスクが軽い唸りをあげて立ち上がり始めた。

私はオペレーティング・チェアに座り、取り組み始めた。菜緒はその場を離れ、事務所の窓を開けてまわる。それから社長の椅子に座って所在なげにぼんやり外を眺めている。

財務ソフトはまったく初めての体験だったが、少しさわっているうちに、試算表印刷のショートカットボタンが画面に配置されているのを発見した。

なんとかなりそうだ。印字ボタンをクリックしながらほっと胸をなで下ろしていると、菜緒が脇に立って画面を覗き込んだ。

印字された試算表は、やはり私が東京シリコンのファイルで発見したものとまったく同じものだった。

「ここに入力されたデータが間違っているということはないか」

「そんなことあるわけないでしょ。父が亡くなるまで吉川さんがやってたんだから」

吉川は東京シリコンの経理を長く任されていた古株の社員だ。化粧気がなく、分厚い眼鏡をかけていて、ほとんど笑わない女性だった。私は菜緒の言葉にうなずいた。

「これを見てくれ。東京シリコンに対する融資の残高だ。これがいま出力した毎月の売り上げ」

私は持参した融資残高を並べたメモとその場で出力した売り上げ推移とを菜緒に見せた。

「これがどうしたの」

「融資は三倍になったが、売り上げはそのままだ。君の父上の説明では、信越マテリアルへの売り上げが増えたから融資の枠を広げてくれということだった」

菜緒の表情に戸惑いが浮かんだ。「説明してよ。わかってるんでしょ」

私は、もう一度プリンタが吐き出した用紙を手にとって、その残高を確認した。「おそらく融通手形だ」

「何それ」

「こういうことだ」

私は、そばにあったメモ用紙に図を描いた。「まず、資金繰りに窮した信越マテリアルが商売の実体のない手形を東京シリコンに渡す。君の親父さんはその手形を銀行で割り引き、資金を作る。その金をおそらく信越マテリアルに送金していたんじゃないかと思う」

メモ用紙に出来上がった図を菜緒はしばらく眺めていた。

「いけないことなわけ?」

「道義的にね」

「裏切られたと怒ってるわけ?」

「少しな」

「勝手よね。自分たちのやったことは棚にあげといて、こんなことに怒るなんて。だいたい、たくさん貸せばそれだけ銀行は儲かるわけでしょ」

「そういう問題じゃないんだ」

菜緒はうんざりした表情で溜め息を洩らした。今日は口論をする元気はなさそうだ。

「父だって被害者なのよ」

「わかってる。ところで、君が信越マテリアルの和議に反対している理由はなんだ」

菜緒は私に背中を見せて近くのデスクにもたれ、腕を組んだ。

「うちがこんなになってしまったのは信越マテリアルのせいなのよ。それなのになに？　社長の難波（なんば）さんなんてあれだけ父に可愛がってもらったのに、倒産したとたん雲隠れ。和議だかなんだか知らないけど、迷惑をかけた取引先はそっちのけで自分の会社だけ立ち直ろうなんてとんでもない話じゃない」

もう一度資料を手にとって眺めてから苛立たしげに返してよこした。「和議債権者集会で告発してやろうかしら。ほんとうに、もう」

「弁護士に任せておいたほうがいい」

強引に和議を潰しても、債権者に対する配当はほとんど期待できない。ならば少しでも可能性のあるほうに賭けたほうがいい。

「自分で気がつかなかったの？」

「ああ。気がつかなかった」

正直に白状した。「最初に気づいたのは、坂本だ」

私は柳葉の言葉を信用し、半ば鵜呑みにしていた。東京シリコンは、二都銀行とは二十年近い取引の実績がある親密な先だ。長くメインバンクとしてお互いに信頼関係で結ばれてきた相手だったのだ。しかし、融通手形を見逃したことは、銀行の融資担当者として、エクスキューズのきかない失敗だ。だが坂本はこの事実に気づいた後もそれを明らかにはしようとしなかった。私を守ろうとしたのだ。すでに本部で不興を買い、左遷させられてきた私を。

「人がよすぎるのよ、父もあなたもね。坂本さんが言ったように、このお金は返ってくるの？」

私は首を振った。「まず、無理だろう」

菜緒の瞳に落胆の色が浮かんだ。

「坂本はもっと別なことを言っていたんだと思う」

「別なことって？」

「それはまだわからない」

菜緒は唇を強く結び、黙って窓に近づくといったん開けたそれを閉めにかかった。

「さんざん利用されて、最後には放り出されるってわけか」

振り返って菜緒は言った。「世の中っていうのはこんなものなのかしら」

「現実は厳しい」

「厳しいとは思わない。浅ましいとは思う」

「そうだな。まったく——浅ましい現実だ。でも、こういうことに血眼になる連中もいる。現実を浅ましくするのは、浅ましい連中がいるからだ」

「あなたも立派にその一人じゃない」

その言葉はちくりと私の胸を刺した。

「お金か。そんなにお金儲けてどうするの。そのために馬車馬みたいな一生を送ってさ」

それだけ言うと、菜緒が壁の時計を見あげた。午後一時近い。「食事してく?」

「いや。戻って調べたいことがあるから」

「そう」

両手を上げて伸びをしながら、住宅街の風景とその上に広がる青空を仰ぐ。

「大学はこれから?」

「三時」

私は菜緒の横に並んで外を眺めた。

「これからどうする? 博士課程に進むのか」

菜緒は修士の二年生だ。上に進むのでなければ、他に進路を決めなければならない。もう七月だ。

「どうしようか、迷っているのよ」

意外なことに、菜緒は心の中を私にかいま見せた。悩んでいるように見える。

「そうか。やりたいことでも？」

菜緒はそれには応えず、両手を背中で組み私に横顔を向けている。

「わからないわ。本当にやりたいことはなんなのか。あるいは、何をやるべきなのか。それがよくわからなくなってきた」

「そうか」

「そうか——そうかしか言えないの？」

「菜緒……」

久しぶりに彼女の名を呼んだ自分に気づいた。最後に彼女を名前で呼んだのは、いつのことだったろう。

彼女は、ほんの少し淋しそうに笑った。「ねえ、さっきの融通手形、だっけ？　そんなの調べてどうするつもりなの」

菜緒は両手を後ろで組み、横顔を見せる。

「坂本のヤツ、それに気づいていながらかばってくれた。貸しだって言われたよ。それを返すには、あいつがやろうとしたことを引き継ぐしかないだろ」

「友情ってやつ？」

「友情ってやつだ。でも、それだけじゃない。いまは債権回収も仕事なんだよ。坂本は君に期待しろと言ったんだろ。どこかに金を回収できる糸口があるってことだ。それを見つける」

「なるほど。期待しないで期待してってわけね」

彼女はパソコンの電源を落とした。私はアウトプットされた資料をクレジット・ファイルに挟み、菜緒がパソコンに防塵シートをかぶせるのを手伝った。

「サキに会ってく？」自宅の玄関まで来ると菜緒が聞いた。

「また今度。君からよろしく伝えておいて。それから、この前、覚えててくれてありがとうってさ」

菜緒が微笑を浮かべた。私は軽く手を振り、路上に停めたままの業務用車に向かった。半分ほど満たされ、半分ほど満たされない。そんな気分だった。

午前中に調べ上げた資料を検討すれば、東京シリコンの融通手形を解明するのにそう時間はかからないだろう。そう思った。

5

ところが、自分のデスクに戻った途端、雲行きが怪しくなった。

苦労してとった口座の異動明細が消えていたのだ。まわりを探したが見当たらない。思わず舌打ちした。

「小谷さん」私は融資係の事務をしている女子行員を呼んだ。「私の机の上に東京シリコンの口座明細のコピーを置いたんだけど、見当たらないんだ」

「置かれたのは、今日ですか」

「さっき出かける前。知らないかな」

小谷は困ったような顔になった。「私はちょっと気がつきませんでした。山本さん——」

小谷は入行して間もない新人の女の子に声を掛けたが、山本は自分の仕事をこなすのに精一杯でとても他人の資料の行方など気にしていられないといった感じだ。

「何時頃でしたか」小谷が山本から私に視線を戻した。

「十一時過ぎ。Ａ４判で、三十枚近くあったはずだ」

二人とも困った様子で顔を見合わせる。小谷がその日に回付された資料などを見てくれたが、混じっていなかった。内部の誰かが間違って持ち去ったとしか思えない。これで午前中の二時間がまったくの無駄になったわけだ。

再び宮下に鍵を借りてマイクロ・フィルムを取り出しに金庫へ行ったが、今度はフィルム・リーダーが塞（ふさ）がっていた。結局、再び目の痛い思いをして資料集めを終えたのは、夜七時過ぎになった。

それから、資料を元に東京シリコンの当座預金の動きを追った。入金と出金の相手方を逐一確認する。私が知りたいのは、銀行で割引をした金の行き先だ。

口座推移をトレースしてみると、銀行が当座預金に振り込んだ割引代金は、月末の決済以外に、月中に何度か数千万円単位で預金口座から引き下ろされていることがわかった。

しかし、それが融通手形だと断定するためには、預金口座から下ろした金が信越マテリアルに振り込まれていることを確認しなければならない。

そこで躓いた。

預金口座にある金を振り込みに使う場合、二通りの処理がある。一つは預金口座からそのまま振り込みをする処理で、それだと私が見ている資料にその「痕跡」が残る。もう一つの処理は、預金口座から必要なだけ現金を引き出し、その金で振り込みをする方法だ。その方法だと記録に振込先の名前が残らないだけではなく、振り込みに使われたということすらわからない。

柳葉が行ったのは、後者だった。だから資料には現金を引き出したという記録はあるが、それがどう使われたかという記録は残っていない。このやり方なら、現金を他の銀行に持ち込んで振り込みをすればトレースすることは完全に不可能になるし、仮に二都銀行渋谷支店の窓口で振り込みをしたとしても、その際に記入する振込依頼書という書類を探さないと振込相手がわからないということになる。

尻尾はつかめそうでつかめない。だが、唯一の望みは、すべて同じ処理をしたとは限らないということだ。長く同じような取引を継続する間には、たまには口座から直接振り込むこともあるかもしれない。私としてはその偶然に賭けてみるしかなくなっていた。相手が警戒していたのならそんな偶然も期待できそうにないが、当時の私は東京シリコンの手形が融通手形だなど露にも思わなかった。その意味では柳葉も油断していただろう。だとすれば、こっちにもまだ分がある。

私は次々に資料をめくっていった。一年分しか資料をコピーしなかったのが後悔された。もう少し長い期間のものが必要だったかもしれない。そう思ったとき、見つけた。口座からの振り込みを示す「痕跡」だ。

——F。

私は、しばらく粗いコピー用紙の一点を凝視していた。「F」という一文字が、出金を示す一行の片隅に印字されていた。

Fは振り込みを意味している。

一度だけ、柳葉は当座預金からそのまま振り込みをしたということだ。

日付は九月六日。私は日付と金額の四千五百万円とを卓上のメモに書きつけ、それを持って営業室奥にあるエレベーターへ直行した。午後十時を過ぎ、ほとんどの行員はすでに帰宅している。

手がかりをつかんだ。その実感があった。きっと坂本も私と同じことをしたはずだ。

エレベーターの案内板が点滅しながら数字を変えていく。行き先は地下二階だ。古いエレベーターの扉が、軋んだ音をたてて開いた。

闇。

最初に私の目に飛び込んできたのは、その圧倒的な漆黒だった。エレベーター内部から射している灯りが四角い光を床に投げている。目が慣れるまで、私はエレベーターのボタンを押し続けていた。光がなくなったら自分の顔すら触れるまではわからないほどだ。

手探りで壁を伝い、スイッチを入れた。

頼りない明滅の末、赤茶けた蛍光灯が点灯した。私は書庫の前に立っていた。ここが渋谷の一等地であることが信じられないくらい静かだった。

書庫を閉じている格子の扉に鍵を差し込み、回す。カチン、という硬質の音が空間に響く。専用の太いケーブルを接続し、書庫内の灯りをつけた。

ここには、銀行取引で扱われた手形や小切手、預金の払い戻し証書、振込依頼書をはじめとするあらゆる書類が一定期間保存されている。金庫よりもはるかに広い空間。天井も高く、三角形の移動式階段が入り口を塞ぐ。

私は、目当ての振込依頼書が保管されている場所を探して広い書庫を歩き始めた。

東京シリコンは八月二十八日に、信越マテリアル銘柄の手形などで約六千万円の割引をしていた。そのうち、二千万円弱を月末の決済に回し、翌月九月六日に四千五百万円もの金額をどこかに振り込んだ。その振込先が信越マテリアルであれば、当時私が見落としていた融通手形による資金の流れが証明される。

大きな棚が三列、並んでいる。

その一角に、為替関係、つまり口座振替や振込を扱うセクションの書類保管場所を見つけた。かなり大きなスペースで、捜し物はその中央付近に特別の紙箱に入れられて何段にも積み上げられている。紙箱は年月順だ。箱の中もルールは同じで、日付順に整理されていた。

九月六日の書類は、箱の奥のほうでひっそりと紐かれるときを待っていた。綴られている依頼書は千枚近くある。一日で受け付けた量だ。それを一枚ずつ確認していった。

私は、壁際に放置されていた段ボール箱に腰掛けた。蛍光灯の光も充分に届かないような書庫の片隅で自分の呼吸の音を聞いている。埃っぽく動きのない空気のなか、紙をめくる乾いた音が感情を徐々に高揚させた。

最後の詰め。ゆっくりと確実に、綴られた振込依頼書をめくっていった。こうなると根気だけの勝負になる。

五百枚近くめくった。あと半分。

「このなかに、ある」

抑えようとしても、気持ちが高ぶった。耳の奥で脈を打つ音がする。指を動かし続けた。一枚。また一枚。綴りの残りが少なくなってくる。このなかに、という気持ちはそれにつれて高まった。

指を動かし続ける。残り枚数はどんどん少なくなってくる。

そして、最後の一枚もめくった。

ない。

しばらく、呆然（ぼうぜん）としていた。「どうして、ない？」

見落としたか。可能性はある。もう一度、最初から綴りに取り組んだ。

結果は同じだった。なぜだ。疑問が胸の中で膨らんだ。ないはずはない。考えられるのは何かの手違いぐらいだが。

いや、こういうことも考えられる。引き落としは九月六日だが、振込依頼票そのものは九月五日付けになっているケース。三時過ぎの持ち込み分などがこの扱いになる可能性がある。

九月五日の綴りを私は箱から探し出した。

しかし、結果は、同じだ。一時間ほど、経過していた。

「何をしている」

そのとき、突如、太い声が室内に響きわたり、私ははじかれるように顔を上げた。

北川が立っていた。入り口で仁王立ちになり、猜疑心に満ちた目で私を凝視している。

「調べものです」

私は綴りを箱の中へ戻した。

「書庫の管理者は君じゃないだろう」

北川は私のところまで来ると、足元に転がっていた鍵に目をとめ、咎めた。

「調べものがあったので、宮下代理に借りたのですが」

「管理者を任命するのは私だ、伊木」

北川は私の足元にある振込依頼書の箱を見下ろした。「何を調べていた」

「取引先から振り込みの確認を受けたものですから。でも、もう終わりました」

適当にいい繕って立ち上がった。北川は動かなかった。そのため、通路の出口を塞いだような格好になっている。

「前場所からの申し送り通りだな、伊木。お前、まだ企画部での失敗に懲りてないのか。勝手なことばかりすると次も期待できない。そう覚悟しておいたほうがいい」

北川は下卑た笑いを唇の端に浮かべて、踵を返した。その姿が入り口の向こう側に見えなくなってから、私はもう一度振込依頼書の綴りを手にとった。

綴りは、端を揃えてドリルで穴を開け、プラスチック製の芯で留められている。支店に備えつけられた機械で簡易的に処理されたものだ。

仔細に調べると、芯になっているプラスチック部分に小さな紙片が挟まっているのを見つけた。それが何を意味しているか考えるまでもなかった。

誰かが持ち去ったのだ。

ここに入れるのは、この支店に勤務する五十名近い行員だけだ。そのなかの誰かが、東京シリコンの振込依頼書をこの綴りから破棄したとしか考えられなかった。

## 6

混雑した山手線を新宿で下車し、京王新線に乗り換えた。この時間に乗車する客の半分は酔客である。列車がホームに到着し、中へ一歩足を踏み入れたとたんアルコールの臭いがした。四十過ぎのサラリーマン数人が呂律(ろれつ)の回らない口調で議論を戦わせていた。電車が揺れるたびに、そのうちの一人が私の肩にぶつかる。ぶつかったほうはまったく私のことなど意に介さない様子で、話に夢中になっていた。不愉快だったが、私の我慢がまだ限界に達しないうちに幡ヶ谷駅に到着した。地下ホームから地上に出ると、甲州街道のいつもの喧噪と排気ガスによる不快な臭気が漂っていた。

商店街から静かな住宅街の道に入ったとき、何気なく後ろを振り返ると人影がすっと動くのが見えた。私は足をとめ、それが消えた辺りをうかがった。

区立図書館の自転車置き場と、灯りの消えたエントランス。反対側はある商社の社宅で、門扉は開いている。その中には子供を遊ばせるための公園があり、道端の草むらで虫が鳴いていた。

マンションの自室へ戻ってから、電気を消したままで下の道路を見下ろした。

刑事か。

可能性はあった。何しろ私は容疑者だ。そう思うと急に腹が立ってきた。

コットンパンツにポロシャツを着て食事に出掛けた。途中で何度か振り返りながら歩く。もっとも、刑事だったらそんな簡単に見破られる尾行はしないだろう。それとも最初に私が振り返ったとき、気づかれたと知って尾行は中止になったのだろうか。

反対側を中年のサラリーマンが歩いてきた。相当、酔っているのか足元が危うい。すれ違いざま、また背後を振り返った。今度は影が動いた気がした。住宅の植え込みだ。私はしばらくそこに立って気配をうかがった。無言の睨みあいなのか、ただの錯覚か、区別がつかない。しばらく立っていたが何も起こらなかった。

甲州街道のレストランに入り、ビールと白身魚をオーダーした。運ばれてきたジョッキを傾けながら、今日経験したことをあれこれと考えてみる。事実の断片はどれもばらばらで、すぐに収拾がつかなくなった。

帰りには、いちいち後ろを気にするのが面倒になり、尾行するんなら勝手にしろ、という気分になっていた。異変に気づいたのは、マンションの玄関に入ったときだ。

思わず立ち止まった。

郵便受けだ。

ステンレス製の四角い郵便受けが、ホールの壁に部屋の数だけ設置されている。そのうちの一つの扉がぶざまに曲がって開いていた。私の郵便受けだ。扉の中央が歪んでいる。

近づいて見た。郵便受けの中になにかが転がっている。怒りがこみ上げた。私は、そのゴミのようなものを取り除くために手を伸ばし、それから慌てて引いた。

「――！」

蜂だった。アシナガバチだ。死骸かと思ったが、それは動いていた。尻から毒針を出したまま、翅を毟られた無惨な姿で郵便受けの中を必死で這っている。私は一瞬、思考が混乱し、頭が空白になった。それから、ひとすじの恐怖が心に染み込んできた。

動けなかった。前肢で重たい腹を引きずってきた蜂は、郵便受けの端まで来ると、見えない滝に吸い込まれるように床に落ちた。私の足元。慌てて足を引いた。ぽつん、という音にぞっとした。這う。生を求めて、こいつは這っている。間近にせまった死と懸命に戦っている。本能が知らせているのか。不完全にされた個体は生きようと這い続ける。

背後を振り返った。綺麗に磨かれたガラス扉に私の姿が映っていた。図体のでかい、青年とも中年ともとれる男の姿だ。焦点を変えると扉の向こうの街灯があかあかと光を投げているのが見える。左側はその光の守備範囲から外れ、闇がせり出している。

私はキーパッドに暗証番号を入力して、マンションの中に入った。誰だかわからない。だが、そいつはこのマンションまでやってきた。どこからか私をつけてきて、私に蜂を置いていった。次はお前だ。そう言っているようにも思えた。

——よほど非情で、子供染みた奴だよ。

ドクターの言葉が胸に蘇った。

エレベーターでまっすぐ五階に上がり、部屋に入った。灯りを点け、そこにいつもと同じ光景が浮かび上がっても、私の鼓動は収まりそうになかった。

大庭刑事の名刺をとり、その番号にダイヤルする。

ぶっきらぼうで聞き取りにくい太い声が出た。

落ち着かせるために息を吸い込み、帰路からのことを説明した。大庭は黙って聞いている。

「わかりました。それじゃあ、ちょっとお邪魔しましょうかね」

あまり積極的とは言いかねる口調だ。電話の向こうで何事か言葉が交わされる。しょうがねえな、とでも言っているのか。

「待ってます」受話器を置いた。

十五分後、チャイムが鳴った。エレベーターで一階に降りると、大庭は滝川と二人、曲がった郵便受けを眺めていた。

「これですか。蜂は？」

大庭は慎重に郵便受けの中を覗き、それから自分の足元付近をきょろきょろ見回した。私が最後に見たのは郵便受けのすぐ下だったが、移動したのか姿は見えなくなっていた。

「あ、あそこですね」

ホールの端に滝川が蜂を見つけた。死んでいた。あれから蜂は数メートルの距離を這い、そしてそこで死んだらしかった。滝川は、用意した白い手袋で小さな死骸を摘むとビニール袋に入れた。尻から針を出したまま動かなくなった個体は、まだ生きて這っていたときの不気味さが消え、どことなく哀れを誘う。まるで、この昆虫も被害者であると言いたげに。

「ちょっとお話を伺わせてもらいますか」

ビニール袋を覗いた大庭が言った。私は二人を部屋に案内し、リビングに通した。

「顔は見なかったわけですね？」

幡ヶ谷駅から今までに起きたことを話し終えると、大庭が聞いた。私はうなずき、滝川が持っているビニール袋に視線を走らせる。何者かが、昆虫の翅を生きたまま毟る場面を想像し、ぞっとした。

「気配だけですか」

大庭の質問はどれも否定的に聞こえる。滝川は大学ノートを構えているがほとんど書き込みはしない。ノートは単にゼスチュアで、本当はもっと他のところを見ているのかもしれなかった。

「せめて顔だけでも見てくれてるとよかったんですがねえ。これだけじゃあ」

大庭は言い、蜂を指さす。「その間、ずっと一人でした？　お連れの人とかもいない？」

暗に曜子のことを言っているのかとも思ったが黙っていた。

「要するに、あんたの言葉がすべてってわけだ」

その言葉に、頭に血が上った。狂言だとでも言いたいのか。そう口に出かかったが、こらえた。滝川は相変わらず埴輪(はにわ)のような表情で、受け答えしている私を観察している。そして今度は何事か書き込んだ。

「まあ、一応、今日のことは聞いておきます。また何かおかしなことがあるようでしたら連絡ください」

再び丁寧な口調になると、大庭は立ち上がった。なれなれしい言葉と丁寧な言葉を交互に繰り出す大庭の話し方はまったく気に入らない。相手をしていると馬鹿にされたような気分になった。そういう言葉遣いをすることで、自分の方が冷静で理論的だと相手に言いたいのだろうか。

「あの――」

まだ何かあるのか、と言うように大庭が見下ろす。

「坂本のことですが、その後進展はありましたか」

なんだそんなことか、という顔をして、かたわらの滝川と目を合わせた。再び私に向けられた視線には、冷たいものが混じっていた。

「調べてますよ」面倒くさそうに言った。

「あのCDコーナーで映っていた男はどうです」

今度は少しうるささそうな様子になった。

「それも、調べてますって」

言い方に腹が立った。「要するに、まだわからないということですか」

大庭の視線に鋭さが加わった。

「あれからまだ二、三日でしょう。そんなに簡単にいくんなら苦労しませんよ」

「忙しいのに、来てもらって申し訳なかったですね」

皮肉のつもりだったが、大庭は鼻を鳴らした。つまらん事で電話をするな、そんな表情だ。

二人を送り出した後、私は預かったままの坂本の私物の中から、パソコンを出して電源を入れた。すでに午前一時近くになっている。スケジュール・ソフトが立ち上がるのを待って、六月初めの坂本の行動をチェックした。東京シリコンを訪問した記録はやはりなかった。しかし、坂本は東京シリコンの経理書類を調べるために、一度は訪問しているはずだ。

しばらく考え、今度はメモを集めたフォルダをくまなく探した。見当たらない。

ふと思いついて、スケジュール・ソフトの「履歴」を調べた。マウスでアイコンをポイントし、右クリックすると「プロパティ」が出る。プロパティを見れば更新日時がわかる。以前、支店にあるパソコンのデータが更新されたかどうかわからなくなったとき、坂本に教わったやり方だ。同じ方法で坂本のスケジュール・ソフトのプロパティを開き更新日時を確認した。

七月三日、午後九時。

それは、坂本の通夜の晩だった。

7

翌日、私は他の行員が出社する前、午前七時過ぎに支店に到着した。ビルの管理をしている警備保障の担当は今日も高橋で、裏の通用口の覗き窓から私の姿を認めると驚いた顔でドアを開けた。

「おはようございます。早いですね」

「ちょっと調べものがあって」私は濡れたレインコートを脱いだ。

「ご苦労さまです」

敬礼する高橋の脇を通って、私は一階のフロアにある防犯システムがセットされた小部屋に入った。メイン・スイッチを入れると、モーターの回る起動音がしてモニタに赤いランプがついた。店内の様子が画像で送られて来るまで十秒近くを要する。

モノクロの画面は、一階の店頭から始まり、CDコーナー、二階の店頭まで、全部で十二台のカメラで撮影されていた。ビデオ・レコーダーは一台。一台ずつのカメラは固定式で一ヵ所の映像だけを常に映しているが、順番にカメラを切り替えることにより、遠景になったり角度を変えたりした映像が記録される。一ヵ所の映像は約二秒間で次の映像に変わる。全部で十二台だから、二十二秒で店頭の映像に戻ってくる計算だ。

ビデオテープはきわめて遅いスピードで録画されるため、消費量は一日一本。システムを格納しているラックに、日付ラベルを貼ったビデオテープが並んでいた。

モニタを眺めていると、警備保障の帽子を小脇に抱えて高橋が近づいてきた。

「どうかしましたか、伊木代理」

二階の営業室を映しているカメラは全部で三台ある。

「この防犯カメラ、何時から何時まで回ってるんですか」

「たしか、午前八時からCDコーナーが閉まるまでのはずです。ですから午後七時ですか」

スイッチのオン・オフは手動だ。誰かがすぐに停止させるのでなければもうしばらくは回っているはずだ。

「坂本のデスクは映ってないな」

私は独り言のように呟いた。それは二階フロアの奥まった場所にあるため、防犯カメラのすべてのアングルから外れている。それと、坂本が不正送金に使ったと言われているオンライン端末もここには映っていない。もし映っていれば、とっくに事実が判明した可能性が高い。逆に考えれば、映らないから犯行に使われたとも考えることができる。

「融資課のお客さんは皆顔なじみですから。外為の窓口と貸金庫を狙ってます。一見客が一番危ないですよ」

「そうだろうか」

私が疑問を呈したために、高橋は問いかけるような視線を私に向けた。その目に反論や不審の色はない。ただ私の言葉に驚いただけだ。一見客は危ない、というのは一般論だ。だが、もっと危ないのは、信頼している相手の裏切りだ。東京シリコンの柳葉のことを私は嫌いではない。むしろ信頼し、尊敬さえしていた。だが、いま正直なところ、その気持ちはなくなっている。客だけではない。支店の行員でも同じことだ。

カメラの一つが遠景を映していた。その撮影範囲にかろうじて私のデスクが映っている。それを確認してシステムの電源を落とした。

「もう、いいんですか」わけがわからない、という様子で高橋が聞いた。

「ええ結構。だいたいわかりましたから。いまこのデッキに入っているテープ、昨日のですか」

「ええ、そのはずですよ」

「テープの入れ替えは高橋さんが？」

高橋は首を横に振った。「いいえ、宮下代理がいつもやられてますよ」

「宮下か」ためらった。

「彼、いつもテープを交換するとき、昨日の分が映っているかどうか、確認しているだろうか」

高橋は首を傾げた。「さあ。でも、たまにテープの交換を忘れるぐらいですから、そこまではやってらっしゃらないでしょう」

「なるほど」

高橋の言葉に賭けることにした。「高橋さん、ちょっとこのテープ、ダビングしたいんだけど、頼まれてくれないだろうか」

高橋はもの問いたげに私を見た。「何かあったんですか？」

「うん。ちょっと個人的なことでね。高橋さんぐらいにしかお願いできないんだ。私が外に持ち出したとなると問題になるだろうから」

高橋はくすりと笑って、いいですよ、と言った。私のことを信頼してくれているようだった。

「伊木代理なら、間違いないでしょう」

「じゃあ、これ。お願いします」

私はもう一度デッキのスイッチを入れ、中のテープを取り出して高橋に渡した。

「こっちは、どうします」

高橋は空になったデッキを指さした。「一昨日(おととい)のやつでも入れときますか」

退役軍人のような高橋のウィンクに笑いがこみあげてきた。「ああ、そうしよう」

「ダビングするところありましたっけ」

円山(まるやま)町にあるレンタル・ビデオ屋を高橋に教えた。そばのデスクにあったメモを破り簡単な地図を添える。

「十時に行けますか」

「大丈夫。九時に上がれますから、どこかで一時間ぐらい暇をつぶします」

「すみません、夜勤明けなのに」

高橋は一向に気にしていない様子で手を振る。

「できあがったテープはどうします？」

「ビデオ屋に置いたままでいいです」

私が言うと、高橋が申し出た。「私、日曜から夜勤なんですよ。オリジナルは私がもらいに行って、ここに戻しておきましょうか」

ありがたい。

「もし頼めるなら」私は高橋に礼を言った。

「お安いご用です」

高橋は帽子をかぶり、その鍔に指をかけるとにっと笑った。

「それから、このこと——」

「わかってます」

高橋はテープを入れた制服のポケットをぽんぽんと軽く叩いた。「秘密にしておけばいいんですね」

もう何も言うことはなかった。

自分のデスクに戻ったが、まだ誰も出勤してきた者はいなかった。七時二十分。取引先のアドレス帳を開き、番号をダイヤルした。

「室岡です」

室岡は、円山町でレンタル・ビデオ屋を経営していた。親から相続したちっぽけな土地に三階建てのビルを建て、一階をビデオ屋にして自ら経営し、二階を賃貸事務所に、三階を自宅に使っている。いっそ、一階のビデオ屋を他の会社に貸し、賃貸収入だけで食っていったほうがいいのではないかと私は提案したことがあるが、張り合いがないからという理由でそれほど儲かっているとも思えない店を続けている。

　名乗ると、相手は一瞬言葉を呑み込み、気の進まない声になった。

「あんたか。なんか用？」

　電話の向こうで、くぐもった女のような声が聞こえた。私は以前、ローンの契約書に調印してもらうために出向いたときに見た、新聞や雑誌で足の踏み場もない四十男の部屋を思い出した。室岡は気ままな独り暮らしだ。

「頼みがある」

「なに」

　気もそぞろな言葉を室岡はよこす。またかぼそい声がして、会話が途切れた。受話器を押さえつけ、静かにしろとでも女に言ったに違いない。

「十時にウチの警備員がそっちにテープを持って行くから、ダビングしてもらいたい」

「それだけ？」

「ああ。いくら？」

「テープの長さによる」

　室岡は言った。私は、長さはわからないと言い、代金は今夜私が取りに行ったときに支払うことにした。

　しばらくすると、融資課長の古河が出勤してきた。

「早いな」

いつもの癖でたばこをくわえ、長い通勤時間を我慢した後の一服を楽しむ。古河も私が東京シリコンについて調べていることを知っている一人だが、その素振りに不自然な様子はない。

私は午前中をデスクワークに費やした。一週間ぶりにまともな時間に昼食を取り、午後から数軒の取引先を回った。坂本から引き継いだ仕事ではなく、自分がもともと任されていた本来の仕事のほうだ。どうということはない、また当てもないビジネスを求めて渋谷区内を車で走っただけのことだ。

支店に戻ったのは、午後三時を過ぎていた。二階の営業室に入ると、深刻な顔をした宮下が北川のデスクの前に立っているのが見えた。それで警備員の高橋の勘は外れたと知れた。

「なんでないんだ！」北川の鋭い口調が宮下に向けられている。宮下は答えようがない様子で俯（うつむ）いていた。

「防犯ビデオの管理もできないのか、お前」

「すみません」

北川は額に青筋をたてて宮下を激しく叱責した。私は黙って自分のデスクに戻り、背中で二人のやりとりを聞いていた。

「どうするんだ」

「探します」

「なんだと。探してなかったから俺のところへ来たんだろうが。寝ぼけたことを言ってるんじゃない」

「もう一度、探してみます」

「そもそも、昨日は防犯テープをセットしたのか、貴様」

「はい」

「じゃあ、なぜない」

「わかりません。誰かが持って行ったのかもしれません」

宮下の言葉が聞こえたとき、数秒間、沈黙が挟まった。北川の声が低くなる。「誰が？」

「ですから、わかりません」宮下は小さな声で答えた。

「貴様がいい加減な管理をしてるからこうなったんだ。絶対に探し出せ。出てくるまで私の前に顔を出すな」

北川は怒鳴った。フロアにいた全員の視線が遠慮がちに宮下の背中に集まるなかで、宮下は小さくお辞儀をしてすごすごとその場を離れていった。

「伊木君」

背後から古河が呼んだ。「宮下代理が管理している防犯テープが一本見当たらないらしいんだけどさ、君、知らないかね」

その言葉に北川の視線がこちらを向いた。睨めつけるような激しい視線だ。

「さあ」私は言った。

「今朝、君より早く店に来ていた者はいなかったか」

「気がつきませんでした」

「そうか。ならいい。それから――」

古河は小声になった。「あんまり、管理外の鍵を預かったりはするな」

書庫の一件を言っているのだとすぐにわかった。おそらく、私が来るまでそのことでも宮下は責められていたに違いない。申し訳ない気がしたが、謝るのはあとでもできる。

「わかりました」

私は自分の席に戻って稟議書の用紙を出すと、その日拾った融資案件についての概要と所見をまとめた。おきまりの財務分析とコメント、資金需要の要因などを書き込んでいるうちに時間はあっという間に過ぎていった。比較的事務負担の少ない月半ばということもあり、行員は六時過ぎからぽつぽつと帰宅しはじめ、八時を過ぎた頃、室内に残っているのは私と古河の二人だけになった。

「伊木君」

そろそろ仕事を切り上げ、室岡のビデオ屋へ行こうと思ったとき、古河が声を掛けてきた。どうやら、私の仕事が終わるのを待っていたらしい。

「行こうや。ちょっとだけ」

8

ラッシュアワーが過ぎて空き始めた山手線に乗り、新宿駅東口に出て甲州街道方面へ五分ほど歩いた。向かったのは、丸井や三越が近い繁華街の地下にある居酒屋だ。満杯だったが、待っていると五分ほどで席があいた。店内は騒がしいが、二人がけのテーブルで上司と飲むにはこのくらい賑やかなほうがまだいい。

「いろいろあるよなあ」

古河は飲むとすぐに顔に出る性質だ。私は赤くはならないが、度を過ぎると青ざめる。疲れていたから、酔いの回りは早かった。飲むピッチを落とし、つまみの量を増やした。古河はというと、飲むときにはあまり食べ物を口にしない。健康のことなど考えず痛飲するタイプだ。

「ところで伊木君、高畠支店長のことなんだが」

小一時間も飲んだころか、古河はふっと酔いの醒めたような真顔になって、とりとめもない駄弁を巻き上げた。

「――左遷かもしれん」

酒に潤んだ目は泣いているように赤い。私を誘ったのは、これが言いたかったからか。

「東京シリコン、ですか」

古河はうなずいた。「どういう意味かわかるか——我々のことだが」

箸を置き、古河を直視した。「ただでは済まないと？」

古河は渋い顔で明言を避けた。私のほうは覚悟はできている。

「しかし、高畠支店長は運が悪いよ。着任して一ヵ月も経ってなかったんだぜ。東京シリコンに対する融資は前任の藤枝さんの仕事なのに、当の藤枝さんは企画部長でふんぞり返ったままお咎めなしの見通しだ。政治家だよ、あの人は」

「どういうことです」

表情をゆるめ、凝（こ）った肩を揉むと、自分の杯に冷酒を注ぐ。

「派閥争いさ。通常、当店の支店長は任期二年だぞ。それをあの人は一年ちょっとで本部にカムバックした。まるで東京シリコンから逃げるようにしてだ。高畠支店長は嵌（は）められたんじゃないかって気がする」

「まさか。そりゃ、いくらなんでも穿（うが）ち過ぎでしょう」

私は笑ったが、古河は真面目腐った顔のままだ。

「第一、課長のおっしゃるとおりなら藤枝部長は支店長時代に東京シリコンの倒産を予見していたことになるじゃないですか。当時、東京シリコンがこんなことになろうと予測していた人は誰もいませんでしたよ。まさか信越マテリアルの和議申請で連鎖倒産だなんて予想するのは不可能です。交通事故に遭うようなものですからね」

「そうかな」

古河は疑問を呈した。「信越マテリアルの業績を知っていたかもしれんじゃないか」

その言葉に、黙って相手を見返した。本気で言っているのか確かめるためだ。冗談めかした笑いも漫言の甘さもそこにはない。

「信越マテリアルには二都商事が何パーセントか出資している」

山崎の顔が思い浮かんだ。そもそも、その出資を取りまとめたのは、おそらく山崎だろう。

「商事からウチへ業況が伝えられていたんじゃないか。それでさっさと逃げたとも考えられる。相手派閥のホープにババを摑ませてな。一石二鳥よ。俺たちはその巻き添えを食ったってわけだ。まるで暴力団抗争の流れ弾に当たったような気分じゃないかい？」

たしかに、あり得ない話ではない。だとすると、藤枝は数億円の実損が出ることだけではなく、東京シリコンの倒産や、それによって従業員が路頭に迷うことを予測しながら、それを隠していたことになる。いくら派閥争いの激しい財閥系金融機関でもそこまでするか、という印象はあった。

「それが政治家たる所以さ。腹の底なんか見せやしないぜ」

古河がやや怪しくなった呂律で追い打ちをかける。

「まったくどいつもこいつもだ。北川副支店長にしてもな。へっ」

ゆるんだ頰を引き締め、酔いにすわりかかった目で私を直視した。

「副支店長、最近頻繁に本部の連中に取り入ってるらしいぞ。責任逃れのためにな。俺や君のことなんて虫けらとも思っちゃいない。踏み台にしてでも自分は生き残る気だ。いま、あの男に弱みを握られるようなことをするなよ。今日の鍵の一件のような真似だ。絶対にするな」

北川がどういう手を打ってくるか、それは充分に予想がついていた。だが、もう手遅れだ。北川は、東京シリコン倒産の原因を、私と菜緒の関係なども含めて本部内で喧伝しているに違いない。古河もそれを聞き及んでいるようだが、そのことは言わなかった。私も聞く気はない。

最初の店でそこそこの量を飲み、それから古河の馴染みという歌舞伎町のスナックへ行った。場末の店だ。七、八人で満杯になるカウンターと、テーブル席が二つある。女の子は一人だけで、カウンターの中でママの手伝いをしながらテーブル席との間を往復している。カラオケがあって、馴染客同士で古い歌をがなりたてていた。

古河はよほどむしゃくしゃしていたのか、最初の店から急ピッチで飲んでいた。かなり酔っている。店につくなりカウンターにしなだれかかり、ママと冗談混じりに言葉を交わし、新しいボトルをキープした。

「今夜は飲むぞ、伊木」

息巻く。ボトルは「フォア・ローゼズ」。バブル時代の住宅ローンをたんまり抱えている古河は、年収の割に安い酒を飲んでいる。

最初の一杯をママが作った。古河はそれを一気に半分ほど飲み、自分でバーボンを加える。すぐに北川の悪口になった。たまっていた不満の捌け口をついに見つけたとでも言わんばかりに、古河は愚痴を言った。北川の名前から肩書きが消え、ついに名前が「野郎」になるまで時間はかからなかった。その頃には、私のことも「君」から「お前」になっている。

「だいたいあの野郎は、俺のことなんざ、これっぽっちも信用してねえんだ。粗探しばっかしやがって。気がつくと頼みもしねえのに俺の席にすわって書類を見てやがる。自分の仕事は棚にあげてだ。俺の頭越しに課員に文句を言いやがるんだ。高畠支店長からそういうことはするなって、あれほど言われてんのに無視してやがんだな。年下支店長に対抗意識丸出しで見苦しいったらないね」

私は黙ってグラスをなめる。北川に対する不満はあるが一緒にグチる気にもなれなかった。複雑な思いが心のなかで溜まっている。古河は呂律の怪しさこそ相変わらずだが、そう大崩れすることはない。口は悪いが、酔いの奥に潜んだ意思は確かだ。酒を飲んで崩れる人は大銀行では課長以上にはなれない。

背後のテーブル席にいた数人のサラリーマンの一人が立ち上がって歌い始めた。聴いたことはあるが名は知らない曲。古い歌だ。

ちっ、とうるさそうに古河は顔をしかめ、私の耳元で何か言った。

「なんです？」

「女だ」

古河は言った。「北川の野郎、女つくってやがる」

私は思わず古河を見返した。北川の女。古河からそんな話が出てくるとは思わなかった。

「なんで知ってるんですか、そんなこと」古河の耳元で聞いた。

「偶然見かけたんだよ。新橋でな。寄りそって腕組んで歩いてやがったんだ」

「だからって、女とは限らないでしょう」

古河はにっと笑った。

「しばらくして、野郎に誘われてある店に行った。相手はそこのママでさ。間違いないな。贔屓（ひいき）にしてやってよ、だとさ。笑わせるぜ。そこで俺たちが言った悪口やら噂話を女から聞き出すつもりだ。あいつの考えることたあ、その程度のことだよ。まるで三流のスパイ映画みたいじゃないか」

下卑た笑いで溜飲を下げる。古河は続けた。

「毎週木曜日になると必ず女のところへ行くんだ。ほら、先週の木曜だってそうじゃねえか。覚えてるか、俺が北川に聞いたこと」

覚えていた。坂本の通夜の後、支店に戻るか北川に聞いたのだ。

――帰るよ。私は。

そう言った北川に、古河はあやふやなものを含んだ反応をした。それにはこういう意味があったのだ。

「わかるだろう。北川は自分の部下の通夜だってのに、直行したわけだ。女の元へな」

カラオケの歌が言葉の途中で終わったために、最後のところだけがやけに大声で店内に響いた。隣のカウンターで飲んでいた中年二人組が古河に一瞥をくれた。

坂本の通夜は七月三日だ。彼のコンピュータが何者かに操作され、ファイルが更新されたのと同じ夜だった。

「本当に北川副支店長はその店へ行ったんでしょうか」

私は頭に浮かんだ疑問を口にしてみた。古河はピーナツを入れた口をぽかんと開けた。

「そら、行っただろうよ」当たり前じゃないか、そう言いたげだ。

「課長、あの晩、何時頃まで店にいらっしゃいました」

古河は酔っぱらった目で紫煙が渦を巻いている店の天井を見上げた。

「七時過ぎだな。それから、通夜へ直行した」

古河は私に指をつきだして記憶を確かめた。私はうなずいた。先に通夜会場にいた私が古河を迎えたのは読経のあと、八時頃だったろう。会場は五反田で、駅からは徒歩十分以上かかる。曜子と話をする前だった。一方、北川が高畠とともに通夜に来たのはそれよりずっと早い六時すぎだ。北川がその後支店に戻り、誰もいなくなった営業室で坂本のパソコンを操作することは不可能ではない。

「そのとき、支店に残っていたのは誰です」

古河はなんでそんなことを聞くんだという顔をしながら、記憶を探る。

「二階では俺が最後だったかな。若手は全員そっちに行ってたし」

「つまり、誰もいなかったと」

「ああ、間違いない。そうだ、確か営業室の電気を消して出た覚えがある」

私は目の前のグラスをとり、古河に横を向けたまま言った。「そのあと、何者かが坂本のパソコンからデータを消したようです」

しばらく返事がなかった。私は黙って数口飲み、古河の反応を見た。穴の開くほど、私を凝視している古河の顔がそこにあった。

「ほんとうか」

「ええ」

「なんのために、そんなことをする」

「さあ、なんのためでしょうか」

私は、もう一口グラスの液体を口に運んでから続けた。「そもそも、なぜ坂本は殺されたんでしょうか」

## 9

再び、耳元でカラオケが鳴り始め、私の左隣の男が歌い始めた。ところどころ音程が合っているが、大半は半音以上ずれる。ストレス発散はいいが、聞かされるほうにストレスが溜まる。

古河は、言葉を失ったようだった。

「コロサレタ？」

唇は動いていたが、声ははね回るスピーカーの騒音にはたき落とされて聞こえない。私はたばこを出した。ママが気づいて火を差し出す。古河の吸い殻で埋まった灰皿が交換され、新しくなった。

「殺されただと？　伊木、説明しろ。どういうことなんだ」

古河は言葉を荒らげ、私の腕を揺すった。カウンターの中から心配そうにママが見た。私は、大丈夫だから、という意味で笑みを浮かべて見せ、古河にこれまでの経緯を簡単に説明した。

「それでか」

古河は納得したように呟いた。「いやあ、刑事から坂本の取引先の名前や仕事の内容なんかを詳しく聞かれて、妙だとは思ってたんだ。しかし、動機がないんじゃないか。いったい、坂本がどんな理由で殺されたというんだ」

「まだ詳しいことはわかりません」

「お前、少しは何か摑んだのか」

私は首を振った。すると、古河はやや躊躇(ためら)いがちにきいた。

「支店内に犯人がいると思うか？」

「断定はできません。ただし、いずれにせよ、単独で動いているわけではないと思います」

「なぜわかる」

「坂本が不正送金したと言われている現金を引き出した男は銀行内部の人間ではありませんから」

「坂本の仕業じゃないという持論はそのままか」

「もちろんです」

「パスワードはどうする。仮に誰かが坂本のオペレーター・キーを拝借してそれでオンラインを操作するにせよ、パスワードが必要じゃないか」

「８５９７」

古河は一瞬、きょとんとし、苦笑いを浮かべた。それは古河が持っているカードのパスワードだった。「なんで知ってる？」

「見てりゃわかりますよ。キーボードから入力するんですから。それにパスワードは届け出制で、厳密な意味で完全なセキュリティというわけではない」

「野郎のことを疑っているのか」

緊張した声で古河は言った。「野郎」が誰なのかいうまでもなかった。私は返事の代わりにグラスに手を伸ばす。その仕草をじっと古河が見ていた。

「さては、宮下のところからテープを持ち去ったのはお前だな」

私は黙っていた。

「やってくれるよ、まったく」

呆れたように古河は言い、握っていたライターをカウンターに放った。「お前、そんなことしてるといつか銀行からおっぽり出されるぞ」

「かもしれませんね」

「会社はお前みたいな奴が一番やりにくいんだ。出世に血眼になる連中とは違う、かといって安穏とサラリーマン生活を続けているわけでもない、組織にへばりついていないと路頭に迷うという悲哀もない。要するにお前には守るべきものがないんだ。だから組織にとって摑みどころのない存在に見える。何が狙いだ」

「今回の場合は、守るためですね」

「守る？　出世か」

「まさか。もっと大事なものです」

「大事なもの？」

古河は言ったが、それ以上深く聞こうとせず、半分ほど残ったグラスの中身を全部飲み干した。私はグラスにバーボンを注ぎ、新しい水割りをこしらえて古河に渡した。

「おまえ、先行き、不安を感じないのか」

「感じないと言えば、嘘になります」

「結婚しないのか」

古河はまるで独身の女子行員にするような質問をした。思わず、笑いがこみ上げてきた。

「こいつ、鼻で笑いやがった」

古河はかなり酔いが回っているのか、グラスを口に運んだあとに疲れたような溜め息を吐く。それからたばこを一本だし、箱はシャツの胸ポケットにしまった。

「いいなあ、気楽で。でも淋しいな」

古河は笑いながら、たばこの煙を吐き出す。時計を見た。午前零時を少し回っている。思ったより時間の遅いのに驚き、私はグラスに少しだけ残っていた酒を飲み干した。ほとんど氷水だった。ママが新しい水割りを作ろうとするのを手で制した。

「遅くなっちまったな、引き上げようか」

古河はたばこを灰皿で揉むと、よろけながらスツールを降りた。

夜が更けていた。古河は千鳥足で歩きだした。店は歌舞伎町の外れで、ママに見送られてエレベーターから出ると、スナックの入っているビルの外はぽつんと街灯があるだけの淋しい通りだ。

「坂本のこと、残念だったなあ」

古河はふらついた足取りで私の横を歩いている。雨は止んでいた。疲れ、そして酔いも手伝って、油断していた。私はどこからか近づいてきた足音にまったく注意を払わなかった。空を見上げた。星はないな、そんなことを思った。どんよりした鈍色(にびいろ)の雲が都会のネオンの反射を受け止めているだけだ。じっとりと湿気を含んだ空気が肌にはりつく。

足音が、すぐ背中で聞こえた。古河が振り返った。

「おい！」

古河が鋭い声をあげた。振り返ろうとした私に古河が体をぶつける。左腕からアスファルトに倒れ込む。痛みが走った。上体を起こし見上げた視界の中で古河と黒い塊が一つになっていた。一瞬の間だった。黒い塊が身を離す。遠い街灯の弱い輝きがかすかにその横顔を照らした。サングラス。そして、疾走する狂気を湛(たた)えた目。満たされたように唇がめくれあがり、喉仏が動いた。

あの男だ。

男がさっと体を反転させ、駆け出す。その手の中で何かが揺れた。ナイフだ。きらりと不気味な光を放った。

「課長——！」

がっくりと膝をついた古河に駆け寄った。私の腕のなかで古河の体が重くなっていく。その腹がみるみる血に染まっていった。近くのビルから出てきた二、三人のサラリーマンが異常を察して遠巻きにした。悲鳴を上げた白いミニスカートの水商売風の女が慌てふためいて店の中に駆け戻った。

「救急車、救急車！」

誰かが叫んでいた。静かだった通りに人が集まって来た。古河はまだ意識があった。

「カバン」

そんな言葉が口から洩れた。古河の体を動かさないよう支えたまま、私はそれを探した。古河の鞄が足元に転がっている。ないのは、私のものだった。すぐに救急車のサイレンが近づいてきた。古河は、小さく瞼を開いて、虚ろな視線を空に向けていた。目を閉じていたほうがましなくらいの空しかそこにはない。もっと美しい星空を見せてやりたかった。痛みがひどいのか、奥歯は噛みしめたままだ。

サイレンが近づいてきて、止まった。路地に赤い警告灯がまだらの模様を刻み始めた。人垣が割れ、ストレッチャーが来た。

「お連れの方？」

救急隊員の質問に、うなずいた。

「同乗してください」

古河は意識がなくなったのか、ぐったりしている。その顔に隊員が酸素マスクを押しつけた。

運だ――。

いつか古河自身が言った言葉が記憶の底から蘇(よみがえ)ってきた。

祈るしかない――。

だが、私には祈ることはできなかった。あの男。画質の悪い防犯テープに映っていた男の表情が私の瞼に克明に刻みつけられた。アドレナリンが体中を駆けめぐり始めた。昨夜は警告。そして今夜は、仕掛けてきた。古河は、身を挺して私を守ろうとし、身代わりになったのだ。

救急車は、混雑した靖国(やすくに)通りを抜け、東京医科大学病院へ向かった。

手術が始まった。

私は古河の自宅に電話をし、突然の悲報に取り乱した夫人に容体を伝えた。手術の経過次第。五分五分。医者の言葉は現実的すぎて事態を一層悲観的に見せるだけだった。高畠と北川にも連絡しなければならなかった。事態を告げると、北川は舌を鳴らした。

待合室のソファに座った。

「さっき刺された男性の関係者の方？」

顔を上げると、制服警官が覗き込んでいた。「ちょっと事情を説明してもらえますか」

店を出てからのことを話した。犯行はほんの数秒の出来事だ。

「犯人の顔、見ましたか」

「ええ」私は人相を説明した。

「なにか盗られたものは？」

私の鞄がなくなっていることを告げた。グリーンのソフト・アタッシェケースで中身は新聞と書類、文庫本一冊。財布と定期は背広の内ポケットに入れていて助かった。

なぜ男が鞄を持ち去ったのか、心当たりがあった。

ビデオテープだ。

そのことは黙っていた。


世田谷区内に住んでいる高畠が到着したのは午前一時頃。北川はそれより一時間ほど遅れた。その頃には家族も駆けつけ、悲嘆にくれた重い沈黙がロビーを支配していた。古河の家族は三人で、夫人のほかに、中学生の長女と小学生の長男がいた。やりきれない時間だ。

「何をやってるんだ、お前たちは」

着くなり、北川は私を怒鳴りつけた。

「ご迷惑をおかけします」

掛けていたソファを立ち、北川と対峙した。私より十センチほど上背がある。瞳の中で憎悪の焔が燃え揺れているのが見える。北川は普段着で、ゴルフウェアのようなポロシャツにスラックス姿だった。

「説明しろ、伊木」

北川に言われ、事実をそのまま話した。その背後に隠されているはずの真実については一言も触れなかった。

「お前たちにつけ入る隙があるから狙われるんだ」

北川は非難し、高畠が掛けているソファの横に座って足を組んだ。いままで私が座っていた場所だ。私はロビーに立ちつくし、白々と夜が明けていくのを廊下の突きあたりにあるガラス窓から眺めていた。ずっと拳を握りしめていた。敵の先に回ったつもりが、逆だった。読みの甘さを痛感した。

これほど、自分が愚かに思えたことはなかった。その愚かさのために古河をこんな目に遭わせてしまったのだ。

長くかかっていた手術は、午前四時過ぎ、終わった。なんとか一命を取り留め、麻酔で眠ったままの古河が無菌的処理の施された重症患者処置室へ運び込まれるのを見届け、病院をあとにした。

# 第三章　依頼書

## 1

リビングにある電話の留守録ボタンを押すと、ぶっきらぼうな室岡の声が聞こえてきた。

「室岡です。テープどうすんの。一応、預かっておくから取りに来てよ。不要になっても代金はもらうよ。連絡待ってます」

シャワーを浴び、午前九時に目覚ましをセットしてベッドに横たわった。何も考えないようにして目を閉じる。いつの間にか眠りに落ちた。ほんの数時間眠っただけだったが、少しは体がすっきりした。腕に痛みは残っていない。ジーンズに白いTシャツを着て近くの喫茶店で食事をし、曜子に電話をしてこれから荷物を持って行くと告げた。

私の車は古ぼけたシビックだ。気にしたことはないが、高級外車が多い地下駐車場ではかえって目立つ存在である。その助手席に坂本の私物が入った段ボール箱を積んで、マンションを出た。エンジンは古いが調子はいい。いつも快調に小気味よく走る。それほど面倒を見ているわけではないが、故障をしたことはない。

坂本の社宅は大田区の池上線沿線にあった。甲州街道に出てから山手通りを南下し、五反田から中原街道に入る。洗足池を通り過ぎた辺りで左折した。最寄り駅は石川台だ。一方通行の商店街をまっすぐ走った左手だった。

敷地に車を乗り入れ、隣地との境界に立つコンクリート塀に沿ってとめた。入居案内板で坂本の名前を探す。三棟並んだ建物の中央だ。正式には「石川アパート」と名のつく社宅は、昭和四十年代の建造物で、瀟洒な住宅街にあってはみすぼらしく、汚れている。

坂本の社宅を訪れるのは初めてだった。エレベーターはなく、階段を三階まで上がった。むき出しのコンクリートの階段は、いかにも所帯じみていて、住宅貧乏物語という言葉を思い出させる。

重い段ボール箱を両手で提げ、肌色をした鉄のドアに「ＳＡＫＡＭＯＴＯ」という英文字を貼りつけた木製の表札の前に立つ。

箱をコンクリート床にそっと置き、ドアベルを鳴らした。

「はい」

曜子の声がドアの向こう側で小さく聞こえる。それと同時に小さな足音がトントンと駆けてきた。

「パパ――！」

ドアが開くと、曜子より先に紗絵が飛び出してくる。しかし、そこに立っているのが私だと知ると、たちまち表情が曇った。曜子の陰に隠れる。子犬のぬいぐるみを抱え、不安そうな眼差しで私を見つめた。

「紗絵ちゃん、こんにちは」

人見知りをするのか、曜子の膝に顔を埋めた紗絵は、片方の手で母親の脚を抱いたまま私を見る。

「紗絵、こんにちはよ」

曜子が言うと、紗絵はますます強く顔を埋めた。

「パパが帰ってくると思ってるの。帰ってきたらこのぬいぐるみ、あげるんだって」

幼い横顔を見ていると胸を締めつけられる思いがした。その小さな胸に刻み込まれた坂本の記憶をいつまで持ち続けることができるのだろう。父親に抱き上げられたり、手を引いて散歩に行ったりしたときの想い出はいつまでこの子の記憶に残るのか。

「ありがとう。わざわざ持って来てもらって」

私は体でドアを押さえたまま、段ボール箱を中に運び入れた。

「これで全部だ」

曜子が箱の中を覗いた。「重かったでしょう。どうぞ」

躊躇(ためら)った。

「どうぞ」

曜子が重ねて言った。

「じゃあ、少しだけ」

スニーカーを脱いだ私の背後で、静かにドアが閉じた。


リノリウムを張った廊下の突き当たりが八畳ほどのキッチンになっていた。リビングはなく、襖(ふすま)を取り払って六畳の和室を続き部屋にしている。狭いベランダがあって、窓の上でエアコンが音をたてていた。クロスを掛けた四人掛けのテーブルには、いままで読んでいたのか絵本が二冊あった。『おさるのジョージ』と『クマくんのピクニック』。奥の和室には小さな祭壇で坂本の遺影が微笑んでいる。

曜子は、お湯を沸(わ)かし、コーヒーを淹(い)れた。

「とりあえず、実家にもどろうかと思ってるの。母もそうしろと言うし……」

足元にまとわりついていた紗絵を子供用の椅子に座らせ、牛乳をカップに注いだ。曜子はその隣の椅子に掛け、やつれた表情でテーブルを挟んで私と向かい合っている。曜子の実家は調布で酒屋を営んでおり、たった一人の兄が家業を継いでいるはずだ。

「次のことを考えるのはそれからね」

淋しそうに言い、紗絵が牛乳を飲むのを優しく見守る。「いまはまだ、何も考えられる状況じゃないの」

「わかるよ」

私は安っぽい励ましの言葉をコーヒーと一緒に呑み込んだ。

「警察からは何か？」曜子が聞いた。

「別に」

曜子が坂本の死についてどれだけ知っているのか、わからない。

「本当のところ、どうなの？」

彼女は紗絵の口もとを拭き、皿を出してビスケットを数枚のせた。そのさりげなさとは裏腹に、言葉の奥に重く張り裂けそうな感情が沈んでいる。「――事故じゃなかったの？」

ハンディタオルを持った手の指を鼻へ持っていき、涙をこらえながらそれを隠すようにせわしなく紗絵の面倒を見る。紗絵は母親の感情の動きを敏感に察し、ビスケットを持ったまま不安げな顔で曜子を見上げていた。

「警察はなんて言った？」

「何も。でも、社宅の人からはいろいろなことを言われているのよ。紗絵ちゃんのパパは泥棒だとか」

刹那（せつな）、頬がふるえ、彼女の瞳いっぱいの涙が一筋こぼれ落ちた。不思議そうに見上げる紗絵に無理して笑顔を見せようとするが、表情が歪んだ。

紗絵の口元がいまにも泣き出しそうにへの字になった。曜子が抱き上げる。背中を撫でながら、声を出さずに泣き続けた。

「坂本がそんなことをするはずはない。それは君だってよく知っているはずだ」

「じゃあ、誰がしたの？　健司さんのオペレーター・キーで送金されてたんでしょう。支店長さんはそう説明したわよ」

「だからといって坂本がやったということにはならないさ。あいつは絶対にそんなことはしない。他の連中が何いったって、坂本のことを一番知ってるのは俺たちだ。それを証明してみせるよ」

曜子は、唇をぎゅっと結んだまましばらくテーブルの一端を見つめていた。感情が落ち着くとふっと息をつき、そうよね、と言った。

「——そうよね。ねえ、紗絵。パパはそんな悪いことしないよね」

娘を抱きしめる。その姿にふと、かつての彼女を重ねてみて、過ぎ去った時の重みを感じた。

「彼が亡くなる前、何か変わったことは？」

曜子は少し鼻をすすり、紗絵を椅子に戻すとショートカットの髪を右手で梳いた。

「とくになかったわ」

「仕事のことで何か話してなかった？」

曜子は首を振った。「もともと家では話さない人だったから」

もっと話してほしかったのに。そう言いたげでもあった。だが、私には坂本の気持ちもよくわかった。債権回収の話など、できれば妻には聞かせたくなかったというのが本当のところではないか。どろどろした交渉事など家庭では忘れていたかっただろう。

「大東京銀行に口座を持ってたこと、知ってた？」

「ええ。あそこの大手町支店に彼の大学時代の友達がいるのよ。電話をもらった。新規口座獲得のバーターで作ったらしいわ。形だけのものだから、実際にはまったく使っていなかったはずよ。家計の口座は二都銀行で、ほとんどそれしか利用してなかった」

バーターというのは業務の交換のことで、お互いの実績をつくるために普通預金などの口座、定期預金、あるいはクレジットカードなどを相手銀行で作成しあうことだ。獲得実績が足りないときなどにたまにやる手だ。坂本らしくないが、相手から頼まれた可能性が高い。頼まれると断れない性格だった。

「通帳を見た？」

「いいえ。私は見たことがない。畑さん——あ、その大東京銀行の人だけど、その人から電話をもらって初めてそういう口座があることを知ったの」

「作ったのはいつ？」

「去年の十二月だって聞いてる。通帳とキャッシュカードは銀行に置いたままだったんじゃないかしら」

曜子は奥の部屋から茶色い書類箱を持ってきて、蓋を開けた。

「遺品を整理したんだけど、銀行に返すべきかわからないものは別に分けておいたのよ。見てもらえるかしら」

電話帳ほどの平たい箱の中身を一枚ずつ確かめた。通達や、稟議書のコピーなどといったものがたくさんあった。家庭で仕事の話はしなくても、仕事そのものは持ち帰りで結構こなしていたのだろう。遺品のなかには熱心な仕事ぶりを示す痕跡がいくつもあった。

「どう?」

「まあ、ほとんどはこのまま処分するか、君が持っていても大丈夫なものばかりだな」

私は書類をめくりながら応えた。

業務通達のコピーが何通かまとめられていた。社外秘だが、外部に洩れることはないはずだ。その束をどけたとき、私は思わず手を止めた。

「どうしたの?」

「いや——。このコピー、預かってもいいか」

曜子は怪訝(けげん)な表情で私とコピーを見つめる。

「いいけど。それがどうかしたの」

「探してたんだ」

私は箱の中からそれを手にとって眺めた。

九月六日。振込依頼人、東京シリコン。振込金額四千五百万円――。

坂本は辿り着いていたのだ、振込依頼書に。

視線は送金先欄に吸い込まれるように動き、釘付けになった。

だが、正直なところ、戸惑った。そこには、私が予想した、「株式会社信越マテリアル」という名前はどこにもなかった。

送金の相手は個人だった。

女性だ。

「仁科佐和子（にしなさわこ）」

私は思わずその名前を声に出していた。聞いたことのない名前だった。坂本のコピーは、端に黒い三角形の影を写している。厚みのある振込依頼書の綴りからコピーしたものに違いない。つまり、坂本が調べたときには、振込依頼書はまだ存在していたということだ。その後、行内の誰かがそれを処分したことになる。

それにしても、なぜだ。なぜ、柳葉朔太郎はこの女に送金していたのだろう？　私は、再び障壁に阻まれたことを痛感した。どこまで掘り下げれば真相に到達できるのだろうか。

私はすべての書類をもう一度さらってみた。あの「１０９」に関するものが含まれていないか確かめるためだが、それは見つからなかった。しかし、この振込依頼書の写しだけでも大変な収穫だ。

私は彼女に礼を言って立ち上がった。紗絵に何か気の利いたプレゼントでも持ってくればよかったのに、そうしなかったことが悔やまれた。

## 2

「伊木です」

エレベーターで三階にある室岡の住居まであがってインターホンを押すと、しばらくして短パンにランニングシャツ姿の室岡が顔を出した。

「テープをもらいにきた」

「ああ。店に置いてあるからちょっと待って」

室岡はいったん部屋に戻った。ビルの裏側にもう一つの出入り口があり、そこから一階の貸しビデオ屋へ出入りすることができるのだ。

私はドアが閉まらないよう片足を突っ込んで待った。室岡の住居部分の玄関は、表通りと反対側の通りに面している。裏手は小さな公園だ。ジャングルジムと滑り台が見えるが子供の姿はなかった。首をひねると表通りの人の流れが少し見える。

何気なくそちらに視線を向けたとき、心臓が跳ねた。

あの男だ。ビルの合間から見える表通りを通り過ぎた。私が見たのは後ろ姿だ。だが、間違いなかった。どこからつけられたのかわからなかった。

三分もしないうちに、室岡がテープを三本持って現われた。

「六倍速で録画してあったね。防犯カメラでしょう、あれ。だから二倍速に編集し直して三本。三千六百円」

私は財布から四千円出して渡した。「四百円、保管料」

「サンキュー。領収書いる?」

「いや、いらない」

私は言った。「だけど、もう一つ頼みたいことがある」

室岡の表情が警戒して曇った。

「ややこしいことならお断りだよ」

「簡単なことさ。非常階段から降りたいんだ」

室岡の顔色が変わった。視線が部屋の中へ向けられる。私は中で息をひそめている存在に気づき、室岡がそれを知られたくないのだということを悟った。

「それは、ちょっと……」

「それと、できればしばらくここでたばこでも吸っていてもらいたい。表通りから顔は見えないようにして」

私は室岡の狼狽ぶりを無視してジーンズのポケットに入っていたたばこを出し、一本点けて室岡に無理矢理渡した。室岡が摑みそこね、たばこが転がる。何かを落としたようなふりをしながら素早く室岡と入れ替わり私が立っていた場所に立たせた。

「ちょっと、頼むよ、伊木さん」

懇願する室岡の言葉を聞き流し、軽く手を挙げて中に入る。非常階段の場所はわかっていた。リビングから洗面所へ抜けた突き当たりだ。靴を脱ぎリビングへ入った。ソファで寝そべっていた若い女が跳ね起きた。私はそのかたわらを抜けて部屋の片側にある鉄の扉を開けた。

靴下のまま階段を静かに降り、降りきったところで靴を履いた。辺りは一戸建ての住宅とマンション、それに商店が混在した地域だ。そのなかの入り組んだ道を迂回して元の駐車場に戻る前にしばらく様子をうかがったが、もう男の姿は見えなかった。

マンションの地下駐車場にシビックを入れ、そのまま五階へあがった。

鍵を締め、ドア・チェーンを掛けた。嫌な夢を見ているような気がした。窓からしばらく外を眺めていたが、男の姿は見当たらない。

キッチンのコルクボードに刺してある大庭の名刺をとり、電話を掛けた。不在。思わず舌打ちしたくなる。肝心なときにはいない。

窓の施錠を確認し、カーテンは閉め切ったままでビデオデッキにテープを入れた。三本とも頭の部分を映してみて、目的の時間帯を含んでいるものを探した。見つけるのは簡単だった。

私はソファにかけ、再生ボタンを押した。モノクロの画面が、店内の様子を映し出す。画面の左下に時刻表示があり、午前八時過ぎになっていた。いったん停止させ、早送りする。二、三度繰り返し、ようやく私が外出する前の午前十時三十分の映像に辿り着いた。画面は小刻みに変わりながら展開し、片隅の時刻表示を進めていく。私はそのうちの一つで画像を静止させ、映っている二階営業室の様子をつぶさに観察してみた。

ローンの窓口が見え、来店客の姿があった。応対している小谷と山本の背中が映っている。私のデスクは画面の右下にかろうじて映っている程度だ。左下の時刻表示は十時五十一分。私の姿はなく、机の上にはこの時間に私が調査していた東京シリコンの口座推移の資料もない。私は「静止」を解除し、テープを進めた。

ＣＤコーナーから一階営業室、そして二階営業室と数秒間ずつ回りながらテープは進む。本当に見たい箇所はわずか二秒程度で、その間に無関係な場面が二十秒ほど挟まる。早送りと通常速度を繰り返しながら、しばらく進めた。

午前十一時三分。私が画面に現われた。手に資料を持っている。紛失した東京シリコンの口座推移を記録したコピーだ。画面の中の私は、フィルム・リーダーからとったコピーの束を抱えてデスクのかたわらに立っていた。そして画面が変わり、二十秒後に再び私のデスクが映し出された。

静止。

私が抱えていた資料がデスクの上に見えた。

それからしばらく私はデスクワークを続ける。十分後、机上の電話を手にしている私が映った。菜緒に来訪を告げるための電話だろう。画面がもう一巡した。次の場面で、私は立ち上がって、デスクの上の資料を整えている。

画面が変わった。次のシーン。すでに私の姿は映っていない。だが、デスクの資料は映っている。午前十一時十五分だ。

しばらく、何事もなかった。一定間隔で登場する二階営業室のシーンには私のデスクとその上の資料が見える。

十二時近くになって、窓口業務が忙しくなっていくのが画面でわかる。昼休みを利用してローン相談のために来店するサラリーマンで混雑しているのだ。応対している小谷も山本も接客に追われ、とても周囲に気を配っていられるような状況ではない。私の資料がなくなったことを聞いても、二人が首を傾げるのは当然だった。

十二時二十三分、問題のシーンが始まった。

ある人物が画面に現われた。別に目的がある様子ではない。仕事ぶりを見るために歩いている、そんな様子だ。

切り替わる。次のシーン。その人物が私のデスクで立ち止まり、資料を手にしていた。場面が変わった。カメラが切り替わり、再び、私のデスクが映った。

その人物の姿はそこになかった。私は、静止ボタンを押し、画面をとめた。テレビに映し出されたデスクの上を穴のあくほど見つめた。確かに画質はよくないが、Ａ４判のコピーの束があるかないかを判別するには十分だった。

資料はデスクの上から、消え失せていた。

念のために、私が帰店するまでのテープも見てみた。その間、私のデスクに立ち寄ったものはいない。

もう一度テープを巻き戻し、問題の箇所を見てみる。間違いない。そのまま小一時間考えた。そして、気持ちを落ち着けるために、しばらくピアノを弾いた。

来客を知らせるベルが鳴ったのは、夕方近くになってからだ。壁のインターホンをとった。

「はい」

「北川だが」

その声を聞いた途端、頭の中で警報が鳴り出した。

「休んでいるところを悪いが、ちょっと話がある」

「お一人ですか」

「そうだ」

追い返すわけにはいかない。私は、インターホンの脇に付いている解錠ボタンを押した。デッキに入っているものはそのままにして、残りのビデオテープは仕事部屋へ運ぶ。まとめてデスクの抽斗にそれを入れたとき、ドアベルが鳴った。

開ける前にドアの覗き窓に目をあてた。昨夜見たままの服装をした北川が、落ち着かない様子で立っていた。私はドアを開けた。

「どうぞ」

北川は黙って入ってくると、私が出したスリッパを無視してまっすぐリビングに入った。手ぶらだった。こっちが追いかけるようになる。ドアの鍵を締め、リビングに入ったところで左右を見渡して突っ立っている北川にソファを指した。

「飲み物は」

「けっこうだ」

北川はソファに浅く掛けると前屈みになって両肘を膝の上に置き、指を組んだ。その表情からは生気が抜け、半日でやつれてしまったかのように蒼白だ。私が肘掛け椅子にかけると、寝不足らしい血走った目を向けた。弱々しい目の光の奥で、とろ火のような憎悪がちらちらと燃えていた。

「話というのは、なんです」

「何を調べている」北川はくってかかるように言った。

「なんのことかわかりませんが」

「とぼけるな。お前が防犯カメラのテープを持ってることぐらいお見通しだ」

「さあ、なんのことですかね。そんなことを聞くためにわざわざ休日にいらっしゃったわけですか」

組んでいた指を拳にし、右の膝の上を叩いた。「ふざけるのもいい加減にしろ。これは支店にとって重大な問題なんだ！」

「支店にとって、ではなく、あなたにとってじゃないんですか」

「きっ、さまぁ――！」

北川は立ち上がり、私の胸ぐらを摑んだ。Tシャツが伸び、北川の拳に巻きついている。

「出せっ！　どこだっ、出せっ！」

「なにをそんなに怯えているんです」

「うるさいっ！」

北川の拳が上がった。足元を払い上げる。百九十センチの巨体があっけなく床に転がった。上司と部下、その関係が崩れた瞬間だった。

「貴様、上司に対してこんなことをしてただで済むと思ってるのか！」

燃えるような目を見開き、北川は大声で怒鳴った。

私は、肘掛け椅子とソファの間の床に這いつくばった北川を見下した。血相を変えた北川は、もの凄い形相で挑みかかってきた。

容赦（ようしゃ）はしなかった。ともに決まった。パンチを繰り出すと、のっぺりした頬に、ばちん、という派手な音とともに決まった。北川の頭がのけぞり、膝から崩れ落ちた。

ただ、体が大きいというだけで、北川には俊敏さも力もない。それでも私に拳を振り上げたのは、遠慮して私が手を出さないと思ったからだ。

「まだやりますか」

ソファとテーブルの間に仰向けになった北川に私は言った。返事はなかった。北川は頭を振りながら肘をつき上体を起こすと、よろよろと立ち上がった。左腕で唇の血を拭い、前屈みになって肩で息をしている。

「よくも。いいか、将来はないと思え！　――何がおかしい」

私は思わず洩れかかった失笑をこらえ、必死の形相で睨（ね）めつける北川を見据えた。

「あんたの考え方があまりに滑稽（こっけい）だからだ」

「なんだと」

「人事をちらつかせれば相手を動かせるという考えが情けないと言ったんだ」

すでに北川に戦意はなかった。

「ひとつだけ忠告してやる。いい気になってちょっかい出してるといまに吠え面さらすぞ、伊木。この件から手を引け。いつまでも突っ張って生きていられると思ったら大間違いだ」

「この件って、なんのことです」

「とぼけるなっ！」北川は声を張り上げた。

「それでは、私もひとつ忠告しておきましょうか。いまにあんたの本性を暴いてやるから覚悟しておいたほうがいい。うまく坂本に罪をなすりつけたつもりか知らないが、あんたがやったことはもうわかってるんだ、北川。覚悟するのはあんたのほうだぞ」

北川の顔面から血の気が失せた。いままで浮かべていた怒りの表情と絶望が混在し、奇妙な具合に表情が歪んだ。

「き、貴様なんぞに、何ができるか。握りつぶしてやる。握りつぶしてやるからな！」

そう言うと北川は殴られた頬をさすりながら脇目も振らずに出ていった。窓から見ると近くの路上に停めた白いセダンの運転席に乗り込む北川の姿が見えた。どうやらひとりで来たらしかった。

ソファに戻ってリモコンの再生ボタンを押す。男が私の書類を手にしている場面で静止させた。

画面に映っている北川睦夫の表情を、私はしばらく眺めていた。

その夜、十一時にはベッドに横になった。疲れていたのだ。

眠りはすぐに訪れた。深い眠りだ。

どれだけ眠っただろう、意識のどこかで音がしていた。神経にさわる音。執拗になり続ける音。私は腕を伸ばし、ベッドサイドに置いている電話の子機をつかんだ。闇のなか、デジタル時計は午前五時。

「――はい」

「伊木君か」

声の主を特定するのに時間がかかった。相手がわかったとき、向こうが告げた。

「高畠だ」驚いて、私は体を起こした。

「支店長。どうしたんです、こんな時間に」

「――北川君が事故で亡くなった」

高畠が何を言っているのか理解できない。次の瞬間には眠気はどこかへ消えていた。ベッドから飛び上がった。

「いまどちらです」

「自宅だ。いま連絡があったところでね。詳しいことはわからんが、車の事故だということだ。晴海埠頭で車ごと海に転落しているのが見つかったらしい」

高畠の深い嘆息が受話器から洩れてきた。

3

北川の自宅は、京成線佐倉駅に近い新興住宅地にあった。間口が狭く縦に長い和風の建て売り住宅で、両側には同じような造りの家が並んでいる。家の前の空き地には数台の車が先に来て停まっていた。私はその後ろにシビックをつけ、静かな住宅街の道路に降りた。

玄関のベルを押すと喪服を着た老人が出てきて、居間へ案内される。親戚や知り合いと思われる人がすでに数人来ていて、私を招き入れた老人もそのなかに加わった。居間は日当たりがよく、強い日差しがフローリングの床に落ちていた。

「北川でございます」小柄な女性が、深々と頭を下げた。

「伊木です。このたびは本当にご愁傷様でした」

「お休みのところ、来ていただいて申し訳ありません」

奥さんはそう言っていったん奥の部屋へ消え、すぐにお茶を持って出てきた。集まっているのは男ばかりで、お茶を出す人も他にいないようだ。

しばらく親戚の輪の中に座っていると、話の成り行きで北川の家族がこの小柄な奥さんと他に大学生になる長男だけだということがわかった。なんとか気丈に振る舞っている夫人とは反対に、長男は自室にこもったままだ。

「それにしても酔っぱらって海に落ちるとは粗末な話じゃねえか」

夫人が席をはずしたとき、私を案内してくれた老人が情けないとも気の毒とも取れる口調で繰り返した。

「昼過ぎに用事ができたからって出かけたらしいっすよ。誰と会ったか知らないが、さっちゃんがかわいそうだ。あれだけ尽くしてきたのに」

さっちゃんというのは奥さんのことのようだった。

「それにしても突然だったなあ」

私の右隣に座っていた男がぽつりと呟くと、老人が腹立たしげに応じた。

「事故なんてのはな、いつ起きたって突然なんだ」

よく陽に灼けた皺の多い手でマッチを囲い口元へ持っていく。

しばらくすると高畠が支店の課長連中数人とともに現われた。最寄りの駅で待ち合わせ、タクシーで来たらしい。葬儀の段取りを決める打ち合わせは、三十分もあればそれで仕舞いだった。

勧められた食事を辞退して北川の自宅をあとにした。帰路、比較的空いている湾岸道路から、思い立って晴海埠頭へ回ってみた。

薄曇りの空の下で、鉛色をした東京湾が鈍い光を放っていた。巨大な倉庫の立ち並ぶ埠頭の片隅にシビックを停める。北川の家で聞いた話で、事故現場の見当はおおよそついていた。

平日なら倉庫で作業をする人たちが見られるのだろうが、日曜日で人気はなく静まり返っている。遠くを航行する貨物船が陽炎の彼方に揺れながら視界を横切っていく。

現場までは車を降りて徒歩で行った。やがてざらざらした古いアスファルトが続く埠頭の端に、白いセダンが、申し訳なさそうに濡れそぼっているのを見つけた。塗装が所々はげ落ちたように見えているのは、海底に蓄積したヘドロが付着したものだろう。フロントガラスは割れていない。それほど強く海に突っ込んだわけではないらしい。数人の警官と、鑑識らしい男が車の周辺を調べていた。辺りには潮と油の入り交じったような匂いがたちこめている。

事故だとは思えなかった。まして、自殺のはずはない。

前日に私のマンションを訪ねて来たときの北川の様子を思い浮かべた。北川を動かしていたのは、単なる怒りだけではない。焦り、恐怖、そして絶望――そんなものが表情に浮かんでいたような気がする。その理由を考えた。

レッカー車が到着し、ワイヤーを結ぶために警官のひとりが北川の車の下へ体を入れ始めた。

銀座から半蔵門あたりまで混んでいたので、自宅マンションの駐車場に滑り込んだときには午後二時を回っていた。湿った大気が肌にまとわりつくような昼下がり。遅い昼食を商店街の焼き肉料理の店で済ませて戻った。それを見計らうようにインターホンが鳴った。

「代々木警察です」この濁声を聞いたのは、もう何度目だろう。

二人を通し、いつものようにリビングのソファを勧めた。大庭には、今朝高畠から知らせがあったあとに連絡を入れておいた。刑事は真剣な表情で、私が向かいの椅子にかけるのを待つと棘のある口調で言った。

「電話もらった件ね、月島警察に確認させてもらったよ。もう一度、北川さんがここに来たときのことを話してもらえますか」

私は昨日の様子をできるだけ正確に話した。

「殴ったのは顔のどの部分？」

「この辺です」

私は、拳をにぎり自分の顔に当てた。滝川が真剣な表情でレポート用紙に顔を描き、拳を当てた場所に丸印をつけるのが見えた。

「他には」

「一発だけですよ」

「間違いないですか。一応、月島署にも連絡して事実関係を照合しますからね。いい加減なこと言わないでくださいよ」

「いい加減なことを言ったつもりはない」

大庭の言い草に思わず声を荒らげた。大庭は私の顔をじっと見たが、詫びなかった。

「北川さんがとりにきたというビデオテープはまだある？　あれば見せてもらえますか」

デッキに入ったままだったテープを出して大庭に見せた。タイトルも何も書かれていないテープだ。大庭のリクエストで私はそれを再生し、問題のシーンを見せた。大庭と滝川はそれに見入り、表情に戸惑いを浮かべた。

私は東京シリコンに対する融資枠に疑問を抱いた経緯から説明し、振込依頼書のコピーを大庭に見せた。

「なるほど融通手形、か。言葉は聞いたことがあるな。それはでも違法じゃないわけだよね」

大庭は、そこが大事なところだと言わんばかりに確認した。

「まあ、そうです」

「この振り込みに何か秘密があるんじゃないかと、こう言いたいわけですな」

話を聞くうちに大庭の態度も多少軟化してきた。テーブルからコピーを手に取ってしげしげと眺めると、滝川へ渡した。滝川はせわしなくその内容をメモして、私に返してよこした。

「この仁科佐和子という人物について、振り込みの相手銀行ならわかるはずなんですが、我々では調べようがないんです。聞いても教えてくれないでしょうから。でも警察なら調べられるはずです。調べて教えてもらえませんか、どこの誰なのか。それを聞けば、何かわかるはずです」

大庭は難しい顔をしてしばらく考えていたが、まあいいでしょう、と言うと滝川とともに腰を上げた。

4

憂鬱（ゆううつ）な月曜日は生暖かい雨で始まった。

大庭から電話があったのは、午前十一時を過ぎた頃だ。仁科佐和子について調べてくれたのだ。

「例の振り込みの件ですけどね、たいしたことはわからなかったよ。銀行に登録されてるのは住所と生年月日と性別だけだ。住所は東中野のアパートのようだが、いまは賃貸の雑居ビルになってる。持ち主が代わったようだな。勤め先のバーかスナックの電話番号が登録されてるがね、こっちはとっくにつぶれてしまって、ない。なにしろ、口座が作成されたのはもう十年以上前だそうだ。変わってて当然だよ。これじゃあ、あんたもどうしようもないだろう」

「現金を引き出したはずです。金額が大きいからおそらく窓口で。あるいは振り込みかもしれませんが。それは？」

「調べた。窓口で、四十ぐらいの女が毎月一回来店して全部現金で引き出したそうだ」

大庭が言ったように、これだけではどうすることもできなかった。期待していただけに、落胆も大きい。

午後になって、信越マテリアルの債権者集会で和議が可決されたとの連絡が入った。支店長の代理で長野まで出張していた営業課長の岡島からの電話に、私はとりあえず胸を撫で下ろした。

「いやあ簡単に決まるとタカをくってたんだけどねえ。けっこう、もめてさあ、ぎりぎりだったよ。うちが反対したら危なかったんじゃないか」

興奮気味に状況を説明した岡島の電話が終わるのを待って、菜緒に電話した。

「柳葉です」一回のコールで菜緒が出た。

「和議、成立したらしい」

「聞いた。いま弁護士から電話があった」

「そうか」

「それだけ？　じゃあ、切るわ。私、これから学校なの」

「あ、それから——」

切りかけた菜緒に私は言った。「北川副支店長のことだけど」

「そんな名前、聞きたくないわね。転勤でもしたの」

「死んだ。土曜の夜。車ごと海に落ちて」

沈黙が返ってきた。

「いい気味じゃない」やっと菜緒は言った。

「奥さんと息子、大学生だって言ってたけど、残された」

菜緒は言葉を呑み込んだ。しばらくして、呟くほどの声が聞こえた。「そう。可哀想ね」

「今晩、通夜だ」

「私、行かないわよ」

「別に行ってくれって言いたいわけじゃないさ。こっちも行かないから」

遠方ということもあって、私は明日の葬儀を取り仕切る役目になっている。

「あいつが死んで、ショック?」

「まあ、別な意味でね」しかし、どういう意味かを説明するのは難しい。電話の向こうで菜緒は黙りこくった。

「ねえ。今夜、空いてる?」

突然、菜緒が聞いた。夕方から通夜に出かける者が多く、早く仕事を片づけようという雰囲気になっていた。

「ああ、一応、空いてるけど」

「たまには食事でもおごってよ」

不意にこの間の菜緒の言葉が蘇（よみがえ）った。

——どうしようか、迷っているのよ。

菜緒はまだ悩んでいる。身寄りのない彼女の心細さが伝わってきた。

「八時頃なら出られると思う」

「いいわ、それで。リタ・マリーで待ってるから。最近、あそこ行ってる？」

「いや。忙しすぎてご無沙汰してる」

もともとリタ・マリーは、菜緒が私に紹介してくれた店だ。それが私一人でも行くようになり、菜緒との仲に亀裂が入っても、店通いだけは続いていた。

「それじゃあ、待ってるから」

そう言って菜緒は電話を切った。

実際には、午後七時を過ぎるとほとんどの行員が店を出ていた。半分は北川の通夜へ行き、あとの半分は仕事を早めに切り上げて帰っていった。七時半過ぎ、私は支店を出て道玄坂の待ち合わせ場所に急いだ。

井の頭線のガード下からスクランブル交差点に沿って左折し、賑やかな人の流れのなかを歩いてリタ・マリーの看板をくぐった。ひんやりした店内に入ると、すでに菜緒が来ていて、片隅のテーブルでコーヒーを飲んでいるのが見えた。パープルのVネックの胸元にサングラスをぶら下げ、白いミニスカートから素脚を伸ばしている。

「早いね」

声をかけると、読んでいたペーパーバックから顔をあげ、唇だけで笑って見せる。

月曜日のせいか、店内は空(す)いている。私たちはカフェからレストラン席へ移動し、道玄坂の人通りが見下ろせる窓際の席についた。生ビールを二つ頼み、コースではなくアラカルトでオーダーした。

菜緒は最初の生ビールをあっという間に飲み干し、まだ熱いピザを一つ口に入れ、ふうふう言いながら食べる。元気そうに見かけを装ってはいるが、何か言いたいことがあるのだ。私にはそれがわかっていた。強がるところは、前とまったく変わっていない。それがいかにも菜緒らしい。

アルコールと料理を少し腹に入れ、くつろいだ気分になったとき、彼女が切り出した。

「今日、退学届け出してきた」

私はリゾットをつついていた手の動きを止め、驚いて菜緒を見つめた。彼女は通りかかったウェイターをつかまえ、ビールのジョッキを指して、同じもの、といい人差し指を立てる。私のビールはまだ半分以上残っていた。

「もう大学は辞めます。そんなに驚いた顔しないでよ。前から考えてたんだ」

「あと半年すれば修士課程卒業じゃないか」

「そういう問題じゃない。私も現実に目覚めたの。古代ギリシャの美術史のために何百万円も払うってことがどれだけの贅沢かわかった。学究の徒っていうと格好いいけど、大学に残ってそれで食べていけるようになるまで何年かかるか、あるいは食べていけるようになるのかさえわからないのよ。実力じゃないのよね。運とコネ。そういうの、お金持ちの道楽みたいなもんでしょ。私にはもっと他にやらなきゃいけないことがあるってことに気づいたのよ」

菜緒は、新しく運ばれてきたジョッキのビールを飲んだ。店内の照明は暗めのダークブラウンで、テーブルには小振りのランプが置かれている。彼女は上気した顔を窓から見える光景へ向け、頰杖をつく。ガラス越しには、道玄坂の人通りとちりばめられた電飾、そして坂をのぼる車の列が見え、その手前には私たちの姿が映っていた。

菜緒は、大学を辞めたことをきっと誰かに話したかったに違いない。だが、聞かされた私としては話してくれたことをうれしいと思う反面、十分なアドバイスをしてやれないことにもどかしさを感じる。そもそも、いままで取り組んできた学問について、彼女が本当に「金持ちの道楽」だと考えているとは思えなかった。自分を諦めさせるための修辞法の一つに過ぎないことは、少し虚ろなところのあるその瞳を見ればわかる。

「他にやらなきゃいけないことって、何？」私は聞いた。

「東京シリコンを再建する」

我が耳を疑った。「君が？」

「ええ。いつまでも父の死を悲しんでいても仕方がないじゃない。私がやるしかないの。こう見えても取引先には顔が売れてるのよ、私。だから、あなたにもいろいろ助けてもらいたい」

「でも、その取引先にはかなり債務が残っているだろう。いくら顔が売れてたってそれを片づけなければ取引再開には漕ぎ着けられない」

「世の中がそう甘くないってことはわかってるわよ。この半年で身をもって学んだから。でも、その心配ならいいの、もう取引先からの借金は残ってないから」

どういうことなのかわからなかった。東京シリコンには仕入れ代金など、数億円単位の債務があったはずだ。

「実は父が亡くなったあと、山梨に持っていた山が売れたの。採石業者が高く買ってくれたわ。あと半年早くこの話があれば、倒産しなくても済んだのに。でも、その代金で取引先の借金はすべて現金で返済することができた。それまで目くじら立ててお金返せって言ってた人にね、こうやって現金の束をばんって置いて——」

菜緒は両手で大きな札束をテーブルの上にのせるまねをした。数億円の金ともなるとジュラルミンケースで数箱になる。かなりの壮観だったに違いない。

「その場で利息まで支払ってやったの。見物だったわよ。金を目にした途端に、息巻いてたオヤジがみんな黙り込んじゃって、ハエみたいに手をすりあわせてさ。言葉遣いまで変わるんだから」

軽蔑したように菜緒は言う。

「ただし、銀行だけには返すつもりはないわ。あなたには悪いけど」

「いいさ。当面、食いつないでいけるって知って、ほっとしたよ」

私は正直な感想を言った。柳葉が山梨に山を所有していたという話は初耳だったが、仮にわかっていても担保にはなり得なかった。銀行は取引先の資産をすべて把握しているわけではない。柳葉がこの山のことを銀行に話さなかったのは、単に話すほどのものではないと考えていたからだろう。山林などは売ろうと思っても売れないケースが多く、しかも値段は低い。むしろ、それだけの金額で売却できたのは幸運だった。私はその代金で債権回収しようなどとは思わなかった。菜緒にも生きていくための資金が必要だ。金を取り戻すためなら何をしてもいいということにはならない。

「ただ一つ問題がある。君が父上の事業を継続したいと思うのはよくわかるが、東京シリコンは金融機関に数億円の借金が残ったままだ。仮に事業そのものはうまくいっても、金融機関にそれだけの債務が残ったままじゃ、社会的な信用は得られないぞ。それに二回目の不渡りを出してるから、取引停止処分期間の三年間は手形や小切手を振り出せないハンデもある」

「どうすればいいの。実は、そういうことも教えてもらいたいの」

菜緒は悪条件を聞いてもひるむことなく私をまっすぐに見た。その眼差（まなざ）しはまさに親譲りのものだ。かつて公害問題で倒産し、一文無しから出直した朔太郎の不屈の意志が菜緒に乗り移ったかのようだ。

「新しい会社を設立したほうがいい。君が社長になって、取引先は東京シリコンのものを引き継ぐんだ。社員は東京シリコンに勤めていた人たちをできるだけ呼び戻す」

柳葉社長は、従業員をよくかわいがる経営者だった。その恩に報いたいと思っている社員は少なくないはずだ。

「父が設立した有限会社が確かあったと思うけど、それなんか使えるかしら」

「有限会社？」

「所在地は東京シリコンと同じで、あの事務所の一部を借りていることになってるらしいわ。少し事業を広げようとしたんじゃないかしら。弁護士さんが調べててわかったんだけど、一応、東京シリコンに対して継続して家賃も払ってるのよ。設立してもう何年にもなるのに活動してないから、その家賃だけで赤字なんだけどね」

菜緒は笑った。

「もし、そんな有限会社があるなら最高だね。競売にかけたって、変な会社が建物に入ってるとなりゃ、そんなもの売れやしないよ。家賃の赤字ったたって大したことないんだろ」

「二年間で三百万円ぐらいかな。資本金なんてもうないの。たしかに、変な会社って言われても仕方がないわ」

菜緒は少しむっとしたような口調で言った。

「だったら君の手元にある金で増資して株式会社にすれば。有限会社ってことは資本金三百万円ぐらいだろ。資本金一千万円にして赤字を消せばいい。ついでに定款を変更して、東京シリコンの事業を引き継ぐ。家賃といったって東京シリコンに払うだけだから、実質、外に出ていく金にはならないさ。しかし、参ったな」

「立場上、聞かなかったほうがよかった？」

思わず苦笑した。

「できるだけ早くビジネス・プランを立てたいの。それ、手伝ってもらえないかな。あなたの力が必要なのよ」

「もちろん、できることがあれば喜んで協力させてもらう」

快諾した。菜緒は少し安心したのか、ほっとした表情になって運ばれてきたビールに手をのばす。私はたばこを引き寄せ、彼女がおいしそうにジョッキを傾けるのを眺めた。

「ねえ、ところで北川のことなんだけど――事故だったの？」

「土曜の夜に、酔っぱらって車ごと海に落ちた。実はその前にうちにも来た。死んだのはその後だ。事故かどうか、いま警察で調べてるところだが、たぶん事故じゃないと思う。それに自殺でもない」

言葉の真意を推量するように彼女は黙ってから、聞いた。「疑われてる？」

「正直、警察がどう考えているのかわからない」私は大庭とのやりとりを思い出して言った。

「ところで、君は、仁科佐和子という名前に聞き覚えはないか」

「仁科？」

菜緒は首を振った。「聞いたことない。その人がどうかしたの」

「先週調べた融通手形だが、東京シリコンからの振り込みはその女の口座に入っていた」

テーブルに置かれたランプの琥珀色の焔が菜緒の頰を照らすなか、その瞳が丸く見開かれた。

「なぜなの？」

5

　私はこの十日ほどの出来事を菜緒に話して聞かせた。坂本の最期の姿を見送った場面から始まり、北川の死に至るまでの不可解な一連の事件――。

　言葉を切るまで、菜緒は身動きしなかったが、やがて離れていた魂が肉体に舞い戻ったかのように、動いた手がグラスを持ち上げて口に運んだ。

「北川が殺されたとすれば、その背後にはまた別の犯人がいるってことになるわけか。そいつはビデオテープに写ってしまった北川の口を封じる必要があったということ？」

　テーブルの上は、ビールからワインへ変わっていた。菜緒の好きなスペイン産の赤ワインだ。パセリだけになったプレートが一枚、私と菜緒の間に残っていた。菜緒の指は半分ほど入ったグラスを弄んでいる。

「だとすると北川の役割は何だったの」

　しばらくして菜緒が疑問を口にした。自問しているようにも聞こえる。

「銀行内部の協力者か、あるいはただ利用されていただけか。新宿で襲われたときに見たあの男は、普通の人間には見えなかった。北川にはサラリーマンとしての憎悪を感じるだけだが、あの男を見たとき感じたのは恐怖だ。北川はあれでも同じ世界の住人だ。だが、あの男は違うな。北川にあの男を使いこなせたとは思えない」

「その仁科佐和子という女はどうかしら」

それは私も考えていた。「可能性はあるね。ただ、いまのところ素性の知れない相手だ。なんとも言えない」

菜緒は何事か考え、密かに私が抱いていたのと同じ疑問を呈した。

「何か、見落としてるんじゃないかしら。融通手形だけのために人が死ぬとは考えられない。もう、私たちのなかに手がかりはあって、それが見えてないだけかもね。難波さんと連絡がとれれば何かわかりそうなものなんだけど。ほんと頭くるアイツ」

信越マテリアル社長だった難波の行方はまだわからないのだ。

「雲隠れしてるらしいね」

「借金こしらえたまま表に出てこられなくなってるのよ。生きてるのかどうかさえ、わからないわね、この調子じゃあ」

菜緒は冗談とも本気ともとれることを言う。

「君は難波には会ったことがあるのかい」

「一度だけ我が家に来たことがあった。そのとき、少し話したくらいかな」

「どんな奴だった」

「あんまり経営者タイプって感じじゃなかったわよ。どっちかっていうと学者タイプね。半導体にとり憑かれてるのよ」

「そうよ。半導体を長年研究してきて、そこで開発した技術を事業化したの」

「詳しそうだね」

当たり前でしょう、という顔をしてみせる。「我が家はそれで生活してたのよ。いくらビジネス音痴の私だって、半導体が何かくらいは知ってるわ」

「それじゃあ聞くけど、信越マテリアルの技術ってどんなものだったんだい」

「リサイクルよ」

「リサイクル？」

菜緒が私のグラスにワインを注いだ。二杯目。彼女はもう三杯目だ。

「半導体の基板になるのがシリコンウェハーなんだけど、これを作るのはとても難しいのよ。だいたい、十個製造してもエラーもなく動く、つまり商品になるのは、三個からうまくできて九個で、あとは不良品になるわけ」

「つまり、歩留まりが三割から九割とばらつきがあるわけだな」

「ふうん、そういうの歩留まりっていうの？」

ちぐはぐな会話だ。菜緒には半導体の知識はあっても商売の知識はない。これではまるで二人合わせて一人前だ。

「難波さんの研究は、その不良品になったシリコンウェハーを回収し、再加工して商品化する技術だったのよ。いわゆるベンチャーね。ニッチな隙間産業だけど、大成功だったわけ。まあ結果的に過剰投資がたたってああなっちゃったけどね。東京シリコンは半導体各社と取引があったから、不良品のシリコンウェハーを回収してそれを信越マテリアルに売っていたのよ」

　東京シリコンの事業は、元来、カドミウムなど毒性の強い産業廃棄物処理で成り立っていた。取引先には大手メーカーが名を連ねていたが、シリコンウェハーを産業廃棄物の引き受けリストに付け加えることで信越マテリアルという願ってもない金蔓（かねづる）を掴んだとも言えた。最後はそれに足元を掬（すく）われたが、信越マテリアルの急成長に引っ張られた東京シリコンにもかなりの金が落ちたはずだ。

「信越マテリアルが成功すると、同じビジネスを狙って新規参入した企業もいくつかあったらしいけど、皆うまくいかなかったらしいわ。それだけ信越マテリアルの技術的優位は圧倒的だったわけ。そういえば、二都商事なんかも参入しようとして失敗したのよ」

「商事が？」

　山崎の顔が思い浮かんだ。

「二都商事は最初、自分のところですべてお金を出して半導体の会社をつくったわけ。ところがどうしてもうまくいかなくて結局、みんなやめちゃったのよ」

「清算したってことかな」

「清算？　そういうの清算っていうのかな。よくわかんない」

「まあ、状況によっていろいろな形態があるけど、それは本題とは関係ないから、いいや。どうぞ、続けて」

菜緒はグラスのワインを一口飲んだ。

「それでね、自分のところで会社をつくるのは諦めて、信越マテリアルにお金を出すことにしたわけよ」

「出資したわけだな。一部」

「そう、それ」

菜緒は人差し指をもどかしげに動かした。

「まあ、白旗を掲げたわけ。でも本当は信越マテリアルを買収しようとしたこともあったのよね。それをその、出資でがまんしたってわけ」

私は唸った。もちろん企業買収はトップシークレットであり、通常は決して公にならない水面下で交渉される。公表されるときは交渉が成立したときで、多くは公表前に潰れ、その事実さえ明るみに出ることはない。それを菜緒から聞かされるとは思いもよらなかった。

「これは驚いたな。商事が、信越マテリアルを？」

冷静に考えれば、たしかにあり得ない話ではない。通常、新しい視点で開拓されたビジネスは、市場規模が百億を越えると、大手の参入が見られる。信越マテリアルの売り上げ規模はまだその段階ではなかったが、数年先には百億円の大台突破は確実で、成長株を早めに買収しようとした商事の思惑はわからないでもない。

「なぜ、買収は失敗したのかな」

「反対したからよ。難波さんと、父が」

「柳葉社長が？　なぜ」

菜緒は肩をすくめた。「詳しいことはわからない。お金の問題かもしれないし、気持ちの問題かもしれないし。どうかな。その両方よね、きっと。うちの父も意外に子供っぽいところ、あったから」

「それより、柳葉社長が信越マテリアルに対してそれほど影響力があったという点のほうが驚きだよ」

「難波さんとは仲がよかったから。父もよくアドバイスしてたみたい。難波さんがもう少し企業経営に強かったらって父が嘆いていたわ。こんなことなら、二都商事に買収されとけばよかったのよ」

苛立たしげに菜緒は言い、窓の外へ視線を投げた。気の強さは父親譲りだが、整った顔立ちや、ほっそりした印象は逆に母親似のようだ。

「坂本のスケジュール・ソフトにあった１０９（いちまるきゅう）というのはどう？　心当たりはないか。東京シリコンのファイルにも付箋で残っていたから、何か関係があるはずなんだ」

「109ねえ……わかんないな、それは。うちに関係しているのは間違いないの？　たんなる偶然じゃなくて」

「間違いない。それで融資残高と売上高との矛盾に気づいたんだ。あれは偶然なんかじゃないよ。何か意味があるはずなんだ」

菜緒はしばらく考えていたが、それについては思いつかなかったようだ。おそらく菜緒や私もまだ知らない事実が隠されているのだ。そうとしか思えない。だが、それを知る手がかりも道筋も模糊(もこ)としていまは霧の中だ。

事件に関する推測が行き詰まると、沈黙が訪れた。

「なあ、菜緒。俺たちのことなんだけど」

グラスを回している菜緒の手が止まった。透明な小さな空間の中で、赤い果実酒が見えないスクリューにかき回されたように踊っている。彼女は私の言葉を待っていた。

「もとに戻れないいか」

テーブルに両肘をつけ、再びグラスを回し始める。

「映画見て、お買い物して、食事して、そのまま家まで送ってくれて、ついでに父にまで挨拶なんかしちゃってさ。お行儀よかったよね、遥。それに戻るの？」

驚いて菜緒を見た。言葉につまった。取引先の娘、大学院進学。そんな環境に気を遣いますぎて、彼女に対して素直になれなかった自分に気づかされたからだ。彼女が私のことを遥と名前で呼んだのは、初めてだった。

「ごめん」

「バカみたい。謝らないでよね。こっちが惨めになるじゃない」

それから菜緒は真剣な表情でグラスを見て、ゆっくりとした口調になった。

「もとに戻るなんて、絶対にいや。進歩がないもん。遥、私にみんな話してくれた？　遥のこと。私はみんな話したよ。いまも、こうして話してる。父や会社のことや、大学のことなんか気にしてたんでしょうけど、私、そんなのどうでもいいじゃないって、ずっと思ってた。そんなかたちばっかり気にしてる関係なんて、もうどうでもいいのよ。そんなの私には必要ない」

「菜緒……」

「それができるの？」

「やってみるさ」

自信はなかった。

「ほんとかな」

菜緒は疑わしげな視線をくれる。

「ほんとうだ」

午後十一時を過ぎて、私たちは店を出た。菜緒が私に腕をからませてくる。

「酔っぱらった？」

その目を見つめる。何も言うことはない。

リタ・マリーの前でタクシーをつかまえ、運転手に行き先を告げた。私のマンションだ。

「これが問題の郵便受け？」

セキュリティのキーパッドに暗証番号を打ち込んでいると菜緒が物珍しそうに歪んだステンレスを眺める。

「扉の開け方も知らない獣（けだもの）が、虫を配達してきた」

私は菜緒をドアの内側へ誘った。菜緒が笑った。「世の中にはお行儀のいい人ばかりじゃないのよ」

# 第四章　半導体

## 1

北川睦夫の告別式は、この梅雨最後かと思われる土砂降りのなか、佐倉にある浄土宗の寺で行われた。参列者約二百人。激しく傘を叩く雨と、跳ね上がる泥。細かな砂利を敷き詰めた足場は長く立っていると窪み、水はけが悪いのか雨水を溜める。北川の遺体を納めた木棺が祭壇から担ぎ出されて霊柩車の荷台に入れられると、葬儀社の男たちはすでに髪から滴るほど雨を纏いながら丁寧にドアを閉めた。

ＪＲを乗り継いで支店に戻ったのは昼過ぎになった。やるべきことは決めてある。私は北川睦夫名義の普通預金口座番号を調べ、オンライン端末が保有している一ヵ月分のデータと、それ以前のものをマイクロ・フィルムで追うつもりだった。

午後の一時間ほどをフィルム・リーダーの前に座り続け、ようやく、求めていた情報を探りあてた。

「青木扶佐子」という名義の口座へ毎月いくばくかの送金があった。生活できるほどの額ではない。おそらく毎月の飲み代といったところか。振込先の口座は同じ二都銀行の京橋支店だ。口座番号を頼りにコンピュータで京橋支店の顧客ファイルを開き、登録された情報を拾った。

青木扶佐子の自宅は横浜市港北区。「勤務先」の欄に登録された「エトランゼ」というのが店の名前のようだった。店の住所は東新橋で、古河の話とも一致する。

私は画面のハード・コピーをとり、登録されている電話番号にかけた。十回以上コールが鳴り、諦めて受話器を置こうとしたとき、相手が出た。

「ありがとうございます、エトランゼです」

可愛らしい声だ。割烹着(かっぽうぎ)姿で髪を結(ゆ)い上げた小柄な美人を私は想像した。落ち着いたイントネーションからすると、年は四十過ぎぐらいか。そう若くはなさそうだ。

「そちらのお休みを知りたいのですが」名乗らず、それだけ尋ねた。

「木曜日です」

なるほど、その日だけは北川一人に店を開けるというわけだ。私は礼を言って電話を切り、菜緒と連絡をとった。

それから二時間ほど、遅れ気味になっている仕事を集中して片づけた。支店は午後二時過ぎから来店客数のピークを迎え、多忙を極める。行員のボルテージが次第にあがり、殺伐とした雰囲気のなかで数え切れないほどの決裁と確認が行われ、伝票が飛び交う。私は次第にその流れに呑み込まれていき、午後三時半過ぎ、支店内の放送で営業課長が計算照合の「ゴメイ」を伝えるまで、めまぐるしく働いた。「ゴメイ」とは、その日一日の伝票と現金処理がすべて一致することをいう。ごめいさん。計算照合の完了だ。その後、火事場のような騒ぎは急速に沈静化し、ほっと胸をなで下ろすような空気が戻ってくる。デスクの決裁箱からきれいに書類がなくなり、若手行員が客からもらったクッキーを分け、ティッシュで包んで私のデスクに置いたとき、内線が鳴った。

「伊木代理、信越マテリアルの山崎さんとおっしゃる方がいらっしゃってます」

「二階へあがってもらってください」私は言い、ずっと椅子の背にかけたままだった上着を着込んだ。

「いやあ、私どもの和議が無事成立したものですから、そのお礼にあがった次第です。御行(おんこう)のおかげです。大変お世話になりました」

日焼けした顔に会心の笑みを浮かべて、山崎は両膝に手をつき深々と頭をさげた。白っぽい麻のスーツに、パステル調のタイを巻いて、応接室のソファにかけている山崎は、洒脱(しゃだつ)で、中折れ帽でもかぶっていたらさぞかし似合うだろうという風貌だ。北川のことはまだ知らないようだったので黙っていた。こちらから言うこともない。

「別に私どものおかげということはないでしょうが、何はともあれ、成立してよかったですよ」

本心から言った。五年かかろうと、債権を全額戻す約束ならば実損を覚悟した銀行にしてみれば悪い話ではない。菜緒にとっても、それは同じことだ。

山崎は手にしていた紙袋をテーブルの脇から差し出した。高級な海老煎餅（えびせんべい）で知られる店のものだ。

「つまらないものですが、みなさんでつまんでください」

「そんなことしていただかなくても」

「まあ、どうぞ。気持ちですから」

私が受け取ると、山崎はほっとしたように笑った。「あの和議で、私自身、けじめがついたと喜んでいるんですよ。信越マテリアルに惚れ込んで、しかもあれほどの取引でしたから。二都商事にも迷惑をかけた。私にしても人生の大事件でね。それに区切りがついたんです」

二都商事の信越マテリアルに対する債権は、出資分以外でもかなりの額に上る。債権者のなかでは最大だったはずだ。巨大商社であっても、一社で十億からの損失は決して小さなものではない。

「私も勉強させてもらいました」山崎は笑みの消えた真剣な表情になった。「山崎さんが信越マテリアルとの取引を開いたんでしたね」

「その通りです」

山崎は運ばれてきた麦茶を一口で半分ほど飲んだ。

「商社も以前のように取引の合間に立って口銭を儲けるようなビジネスでは先が見えてきました。薄利多売ではなく、もっと実利のある商売を求めて様々な分野へ進出しようと躍起になってましてね。私が手がけた半導体ビジネスもそうです。結局、みんな、失敗しましたけどね」

山崎は敗北を隠そうとはしなかった。負けを負けと素直に認められるのも、胆に余裕があればこそだろう。サラリーマンとしての山崎の将来がどの程度のものだったか私にはわからなかったが、信越マテリアルは出世の可能性を絶つには十分すぎるほどの失敗だったはずだ。

「まあ、信越マテリアルで駄目なら諦めもつきます。自分で言うのも何ですが、最初に信越マテリアルを知ったとき、ダイヤの原石のように見えましたよ。あっという間に急成長して、まさに日の出を見る思いでした」

私の思惑を察したか、山崎は過去を振り返るような口調で言った。

「かなりの技術力だと聞いていますが」菜緒から聞いた話を思い出した。

「国内、いや世界のトップレベルですよ」

山崎は平然と言ってのける。それだけ自信があるのだ。「最初は愚かにも対抗しようといろいろとやったんですが、敵いませんでした。それで私が出かけて行って、出資の話をまとめ取引を始めたわけです」

「山崎さんは確か以前は金属課長でしたね。半導体というのは金属課の担当なんですか」

「材料がケイ石ですからね」

ケイ石と言われても、ピンと来ない。返答に詰まっていると、山崎がいやすみません、と補足する。「ガラスと同じ材料ですよ。それでシリコンを形成するわけです。関係はそこです。信越マテリアルのビジネスはチップをのせる基板——つまり、シリコンウェハーの部分ですから、材料に近いと言えば近いわけです」

「なるほど、と言いたいところですが、シリコンウェハーが具体的にどんなものか、まともに説明できないというレベルです。期待はずれで申し訳ありませんが」

「伊木さんのその正直なところがいいです」

山崎は爽快に笑った。私はその山崎に、東京シリコンの融通手形について聞いてみようと思った。いまの山崎は信越マテリアルの取締役財務部長だ。当時の取引について何か摑んでいる可能性は高い。

「一つお伺いしたいことがあるんですが。実は東京シリコンで割り引いていた信越マテリアル振り出しの手形のなかに不正な手形が混じっていることが最近わかったんです。それについて何かご存じありませんか」

山崎は真顔に戻って、声を落とした。

「申し訳ないことに、一部そのような手形が含まれていることは私も承知しています。実は、信越マテリアルは和議申請の半年ほど前からもう火の車という状態でして、東京シリコンさんだけではなくいろいろな会社から資金をかき集めておりました。実体のない手形ですが、それも債権として認定しています」

「それならわかります。ですが、調べてみると資金の送金先は信越マテリアルではなく個人に流れているんです。最初は信越マテリアルの運転資金を捻出する目的で振り出された融通手形——まあ、厳密には金融手形というべき類のものかと思ったんですが、どうやらそうでもないようなのです」

山崎は少し驚いた顔になった。

「ほんとうですか。まあ、そういうこともあるのかもしれませんね。いままでは和議を成立させるために全力投球してきましたが、これからおいおいそうした不透明な資金の流れも解明していこうと思っています。時間がかかるでしょうけど、何とぞよろしくお願いします」

「うまく、解明できればいいですが」私は本気でそう言った。

山崎を支店の裏口まで送り、その姿が驟雨の街に消えるまで見送った。山崎の明快な態度とは裏腹に、応対した私の心の中にざらざらしたものが残った。

## 2

翌日の夕刻六時過ぎ、待ち合わせ場所のモヤイ像へ行く。すでに菜緒が先に来て待っていた。花柄の傘、その手もとを両手で捧げ持って、あみだに差している。私が軽く手を挙げると、菜緒は傘をくるくると回して応えた。細身のジーンズにノースリーブのシャツ、髪をひとまとめにし、金のイヤリングに帽子という出で立ちだ。

渋谷駅の階段を上がり、三階にある銀座線の改札をくぐる。

「なんの店なの、それ」

ちょうど電車が入線したところで、ベンチシートに並んで掛けると菜緒が聞いた。

「課長の話からすると、スナックとかパブってとところだろう」

ただし、スナックとパブがどう違うのか私はわからない。

「あいつが店を作ってやったのかな」

「かもな」

「どのくらいかかる？」

「まあ、見てみないとわからないが、飲み屋街の貸しビルのフロアを借りて開業しようと思ったら一千万円はするだろう。権利金と内装、それにグラスなんかの調度類。酒。女の子がいればその子たちに払う当面の給料ってとこか」

そう考えてみると一千万円ではとても足りそうにない。

「甲斐性見せた？」

「いや、そんな余裕はなかったはずだ」

銀行の副支店長の給与水準など、高いといってもたかが知れている。少なくとも女のために一千万円も気前よく出せるほどの給料ではない。借金したにせよ千葉にある北川の自宅はまだ新しかった。つまりローンも残っているはずで、他で借りられるほどの資金調達余力はなかっただろう。

新橋で下車し、地上に出た。山手線のガードに沿って少し歩き、いろいろな種類の夜の店が混在している一角に足を踏み入れる。普通の居酒屋からタイト・ミニをはいた女の子がチラシを持って声をかけているような店までいろいろだ。道をゆく男性にはことごとく声をかけていた女の子も私には声をかけない。菜緒が隣にいるからだ。菜緒はそんな女の姿などまったく見えもしないかのように無視している。

「エトランゼ」は繁華街の外れ、中小企業の事務所も混じり始めた辺りにひっそり看板を出していた。間口の狭いビルの一階で、店の構えはありふれている。二軒目、あるいは三軒目にちょっと顔を出す店という感じだ。

「いらっしゃいませ」

真鍮(しんちゅう)の握りがついたドアを開けると、昨日の電話で聞いた声が迎えた。心のこもった優しい調子だ。予想したとおり、四十過ぎの小柄な女性がカウンターの中に立っていた。和服ではなく、薄手のピンク色のワンピース姿だった点は予想が外れた。丸顔で、迎えられた笑顔の目尻に少し皺が寄っている。雇われているという感じではない。この女性が青木扶佐子本人に違いなかった。時間が早く、店内にはまだ客の姿はない。若い子を雇っているとしてもその姿はまだ見えなかった。彼女一人だ。

「どうぞ、カウンターでも、そちらでも」

壁際に三つほど並んだテーブル席をアクセサリーを巻いた手で示す。

「以前、北川さんに紹介していただいたんですが」

そう言うと、彼女の表情が少し和(なご)んだ気がした。

「ああ、そうですか。それはどうも。これからもよろしくお願いします。どうぞお掛けになって」

私は菜緒と並んでカウンターのスツールに掛けた。小さな背もたれのついている赤い丸い椅子だ。引くと手に重みが伝わる。紺色の深い絨毯(じゅうたん)が敷かれているせいか、全体的に音がこもって聞こえる。奥の天井にあるエアコンから冷たい風が吹き出していた。オーク材のカウンターは埃(ほこり)一つなく照明に輝き、壁際の位置に綺麗に磨かれたグラスが並べられている。どうやら下準備をしていたところらしい。そういえば、外の看板は少し内側に引き込まれた場所にあった。

「まだ開店前でしたか」

昨日電話をしたとき開店時間は聞かなかった。ママはグラスを洗っていた手を動かしたまま、愛想のいい笑顔を上げた。アイシャドーが濃い。近くで見ると、かなり厚化粧だ。

「いえ、いいんです。ちょうどいま開けようと思っていたところですから。お飲み物は？」

「それじゃあビールをください」

ママはカウンター内の冷蔵庫から中瓶を出し、私と菜緒の前に置いたグラスに注いだ。それから看板を出しにドアの外に出てまた戻ってくる。

「ママ、その北川さんのことなんだけど、もうご存じかな」

ママ――青木扶佐子は怪訝な顔をした。右手が動くと、しゅっという音がして、それまでカウンター内の蛇口から流れ落ちていた水流が止まった。扶佐子は、カウンターからは見えないところにあるタオルで手を拭う。

「なんですの」

「この前の土曜の夜に亡くなったんだ。もしご存じなかったら、お知らせしようと思って」

しばらく、青木扶佐子は何も言えなかった。凍りついてしまったかのように、少し前屈みの姿勢のまま動かない。大きく見開かれた瞳は、瞬きもせず私を見つめている。

「嘘……でしょ」

　私は黙って首を横に振った。扶佐子は右手で口を押さえ、次第にその指の間から嗚咽の声を洩らし始めた。瞼がぴくぴく痙攣し、小さな鼻が動いた。さっと手が動き、涙が本格的に溢れ出す前にハンカチを小刻みに当てる。それからカウンターの中にあった丸い椅子にぺたりと座った。

「泥酔したまま車で晴海埠頭の海に落ちたらしい」

　青木扶佐子が落ち着くのを待って、私は言った。彼女は深呼吸をするような大きな息を何度か繰り返した後、椅子に座らされた人形を思わせる虚脱した様子で首を傾けた。視線はカウンターの端に結びついたままだ。小さなスイング・ドアがあり、彼女の思考そのもののように静止している。

「きのうの午前中、葬式だった」

　私は続けた。「喪主は奥さんで、家族は息子さんが一人。まもなく、相続の話が出てくるとも思う。それでママの耳に入れておこうと思ったんだ」

　カマをかけると、扶佐子は私を見上げた。見つめられるうち、次第に何か別のものがすっと忍び込んできた。私に対する不審の念だ。

「お客さん、銀行の方ですか」

　うなずいた。

「どういうこと？」

「もし、間違っていたら謝る。北川さんのことをよく知っているものの邪推と思って聞き流してほしい。私が言いたいのは、この店の所有権は北川さんが持っていたんじゃないかということなんだ」

瞳から不審が消え、今度は戸惑いが滲んできた。

「失礼ですけど？」

私は背広の内ポケットから名刺入れを出してカウンター越しに扶佐子に出す。彼女は両手でそれを受け取り、

「だったらどうなるんです」と聞いた。

疑問形だが、答えはイエスと言ったも同然だった。暗黙の前提が二人の間にできあがった。

「だとすれば所有権は奥さんか、あるいは息子さんの手に渡ることになる。どういう権利関係になっているのか、詳しいことはわからないが、前もって弁護士に相談しておいたほうがいいと思う」

扶佐子は、両膝に手を置き、途方に暮れた様子で俯（うつむ）いた。溢れてきた涙が、ピンクのワンピースに落ち、染みを作る。急にこの女が気の毒になった。

「店は北川さんから借りて？」

扶佐子は首を振った。

「副業収入があるとまずいからって、一応、私名義なんですけど」

「借金になってるわけか」

北川が扶佐子に金を貸し、その金でこの店を手に入れたということだ。店は狭いが、造りは金がかかっている。ビルそのものもまだ新しい。一千万円ではとても無理だろう。その倍近くかかっているのではないか。北川がどうやってその金を工面したのか、知れたものではなかった。

「その金を北川さんはどこで借りたんだろう」

私が質問したのと扶佐子が両手で再び顔を覆うのは同時だった。穏やかそうな見かけとは違い、情感の強い女のようだった。私は彼女が落ち着くのを待った。待つ間に、泡の消えたビールを一口すすった。

「金が入るあてがあるからって言って、それで貸してくれたんです」

昨日、支店の端末で入手した青木扶佐子の情報では、預金口座の開設は昨年の三月になっていた。そのころ、北川に何か臨時収入があったことになる。

「つかぬことを聞くけど、先々週の木曜日、北川さんと会ったかどうか、覚えているかな」

「ええ」扶佐子がぼんやりした顔を上げた。その日は坂本の通夜があった晩で、彼のパソコンのデータが削除された日でもある。

「何時頃？　できるだけ正確に思い出していただけるとうれしいんだけど」

「遅くでした」

「八時、九時、十時……？」

「九時は過ぎていたはずです。十時頃だったかしら」

坂本のスケジュール・ソフトの最終更新は午後九時だった。それならばおおよそ時間は合う。

「立ち入ったことを聞くようだけど、毎週木曜日に北川さんと会ってましたね。いつもそのくらいの時間だったんだろうか」

扶佐子は首を振った。

「いえ。その日だけ遅くなったんです。いつもはもっと早い時間から」

泣きはらした目を私に向けた。「それが何か？」

「ちょっと気になることがあったもので」

スツールを下りた。扶佐子が鬱ぎ込んだまま動かないので、カウンターに五千円札を置き、そのまま店を出た。

「愛してたのかな、あの男のこと」

再び雨の降りしきる通りに出ると菜緒が複雑な表情をして聞いた。

「金だけの関係じゃなさそうだね。銀行の副支店長ぐらいでは、パトロンなんて経済的に土台無理な話なんだよ」

　菜緒はやけに真剣な顔になった。

「だとすると、愛する人が死んでしまったことすら知らなかった、あの人。お葬式すら出られなかったのよ」

「知っていても葬式に出たとは限らないさ」

「そうかな」

「そういうもんだよ。でもこれで坂本のパソコンからデータを削除したのが誰だかわかった」

「でも、北川ってパソコン詳しかったのかしら。あのくらいの世代ってコンピュータ音痴というか、それこそキーボードのアレルギーで死んじゃいそうなのがいるじゃない。うちの教授なんかもそうだったけど」

「大丈夫。同じものを持ってるんだ、坂本のと」

　菜緒は解せないという顔で私を見た。「どういうこと？」

「銀行が備品としてノートパソコンを行員に配ってるわけ。最終的には全員に行き渡る計画だけど、景気も悪いし、いっぺんに買うのは無理だから、上席者から配布されてる。渋谷支店では支店長から各課課長までいまのところ行き渡っているというわけさ。みんなＩＢＭの製品でしかも坂本と同じパッケージ・ソフトが入ってる。だから操作自体に違和感はなかったと思うんだ。問題はなんのためにあるいは誰のために、北川がそんなことをしたのかってことだよ」

再び銀座線に乗って、午後九時近くに渋谷へ戻った。センター街にあるレストランでビールを飲みながら食事をし、タクシーで菜緒を大山町の自宅まで送り届けた。

マンションに戻り、ドアに鍵を差しているると中で電話が鳴りだした。私は慌ててドアを開け、ダイニングの壁に掛かっている受話器をとった。

大庭だった。

「実は、例の男の件なんですが」

その声に緊張した響きがあった。「やっとわかりましたよ。名前は、リー・ヨウヘイ。リーは木に子供の子の李、太平洋の洋に平(たいら)です。たいした前科(まえ)はないんですがね、未解決の事件にいくつか関わっていた可能性があります——どれもコロシですがね」

知らせを聞きながらドア・ロックをし、ネクタイをほどいてソファの背に投げた。

「外国人ですか」

「いや、これは通称でね。本当は日本人だという話ですが、外国人相手の商売用に名乗っているということです。本名はわかりません。一時期、池袋あたりで顔を売っていたらしいですが、ここ一年ほどなりを潜めてます。昨日ひっぱった男が偶然知っていまして、それで判明しました。いまモンタージュやってますが、危険な男ですから、注意してください。素性が確認でき次第、手配します」

だからといって、すぐに捕まるというわけではない。

「その後、何か変わったことはありますか」

「いえ、とくには」

「まあ、とにかく用心してください」

ピンと張りつめた神経をほぐすように、濡れた革靴に跳ねた泥を雑巾でふき取り、丹念にブラシをかけた。バスタブのカランをひねり、夕刊に目を通す。たいした記事は載っていなかった。何の変哲もない七月の水曜日の記録だ。

熱い湯に浸かりながら、坂本が死んでからのことをぼんやり考えているうち、また一つ気になることが出てきた。発端は、二都商事が信越マテリアルを買収しようとしたという菜緒の話だ。信越マテリアルが資金繰りに窮したとき、二都商事にそれを救済する動きはなかったのだろうか。

和議になって、商事は山崎を信越マテリアルに送り込んだ。山崎の肩書きは取締役財務部長だが、これは和議会社のなかで最重要ポストである。商事は信越マテリアルを見捨てたわけではないのだ。それがやけに中途半端に見えるのはなぜだろう。何かひっかかるのだ。

そして、山崎のあの余裕。

風呂から上がり、企画部の西口淳の自宅に電話をかけた。

十一時近かったが、まだ帰宅前で、奥さんが出た。西口は銀行員のご多分に洩れず行内結婚で、相手は役員秘書室で営業部長の秘書だった女性だ。たしか三鷹の地主の娘で、西口はその親に建ててもらった一戸建てに住んでいた。

「あいにく、西口はまだ戻っておりません」

秘書時代の名残か、丁寧とも気取っているとも取れる調子で相手は言った。

「そうですか。それじゃあ、伊木から電話があったとお伝えください」

夫人とは個人的に親しい間柄でもないのでそれ以上の話はしなかった。やけに事務的な会話だと思ったが、取り繕う気にもなれなかった。

しばらくテレビを見ていると、十二時近くになって西口から電話があった。帰ってきたばかりのところか口調がせわしない。

「おう、どうした伊木。なにか変わったことでもあったのか」

学生時代、弁論部にいた西口は、小柄な体格と生真面目そうな見かけからは意外に思えるほど豪胆なしゃべり方をする。

「変わったことばかりですよ。それで折り入ってご意見を伺いたいことがありまして」

「結婚でもするのか」

すかさず突っ込みが入る。思わず失笑した。

「違いますよ。残念ながら仕事の話です」

信越マテリアルの社名を出し、債権回収を手がけていることを説明した。西口は黙って聞いている。

「それともう一つ、頼みたいことがあるんですが」

「やばい話なら断る」

西口は私の口調から雰囲気を察した。嗅覚というか勘は相変わらず鈍っていない。行間を読んだり、機微(きび)をかぎ分ける能力、バランス感覚は、生き馬の目を抜くセクションで勝ち残るための必需品だ。

「先輩、医局のドクターと知り合いでしたよね。関谷さんでしたっけ」

「それがどうした」

「ちょっと行員のファイルを見てもらいたいんです」

「お前、いったい何を考えてるんだ」

西口は警戒した。臆病な男ではない。ただ、話の内容を秤にかけているだけだ。構わず続ける。

「亡くなった坂本のカルテを調べてもらいたいんです」

「なんだと？　俺がやる理由は？」

「坂本は殺された可能性がある」

数秒、西口は沈黙した。考えているのだろう。私も知らないようないろいろな力関係や権力の構図を。醜い銀行の断面は、毛細血管一筋に至るまでこの男の脳に詰まっている。

「人事部もそれを知ってるのか」

「警察も殺人と断定したわけではありません。しかし、嗅ぎ回っています」

「何を聞けばいい」

西口は動くことにしたようだ。私はにんまりした。企画部の最大のライバルは人事部だ。行内の情報戦を制することが企画部に利する。官僚のような本部エリートにとって、それは蜜よりも甘く、西口をしても抗することはできないのだ。

「坂本がアレルギー性体質だったということが記録されていたか。それを銀行内の誰が知っていたか、ということが知りたい」

「わかった」

最後に西口は聞いた。「お前の狙いはなんだ」

「魂の救済、ですかね」

私は大真面目で言った。

「なにバカなこと言ってんだ」

「実はどうも釈然としないところがあります」

「銀行員としての嗅覚か」

「悲しい習性と言ったほうがいいかもしれない。いつ聞けます？」

「急ぎか」

「もちろん」

「明日の夜なら空けよう」

「こちらも大丈夫です。渋谷、新宿？」

「新宿に七時。いや、七時半。西口地下交番前」

「久しぶりにごちそうしてください」

そう言うと、西口は電話線の向こうでふん、と鼻を鳴らした。

「バカ言え。なんで所帯持ちの俺が、独身のお前におごらなきゃいけないんだ。可処分所得を考えろ」

私は時間と場所をもう一度確認して話を終えた。

## 3

「待たせたな」

待ち合わせ場所に五分遅れてきた西口は、先に立って歩き出した。工学院大学に近いビルの地下にある和風レストランの暖簾(のれん)をくぐる。和服に前掛けをした女の子がバイトで給仕をしている店だ。ＢＧＭは箏曲(そうきょく)。テーブルの両側にある障子を模した衝立(ついたて)が隣席とを区切り、ボックス席のようになっている。小綺麗だが高級というわけでもない。西口は、最初に生ビールを二つ頼んだ。

「まったく、お前の頼みごとには参ったよ」

のどが渇いていたのか運ばれてきたビールを一気に三分の一ほど飲み、西口は背広のポケットから細長い黒革の手帳を出した。

「関谷さんも患者のこととなると守秘義務があるからなかなか口を割らねえんだ。聞き出すのにえらい苦労した」

「すみませんでした。それでどうです」

西口は、手帳を開けた。「その坂本君のアレルギー体質についてだが、一応医局で把握していて記録は残っていた。医師との面談で、自己申告があったということだ。蜂の毒でショック症状が出る。ええと、アナ――」

「アナフィラキシー・ショックですね」

私は西口の言葉を継いだ。「そのことは関谷医師だけが知ってたわけじゃないでしょう」

「もちろんそうさ。大学時代にアシナガバチに刺されて病院に担ぎこまれたことがあったらしい。坂本君本人はできるだけ内密にということだったが、なにせ銀行の医局だからな、人事部には連絡が行ってる」

「北川副支店長がそれを知り得たということはありますか」

「人事部の中村部長代理が管理担当だ。四十六年入行組、東大。知ってるか」

「名前ぐらいは」

「同窓ではないが、北川さんとは同期入社で、つながってる。親密だったはずだ」

「そこから洩れたと」

「間違いない」

「確認したんですか」

驚いた。そこまで西口が徹底的にやってくるとは期待していなかったからだ。

「坂本君との個人面談で北川さん自身が本人からそれらしいことを聞きつけたらしい。中村さんも支店での急な対応が必要になるかもしれないという判断で話したそうだ」

西口は探るような目で私を見た。「蜂のアレルギー症状で亡くなったんだよな、坂本君は。それを疑ってるのか、警察が」

「そうです。ただし、他殺だという証拠がない。問題の副支店長がどうなったか、もう西口さんもご存じの通りです」

西口は珍しく目を丸くした。

「おいおい。どうなってんだよお前の支店は」

「こっちが知りたいぐらいですよ」

「で、お前の意見は。警察内部でも捜査本部を設置する動きがあるようだな」

「本当ですか」

いったん端緒さえつかめば西口の情報は早い。「人事部に捜査協力の要請があったらしい。古河さんの傷害事件のこともあるしな。それはお前も関係している」

頬の辺りに西口の視線を感じながら、黙ってビールを飲んだ。

「いったい、何がある」

「それを調べているところです」

「なんのために？」

「不良債権を回収できるかもしれない」

「なるほど。それが本当の目的か」

納得したように西口は手帳をポケットにしまい、背後の壁にもたれた。私はそばを通りかかった仲居に手を挙げ、つまみを数品注文してから西口に向かい合った。

「ゆうべ言ってた仕事の話ってなんだ」

「二都商事が信越マテリアルという半導体企業を買収しようとしていたらしいんです」

西口ははっと眼線を上げたが、そのまま腕組みをして瞑目（めいもく）した。

「ところが信越マテリアルは今年の一月に倒産して、近頃和議が成立した。二都商事は買収こそできなかったが、出資はしていた。そのせいか山崎という金属課の課長が取引の推進者として詰め腹を切らされた格好で出向している——そういう状況ですが、どうも気に入らない」

「何が気に入らない」

開眼し、西口はふいに苦虫を嚙んだ顔になった。

「やはりご存じだったんですね」

「なんでそう思う」

「簡単ですよ。藤枝さんがとっとと本部に逃げ帰ったじゃないですか」

藤枝は八ヵ月前まで渋谷支店の支店長だったが、昨年十二月の異動で企画部長になって転出し、代わりに現支店長の高畠浩一郎が国際営業部から赴任してきた。信越マテリアルの和議申請と東京シリコン倒産は、そのわずか一ヵ月後の出来事だ。新宿の飲み屋で古河に聞いた話は最初こそ信じられなかったが、時間の経過とともに私のなかで逆に信憑(しんぴょう)性が増してきていた。

いま藤枝は企画部長として西口の上に立っている。渋谷支店に赴任する前の藤枝は営業本部第三部の次長として資本関係のある大企業との取引を指揮していた。当然、その取引先のなかには二都商事も含まれる。藤枝が信越マテリアルの業績を知っていたのではないかという古河の言葉を信じる理由はそこだ。

「人聞きの悪いことを言うな、伊木。お前だって藤枝部長には世話になってるだろう。大学の後輩として」

そう、藤枝も西口も私も同じ大学の先輩後輩の仲だ。それは事実だから仕方がない。しかし、だからといって派閥争いの一方に私が荷担する気はなかった。二都銀行の派閥は学閥が軸になっている。それが激しく鍔迫り合いし、政治的な動きがときにビジネスに先行する。彼らは同じ大学を出ていれば同胞と思いこむ単純なところがあるが、私は同じ大学でも気に入らない奴とは組みたいと思わない。

西口の忠告を無視して私は続けた。

「藤枝部長は、信越マテリアルの業績が悪化していることを知っていた。違いますか」

「それを俺に言わせる気か」

「その言葉だけで十分答えになっていると思いますがね」

「まて、伊木。それにどんな問題があるというんだ」

「東京シリコンという会社を政争の具にした。取引先の運命よりも派閥争いを優先させる神経が理解できない」

「それは違うぞ。東京シリコンは信越マテリアルが行き詰まれば、どのみち助からなかったはずだ。支店長が藤枝さんでも高畠さんでも、結果は同じだった。そうは思わないか」

西口は東京シリコンという社名を何の迷いもなく口にし、しかも正確な状況判断をしてみせる。いくら情報の集積著しい企画部とはいえ、一支店の、しかも年商二十億程度の企業の倒産要因が頭に入っていること自体、ただごとではない。

「しかし、忠告することぐらいできたはずです。我々に対しても」

「それはお前が言うことじゃないだろう。部長が自分で決めることだ。第一、信越マテリアルの情報など直接確認できるわけじゃないんだぞ、伊木。話せば相手に迷惑のかかることもある。藤枝部長が東京シリコンにそれを忠告したら、それが原因でまとまる話もまとまらないということだってあったはずだ。いかに商事が同資本系列といっても、取引先の財務内容が筒抜けになるような関係じゃない。それはお前だってよく知っているだろう。慈善事業で企業が成り立ってるわけじゃないんだからな」

「話はあったんですか」

西口は軽く舌打ちし、険しい表情でたばこを抜いた。

「商事に対して信越マテリアルから救済の申し入れがあったらしい」

思った通りだ。

「いつ頃ですか」

「詳しいことは知らん。タイミングとしてはせいぜい行き詰まる数ヵ月前というところだろう。検討するのに一ヵ月程度は最低でもかかるからな」

「救済を見合わせた理由はなんです」

「内容が悪過ぎた」

西口は自嘲気味に唇を歪め、たばこに火を点けた。「出資したあとに財務内容が悪いことに気づくなんてのはよくある話さ。三年前にも誰かさんがそんな話をしたことがある」

「恨み骨髄ですか」

それには応えず、西口は続けた。

「いまの世の中、上場会社の決算だって粉飾なんて当たり前だ。病院の連中がどんなことをしているか知ってるか。決算からプレス発表まで都合のいいように作ってるんだぞ」

「病院」とは、上場企業でも赤字や債務超過に陥っている企業ばかりを相手にしている審査部の通称だ。営業部から審査部へ管理替えになることを口の悪い連中は「入院」と言い、銀行がローンパワーにモノを言わせてやりたい放題のことをやっている。

「企業の真の財務内容なんてのは奥の院、宝物殿の蔵の中だ。その中にクソみたいな決算を隠している企業がどれだけ多いかお前も知ってるはずだ。開陳されるのは一年に一回どころか、行き詰まったときだけだぜ」

西口は運ばれてきたマグロの刺身を醤油につけ、巻くように箸で挟んで口に運んだ。

「今回の件も本当にそれが理由だと思いますか」

西口は箸を止めて私を上目遣いで見た。

「ああ。思うね。まあ、いいじゃないか。久しぶりに顔を合わせたんだ。そうとんがってばかりいるんじゃない。さあ、飲め」

西口は冷酒と、焼き鳥を追加注文した。それからしばらく、西口が語る企画部内の近況報告に耳を傾けた。本部の連中の関心事は大抵が人事の話だ。誰がどこへ下っただの栄転しただのという愚にもつかない話につきあううち、次第に酔いが回り始めた。進められるまま杯を傾けていると、気が緩んだのか、たばこの代わりに楊枝を銜えながら、西口のほうから話を信越マテリアルに戻した。

「お前、信越マテリアルの和議がうまくいくと思ってるのか」

「技術力はあると聞いています。経営が変われば軌道に乗るんじゃないでしょうか。だから銀行も賛成したんでしょう」

「甘いな」

西口は楊枝を灰皿の中に捨て、たばこの箱に手を伸ばした。

「和議が成功したためしはない」

「ジンクスですか」

目の端にきらりと冷たいものを浮かべ、西口はせせら笑った。

「ジンクス？　まさか。事実だよ、これは。俺が調べたところによると、ここにきて信越マテリアルの対抗馬も登場している。二都商事の取引も信越マテリアルからそっちへ移り始めてるんだぜ。経営が変われば軌道に乗るなんてのはまったくあてのない話になってるんだ。信越マテリアルの魅力はもうほとんど剝げ落ちてる」

私は信じられない思いで、飲みかけの杯をおろした。「どういうことです？」

「言葉通りの意味さ。信越マテリアルの技術力はもうあの会社だけの専売特許じゃないってこと。ある会社が、かなり強引なやり方で信越マテリアルから技術者を引き抜いてるって噂だ」

「まさか。二都商事は信越マテリアルの和議を承認したんですよ。山崎という金属課長を財務部長で送り込んでる。かなりできる男だ」

「できるかどうか知らんが、人材など商事には掃いて捨てるほどいる。おそらく、そいつはスケープゴートだな。和議にして多少でも回収させようということだろう。見捨てる準備は一方で着々と整っているってわけだ。和議が中断すれば、こうだ」

西口は手刀をテーブルに振り下ろした。

「仁義なき戦いだよ。肝心な技術者の流出が止まらない和議会社なんかとつきあうことはないわけだ。お前も知っていると思うが、半導体業界というのは四年の周期で好不況を繰り返す景気循環がある」

その景気循環をシリコン・サイクルという。四年周期というのは、技術的な飛躍がだいたい四年に一度の周期で開発されるからだ。八ビットが十六ビットに、それが三十二ビットになり、六十四ビットへと進化していく。いわゆる技術的革新(ブレーク・スルー)が登場するたびに半導体市場は旧主流製品の大幅余剰と値崩れによる不況に曝(さら)され、それがある種の景気サイクルを形作ってきたわけだ。

「いいか、伊木――」

西口は真剣な眼差しで両肘をテーブルにつけ、私に向き直った。

「商事は以前から半導体市場での覇権を狙っていた。そのためには技術力のある強力な手駒が必要だったんだ。信越マテリアルの技術はビット数をあげるという、金食い虫の不毛の開発競争とはまったく別な次元から技術的革新をもたらした。いや、もたらしつつあった。商事がその技術に目をつけた真の狙いは、半導体競争に遅ればせながら参戦するためなんてケチな目的のためじゃない。連中はシリコン・サイクルをコントロールしようとしたんだ。超廉価な、しかも歩留まりのいい基板のシェアを牛耳ることで半導体のプライス・リーダーの地位を得ようとしたんだ」

「そんなことができるんですか」

「できる」

西口は断言した。「奴らならできる。開発競争に鎬を削る総合エレクトロニクス・メーカーにまったく別な角度から一泡吹かせる。これぞ商社の発想だよ。考えてもみろ、衛星放送をやろうと思ったら、まず人工衛星を打ち上げるところから始めるような連中だぞ。よくもまあそこまで壮大な風呂敷を広げると呆れさせてくれるが、考えようによっては敵ながら天晴れ。そんなことを考えつくのは世界広しといえども、総合商社ぐらいのもんだ。悪戯好きな子供の発想だよ。年間十五兆円もの金を動かしている無邪気な子供、それが二都商事だ。おれが何を言いたいかわかるか。子供ほど残酷なものはいない。そういうことだ」

ひとつの仮説が私の胸に生じた。そいつは、たしかに残酷な仮説だった。

「西口さん、これは私の想像ですが、二都商事は信越マテリアルをわざと倒産させた。違いますか」

西口は応えなかった。目から輝きが失せ、重たい視線が私を射た。

「商事が買収工作したとき、反対したのは信越マテリアルの難波社長と東京シリコンの柳葉社長だったと聞いています。もし信越マテリアルを救済すればこの二人の首はつながりますが、結局何も変わらない。しかし、その救済を一蹴し、経営が行き詰まれば、欲しい企業を格安に手に入れ、しかも邪魔な経営者を放逐することができる。まさに一石二鳥だ」

「さあ、どうかな」

真相を知っているのか知らないのか、西口は曖昧に言い、手酌で杯に冷酒を注ぐ。その態度は淀みなく堂々とし、ビジネスの先端で洗練された強さのようなものがある。二都商事の山崎に通ずる感覚が漲っている。

「ところがその二都商事にも誤算はあった。安く買い叩いたつもりの信越マテリアルも蓋を開けてみれば技術者は引き抜かれ、形骸化していた。送り込んだ社員の活躍で和議は成立したが、すでに何の意味もなくなっていた」

山崎の血色のよい顔を思い浮かべた。なぜ和議会社への出向を命じられた山崎があああ溌刺としていられるのか、その理由がいま初めて理解できた。だが、彼の知らないところで信越マテリアルは見捨てられ、山崎自身も一蓮托生の悲運が待ちかまえているというわけだ。

そのとき山崎があの爽快な笑顔を見せることができるか、今度こそ疑問だ。

西口は、知らぬ顔をして鉢の中に箸を立て、食い物を口に運んでいる。

「藤枝部長はそこまで知っていたんですか」

「いい加減にしろ、伊木。つまらん詮索はするな」

西口は声を荒らげた。

「派閥争いや金のためならなんでもする。それが企業の論理ですか」

「いつから甘党に宗旨変えした」

私は西口の皮肉を聞き流した。

「佐伯副頭取」

鉢をつついていた手がぴたりと止まった。

「めったなことを言うなよ、伊木」

目が不穏に光る。どうやら図星だったようだ。

「いくらなんでも部長級の異動を仕掛けられる人間はそう多くない。信越マテリアルの情報にしても、商事の役員級とのパイプがなければ聞けない話だ。銀行嫌いのマスコミが喜びそうな話ですね」

「お前、俺を脅迫するつもりか」

目を剝く。しばらく睨みあった。私は西口の眼鏡の奥を直視しながら言った。

「まさか。それとも、脅迫されるようなことがあるんですか」

「何を考えている」

「別に」

「お前がおとなしくしているような男なら俺も心配はしない。また三年前と同じ過ちを繰り返すつもりか、伊木」

笑いがこみ上げてきた。

「何をそんなに恐れてるんです」

「俺が、恐れる？」

西口は初めてその言葉を聞いたとでもいうように、呟いた。

「そんなに副頭取や部長が大事ですか。派閥かなんだか知らないが、結局は自分の出世のために利用しているだけだ。必要なくなったら子飼いだろうと平気で踏みにじるような連中ですよ。あなたの意見はどうなんです」

「俺の意見だと？　おれはサラリーマンだ。上司の言うことには従うしかない。それが企業の論理だろうが」

「卑屈ですね。悲哀を感じますよ。そういう企業にかぎってトップが悪さをする」

「貴様――将来が惜しくないのか」

西口は燃えるような目を私に向けた。

「最後に一つだけ、教えてもらえませんか。信越マテリアルから技術者を引き抜いてるというのはなんという会社ですか」

「こいつ、調子にのりやがって」

西口は怒りのやり場を求めたが、結局、空になったたばこの箱を力任せに握りつぶしただけだった。

「構うことはない。最初から私に教えてくれるつもりだったんでしょう」

その握りつぶした塊が飛んできた。私の胸に当たり、床に転がる。私はまったく動かなかった。

「まあいいだろう。教えてやる。本社は新宿だ」

西口は再び黒革の手帳を取り出すと、住所をぶっきらぼうに読み上げた。

「社名は――株式会社テンナイン。代表取締役仁科佐和子」

思わず、手帳に書き取っていた手が止まった。

仁科佐和子の漢字表記を説明している西口の声は耳に入らなかった。

それは唐突に、あまりに唐突に、私の前に姿を現わした。仁科佐和子。それだけではない。私は坂本のスケジュール・ソフトに残された謎の表記の解をいま手にしている。

109――あれはテンナインと読むのではないのか。

代表取締役。

仁科佐和子。

そうか、これだったのか。

「おい、聞いてるのか、伊木」

遠くから西口の声が聞こえ、さまよっていた意識を現実に戻した。こいつ大丈夫か、と訝る目が私を見つめていた。

「あとは信用照会システムで調べてくれ」

銀行の信用照会システムは、民間信用調査機関と提携した企業情報データベースだ。数人規模の小規模事業会社から大企業まで、およそ会社の体裁をなしているものなら大抵は登録されている。

西口は、これで終わり、とばかりに手帳を閉じる。それから仲居を呼んで小銭を渡すとたばこの銘柄を告げた。

4

新宿駅の地下にある乗り場からタクシーを利用して自宅に戻った。時間はすでに十時を回っている。事件がいつ片づくのか予想もつかなかったが、それまでは淋しい夜道と一定量を越えた雑踏はできれば避けようという意識が芽生えていた。こいつは一種の防衛本能といっていい。

李（リー）。

その男の横顔を思い浮かべた。気味の悪い薄ら笑い。街灯に照らされた横顔。いったい、誰の差し金か。李が単独で動いているはずはなかった。

明治通りとの交差点まで続いた渋滞を抜けると、甲州街道は流れ始めた。

タクシーの中でずっと、どうやって坂本がテンナインという会社に辿（たど）り着いたのか、そのルートを考えてきた。

坂本は、東京シリコンから仁科佐和子への巨額の振り込みについては調べ上げていた。それは振込依頼書のコピーが坂本の手もとにあったことで証明することができる。

だが、仁科佐和子とテンナインという会社とを結びつけたものが何だったのか、わからなかった。私はいままで、坂本がしたであろう調査をほぼ忠実に辿ってきたはずだ。そのなかには、信越マテリアルの技術力に対する疑問も、ましてテンナインなどという会社の存在を示す情報も存在しない。

まったく不可解としか言いようがなかった。

東京シリコンが割引に持ち込んだ手形はすべて信越マテリアルが振り出した実体のない手

形だった。しかし、その代金は信越マテリアルではなく、仁科佐和子という女性に振り込まれていた。いまや信越マテリアルを凌駕しそうなライバル半導体企業の社長の口座だ。なぜだ。なぜ、柳葉社長がそんな企業のトップに資金を送っていたのか。そのためになぜ、信越マテリアルが手形を発行していたのか。新たな謎が出てきたことになる。

私はエントランスの中央にあるエレベーターで五階まで上がった。

自室のドアに鍵を入れ、回す。

明かりが灯っていた。大きめのキャリー・バッグと猫を入れる片面が網になっているバスケットが最初に目についた。リビングに人気はなかったが、シャワーの音がしていた。

菜緒だ。

そう思ったとき、何かがピアノの上で動いた。

「サキ」

エメラルド・グリーンの目が親しみを込めて細められる。しかし、いつものように近くには寄って来なかった。環境が変わったためかと一瞬思ったが、すぐに体に染みついているたばこの匂いのせいだと気づいた。サキはたばこの匂いが極端に嫌いだ。憎んでいると言ってもいい。まだ生後間もない頃、サキは顔に酷い火傷を負って息も絶え絶えになって家に帰ってきたことがある。誰かが子猫のサキをつかまえて、たばこの火を押しつけたのだ。そのときの丸い焦げあとはいまでもよく見るとサキの鼻の上のところに見つけることができる。以来、サキは極度のたばこ嫌いになった。いや、嫌いというより恐怖と敵意の対象になった。それがどの程度のものか、実際、サキの前でたばこを吸ったことのない人にはわからない。私は一度経験して以来、サキの前では二度とたばこを吸わないことにしている。これはそのとき、菜緒が私にしてくれた話だ。

「ご主人さまは、お風呂かい」

私は疲れた体をソファに投げ出した。部屋には強いアロマ・オイルの香りが漂っていた。

「帰ってたの」

しばらくすると、濡れた髪をタオルで拭きながら菜緒が風呂から出てきた。ボクサーがはくような青いトランクスをつけ、上は白いタンクトップだった。

「今日、難波さんから連絡あった」

「ほんとに？」

「昼間。私が家にいるとき電話があった。誰かから父が亡くなったこと、聞いたんだって。なによ、いまさらって感じだけど。ペペロンチーノ作るんだけど、食べる？」

「住所、聞いた？」

私は手に持っていた上着を奥の部屋へ持っていってハンガーにかけた。「悪いな、食べてきたんだ」

「そう」

少し申し訳ない気がしたが、菜緒は一向に気にしていない様子でパスタを茹で、それに唐辛子とにんにくを刻んで一緒に炒めたものをキッチンからテーブルに運んできた。どうやら自分は食べるようだ。

「長野市内の住所だった。部屋番号がついてたから、マンションね」

「そうか。いや、こっちも進展があったよ。菜緒、テンナインっていう会社知ってるか」

「テンナイン？」

菜緒はスプーンの上に立てたフォークで辛味のきいたスパゲティを巻きながら首を傾げた。

「テンナインは知ってるけど、テンナインという会社は知らない」

菜緒は立ち上がってキッチンに行き、ワインボトルとグラスを二つ、そしてオープナーを持って戻ってきた。

「テンナインは知ってるって、どういう意味だ」

オープナーを刺し、引っ張ろうとした菜緒の手から私はボトルをとり、代わりにコルク栓を抜いた。リオハ――スペイン産の赤ワインだ。菜緒のお気に入りらしい。

「知ってるわよ。小数点以下に十個〝9〟が続くってことよ」

唐突に説明されても、ピンと来ない。

「つまり、99・9999999999パーセントのことをテンナインっていうの。半導体でいうと、シリコンウェハーの材料になる単結晶シリコンは高純度でなければならないわけ。そのメルクマールがテンナインなの。なんの会社なの、それ」

「半導体」私は菜緒の見事な説明に、内心、感心しながら言った。

「ふうん」

菜緒はスパゲティを口に運びながら言う。「なかなか洒落た名前ね」

「信越マテリアルの対抗馬らしい」

グラスになみなみと注いだリオハを一口飲んだ。うまい。

「それって、ベンチャーか何か？」

「ベンチャーか。ちょっと待てよ、そうか――！」

わかった気がした。坂本がどうしてこの会社を知ったのか。そのとき、やっとわかった気がした。

「どうしたのよ」

驚いて菜緒が見上げる。私はリビングの奥のドアをあけ、隣の部屋に駆け込んだ。仕事用デスクが置かれている六畳間だ。坂本の遺品を片づけていて見つけた雑誌がそのときのままデスクにのっている。あの『ベンチャー経営』という雑誌だった。抽斗の奥に落ちていたやつだ。

ページをめくるのももどかしかった。探す。目次を探したが見つからなかった。表紙から順番に見ていった。そして——見つけた。

それは「今月のベンチャー」という一ページの連載コーナーだった。「半導体ビジネスの隙間産業」という見出しが大きく躍り、テンナインの簡単な会社概要と技術が紹介されている記事だ。私の目は、ページ中央の写真に吸い寄せられるように移っていった。小綺麗なオフィスを背景にして、四十前後の女が写真におさまっていた。

「いったいどうしたの、急に」

菜緒が私の背中から雑誌を覗いた。

「これだ」

私は言った。「坂本はこの雑誌で、テンナインという会社を見つけたんだ。坂本がこの雑誌を定期購読していたとは思えないから、たぶん偶然、本屋で見つけたんだろう。そして信越マテリアルとまったく同一の技術を持っていることに気づいて疑問に思った。それで調べてみようと思った。それがヤツのスケジュール・ソフトに記録されていた〝109調査〟という言葉だったんだ。菜緒、テンナインというのはどういうふうに書くんだ?」

「表記方法のこと言ってるの？　まあ、とくに決まりはないわよ。テンナインはテンナインで、省略表記は見たことがない」

「坂本はそれを109と書き記してた。どう思う」

「そうか。それは可能性あるわね。私はテンナインという言葉も意味も知ってたけど、10

9という数字からは連想できなかったわ。テンナインと書けと言われれば、そのままカタカナで書くもの」

「だから、北川も見逃したんだよ。それで他のメモ類やスケジュールが消去されているのに、この記録だけが残った。そして坂本は、東京シリコンの融通手形を調べていて、思わぬところで、この会社との関係に気づいたってわけさ」

「関係？」

「そう、この女だよ」

私はページの中央に掲載された写真を指さした。菜緒は写真におさまっているスーツ姿の女をしげしげと眺めた。

「だれなの？」

菜緒が私を見た。

「仁科佐和子」

彼女の目が大きく見開かれた。

菜緒は、ソファで形のいい脚を投げだし、さっきから『ベンチャー経営』の仁科佐和子を睨んでいた。年齢はいっているが仁科はかなりの美貌の持ち主だった。とりわけ、その目が印象的だ。引き込まれそうな、という形容がぴったりくる瞳だった。傾国（けいこく）の美女とはこういう女をいうのかもしれない。

「問題は、父がなぜ、この女に金を送っていたのかということね」

菜緒は、この女、と言うとき嫌なものでも見る表情をした。彼女にとって、仁科は敵に見えるようだった。もっとも、女同士というものは本来的にライバル意識を燃やすようなところがある。

「設立年月日を見てみろよ」菜緒の隣に座って、考えていた私は言った。

「うちが倒産する直前ね」

「柳葉社長が送金しているときにはテンナインという会社はまだこの世に存在していなかったことになる。当然、仁科佐和子の職業や肩書きも——そんなもんがあればだが——違ったものだったはずだ。信越マテリアルの難波、君の父上、そして仁科佐和子。この三人の関係に事件を解く鍵がありそうだ」

「難波さんに聞いてみれば何かわかるかもね」

菜緒は床に広げたキャリー・バッグからシステム手帳を取り出した。赤い革装の使い込んだ手帳だ。ポストイットや葉書などが賑やかに挟まっている。菜緒はメモに書き記した住所を開いて私に見せた。電話番号も控えてある。

「私、一度行ってみようかと思ってるのよ。長野にはウチの工場もあるの」

「それなら明後日(あさって)の土曜日まで待って、一緒に行かないか」

菜緒はほっとした表情になった。「よかった。実をいうと私ひとりじゃちょっと心細かったんだ」

「明日、とりあえずこのテンナインという会社について調べてみるよ」

私は、シャワーを浴びるために風呂へ向かった。明日、と言ったが、すでに午前零時を回っていた。サキは余程ピアノが気に入ったのか、黒いピアノカバーをかけた蓋の上で寝そべっている。菜緒が立ち上がって、背伸びをしながらベッドのある部屋へ入って行くのが見えた。我が家にはベッドは一つしかない。私は汗とたばこの匂いの染みついた服を脱ぎ捨て、シャワーの水量調節を一杯に回した。刺すように強い飛沫(ひまつ)が無数に皮膚を打つ。およそ十分後、体の水気をとり、バスタオルを首に巻いた私は、そのまま菜緒が消えたドアに向かって歩いて行った。

5

支店の信用照会システムでとった株式会社テンナインの情報によれば、仁科佐和子は同社の筆頭株主となっていた。つまり、オーナー社長というわけだ。資本金二億円。主要取引先に二都商事の名前があがっていたが、そのほかの取引関係は空欄だった。

地図で調べると、テンナインが入居しているビルは、新宿御苑沿いにあった。渋谷からなら一時間もあれば行って帰って来られる場所だ。

道路は、甲州街道と交差する前から混み始めた。新宿駅南口を抜けるのに予想以上に時間がかかり、新宿御苑に沿った一方通行の道路へ入ったとき三十分を経過していた。

パークサイド・ビルという立地条件そのままの名前を冠したビルの看板に株式会社テンナインという名前を見つけた。そのビルの前にスペースを見つけ、車を停める。

あえてアポはとらなかった。歓迎される自信はない。電話で来意を告げれば断られる可能性が高かった。いきなり訪問したほうが会える確率は高いと踏んだ。

五階建てのビルの一階は陶芸品を売る店になっていて、大皿や湯飲み、鉢などを並べたショールームがあった。エントランスには各階の入居者を表示するプレートが貼られ、「株式会社テンナイン」は、四階と、最上階になる五階に入っていた。

ショールーム奥のエレベーターで四階に上った。

小さな背の高いテーブルに呼び鈴だけがぽつんと置かれているシンプルな受付だった。案内係はいない。フロアには臙脂(えんじ)のカーペットが敷かれ、オフィスの入り口に配置されたテーブルの両側には関係者以外の進入を防ぐためのバリアが張られている。その内側にはブルーの衝立(ついたて)が置かれ、私の場所から仕事場の様子を覗き見ることはできない。ここには本部機能があるだけで、情報端末でとった資料によれば製造部門は川崎市内にあるはずだ。

呼び鈴を押すと、取り澄ましたように透き通った音がした。私がポケットから名刺入れを出して一枚用意したとき、衝立ての向こうから鹿を思わせる顔をした女性が顔を出した。紺色の事務服を着た若い女だ。左胸に「若林」というネームプレートがついていた。

「私、二都銀行の伊木と申しますが、社長さんはいらっしゃいますか」

女の視線が手渡した名刺と私との間を二、三度往復し、マニュアル通りの質問が続いた。

「お約束ですか」

「いえ。実は、私どもからの現金振り込みの書類に不備があったことがわかりまして。お詫びかたがたサインをいただきにあがりました」

「振り込み……ですか」

相手は、あまり馴染みのない言葉を繰り返すときのような拙さで応え、少々お待ちくださ い、と言って衝立の向こうにいったん姿を消した。

受付の呼び鈴の前に一人になった。デザインなのだろう、意図的な配慮が感じられるシンプルなロビーで、余計なものはいっさい置いていない。壁の一部がガラスになっていて、新宿御苑の広大な緑を見下ろすことができる。公園の上には、薄く雲をかけた青空が見えた。梅雨明け宣言がそろそろ出る頃だ。

しばらくすると若林という事務員が再び現われた。最初出てきたときより、慌てている。

「すみません、伊木様。振り込みのどんなご用件でしょう」

社長にうまく説明できなくて困った、という顔だ。経験が不足していると、聞いた話も頭に入らないものだ。私は辛抱強く繰り返した。

「書類に不備があって、社長さんのサインをいただかないと処理が宙に浮いてしまうんです」

ゆっくりと言う。事務員の反応は、サインですね、だった。

「そう、サインです」

間違ってはいないのでそう応えると、彼女はあたふたと奥へ消え、今度はすぐに出てきた。返事は顔を見ればわかった。彼女はバリアの内側にある錠を外し、どうぞ、とエレベーターのほうへ案内した。

上を示すボタンを彼女が押した。ビルは五階建てでそこが最上階になっている。社長室はその最上階のフロアにあるらしい。

「社長さんはいつもこちらにいらっしゃるんですか」

エレベーターが来るまでの間、彼女に聞いた。

「そうですね。だいたい、おります。月に何度か工場へは行きますが、それ以外は本社に」

「この会社を設立される前は何をしてらした方ですか」

「さあ。私も先月入ったばかりなので、ちょっと」

事務員は首を傾げた。

「設立して半年で急成長しているようですね」

「ええ。そうみたいです」

経営のことはあまりよくわからないのか曖昧な返答だ。入社して一ヵ月の新入社員に向けた質問としてはやや難しすぎたようだ。

「たいしたもんだ」

私が言うと、彼女ははにかんだような表情を浮かべただけだった。それほどおしゃべり好きというタイプでもないのだろう。エレベーターが到着し、彼女が先に乗り込んで五階のボタンを押した。

扉が開くと、エレベーターの前が全面の壁になっていた。濃い木目調。賃借したあとに使いやすいように改築したものだろう。かなり金を掛けている。社長同様、お洒落な会社というわけだった。

壁の中央にガラス張りのドアが備え付けられ、「関係者以外立入禁止」の表示と赤いマルの真ん中に横線が入ったワッペンが貼ってあった。私のマンションにあるようなセキュリティ・システムが作動している。間違って五階に上ってきた不意の来客もこれ以上先へは進めないようになっていた。彼女の案内が必要な理由もこれで納得した。

彼女がロックを解除し、中へ入った。両側には応接室が二つずつ並んでいた。その奥のドアが開いており、オーバル形のテーブルと最新型のプロジェクターが見えた。会議室だろう。黒革張りの椅子の数はそれほど多くはない。

通ってきた通路には深々としたグリーンのカーペットが敷かれていた。若林という事務員は、私でも急がないとついていけないほどのスピードで、枯れ木のような脚を交互に動かしている。木の人形が歩いているようだ。会議室の向こうで通路は突き当たり、左に折れ曲がっていた。その正面にも部屋があり、「社長室」という銀の背景に黒のスクリーン印刷を施したプレートが、オーク材のドア上部に嵌まっていた。

彼女は耳をそばだてるときのように体を横向きにして、軽く握った右手でノックした。返事があった。短い声だったが、透き通ったなかにけだるさを含んでいるようにも聞こえた。

取っ手を下へ押し、重そうにドアを開ける。

「社長、二都銀行の方です」

それから私のほうへ向き直り、ドアを押さえたまま、どうぞ、と言った。軽く会釈して彼女の脇を通りすぎると、背後で音を立ててドアが閉まった。彼女の役目は終わったのだ。

はじめに輸入品らしい大きめのソファが目を引いた。ソファの向かいには、大理石の脚に支えられたガラステーブルを挟んで、アームチェアが二脚並んでいる。どれもベージュで、平均的な日本人がかけるにはやや大きすぎるサイズだ。ドアのすぐ右にベールを巻いた半裸の女神像があった。腰ほどの高さのある大理石の彫刻で、虚ろな目が窓に向いている。

その窓は全面ガラス張りで、向こうに新宿御苑の沁みるような緑が広がっている。いい眺めだ。日差しを避けて、部屋の半分はブラインドが降りていた。そうしてできた日陰のスペースに大きなマホガニーのデスクがあり、かたわらに真っ白なスーツを着こなした美しい女が立っていた。スーツにはさりげないシャネルのロゴが入っている。雑誌の写真に映っていたあの女性だが、実物の美貌には写真にない艶めかしさがあった。

「二都銀行の伊木と申します。お忙しいところを突然お邪魔して申し訳ありません」

「どうぞ」

彼女はおそらく営業用の笑顔で応接セットを右手で示した。私はソファのほうに掛け、手にしていた手帳を膝に置いた。

仁科は優雅な足取りでやってきて私の向かいに掛けた。タイトスカートから肉付きのいい脚が私の前に曝される。深い泉にも似た目が強烈な印象だった。

「まだ会社を設立されて間がないのに大変な成長ですね」

ひと通りの挨拶を終えてそう言うと、深淵だった仁科の瞳に現実的な輝きが差した。面白がっている表情だ。

「うちの会社をご存じなんですか。おかげさまで。順調に立ち上がっています。でもお宅とは取引はありませんわね」

「ええ」

「当面、銀行さんの取引を増やすつもりはないわよ」

「そういう用向きで伺ったわけではありませんから」

「振り込みがどうとか。サインすればいいの？」

彼女は金色の細いボールペンを手にしていた。クロスの最高級品だ。

「その前に確認していただかなければなりません」

手帳に挟んでいたコピー用紙を彼女の前に差し出した。

東京シリコンから仁科佐和子へ振り込まれた四千五百万円の振込依頼書のコピーだ。

テーブルに広げた途端、相手の表情に変化が現われた。

「これをご存じありませんか」

「なんですの」声に険しいものが混じった。

「私どもの取引先からあなたに宛てた振り込みのはずですが」

「同姓同名ってこともあるわよね」

仁科佐和子はまるで小さな子供に言い聞かせるような言い方をした。私は大庭が調べた生年月日をメモしなかったことを後悔した。それがあればここで証明できたかもしれないのだ。

「通帳で確認していただけませんか。これだけの金額を覚えていらっしゃらないとなると、そうしていただくしかない」

「困ったことをおっしゃるのね。通帳なんかいますぐ出てこないわ。自宅に置いてますから。それにあるかどうかもわからない」

「この口座はもう使ってらっしゃらないんですか」

「頼まれていくつも開設してるから調べてみないとわからないわ。第一、この口座が私のものだということはあなた方だって確認してないんでしょう。最初に言ったように同姓同名ということもあるわけだし」

「確認のしようがないんです。この銀行に聞いても顧客の情報は教えてくれませんから」

「しようがあるかないかはお宅の問題で、客のところに来るときには確認してからじゃないとまずいわよね。それをいきなり訪ねてきてサインをよこせとは、少し横暴じゃありませんか」

言葉遣いは丁寧だが、声の調子にはささくれだったものが混じり始めた。彼女の言葉遣いには相手を威圧するようなところがある。

「横暴ですか。ただ確認をお願いすることが」

大きな目が私を見つめた。表情を彩っていた華やかさが沈み、苛立ちが強調された。

「実は、この振り込みですが、依頼書そのものがなくなっているんです。もう少しわかりやすく言うと、何者かによって不正に破棄された可能性があります」

「なくなったのなら、このコピーはどこでとったの」

かなり気の強い女のようだった。それに頭もいい。

「振り込みを調べていた者が、偶然コピーをとっていたんです。原票がなくなったのはそのあとです」

「結局、それはお宅のミスじゃないのかしら」

「ある意味で、私どもにも落ち度はあったと思いますが、悪いのはもっと他にいます」

「あまり関係ありませんわね、私には」

「思い出していただけませんか」

「無理ね」

話題を変えることにした。本当に知りたいのは、この資金の遣い途だ。この女が言うように同姓同名の他人だなどということはまず考えられないが、ここで押し問答をしても埒があかない。

「仁科さんはこの会社を設立される前にはどんなお仕事をされていたんですか」

「そんなことを聞いてどうされるの」

「やはり半導体関係？」

仁科佐和子は答えるべきか思案しているようだった。

「まあ、そんなところね」適当にあしらっておこうという結論になったらしい。

「この振込依頼書にある東京シリコンという会社はご存じありませんか」

「取引をしている会社は多いですから」

「御社を設立する前の話です」

「設立前も含めて申し上げたつもりです」

「シリコンとつくからには、半導体関連だと想像できます。やはりどこかで関係があったのではありませんか」

仁科佐和子は黙った。

「柳葉という名前はどうです」

「記憶にありませんわ。仮に覚えていたとしても、人には忘れたい過去もありますでしょ。それともあなたのようなエリートにはそんな過去はありませんか」

「もちろん、私にもおっしゃるような過去はあります。しかも、たくさん」

初めて、仁科佐和子が微笑んだ。

「このコピーもその一つだということですか」

私は彼女の前に広げたままの振込依頼書を指さした。仁科佐和子は二度とそれに視線を向けようとはしない。ボールペンを弄んでいる指は細く、深紅の完璧なマニキュアが施されていた。

「そろそろお引き取りください。忙しいので」

仁科は一つしかないドアのところまで行き、重いドアを引いた。睨みあう。だが、これ以上ねばっても成果は期待できそうにない。テーブルの上に置いたままのコピーを手帳に戻した。

彼女の脇を通るとき、パフュームが香った。その残り香を振り払うように、いままでの丁寧すぎるほどの口調から打って変わった鋭い言葉が飛んできた。

「二度とくだらない用事で来ないで」

私の鼻先でドアが音を立てて閉まった。唐突に、しんと静まりかえった通路に立っている自分を発見した。引き返すしかないようだった。

エレベーターに乗り、いったんは一階のボタンを押したが、思い直して四階で降りた。呼び鈴を鳴らす。

現われたのは先ほどと同じ若林という事務員だ。私を見ると、怪訝な表情になった。まだ何かあるのか、という顔だ。

「先ほどはどうも」

「はい」笑みは引っ込んだままだ。

「ひとつ、お伺いしたいのですが、以前、ここに二都銀行の坂本という者が訪ねて来ませんでしたか。おそらく一ヵ月ぐらい前だと思いますが」

「坂本、さん？」

名前を呟いた。「いいえ、ちょっと覚えがありません。何しろ、銀行さんもたくさんいらっしゃるので」

「でも社長室に通す人はそう多くないでしょう」

「ええ、それはそうですけど。でも——」

本当に記憶がないようだった。「いや、覚えがなければ結構です。どうも、失礼します」

あるいは彼女が入社する以前だった可能性もある。先ほど、若林はこの会社に来てまだ一ヵ月ほどだと言ったはずだ。

外に出て、ふといま出てきたビルを見上げた。最上階の窓で人影が動いた気がした。

6

三時前に帰店してから事務処理に忙殺され、一段落ついたのは午後六時を過ぎた頃だった。ぴんと意識を張り巡らせる状態が長く続いたため、それとわかる疲労が体に蓄積していた。

「お疲れ」

書類から顔を上げると、デスクの横に疲れを滲ませた表情の高畠が立っていた。北川の死で副支店長ポスト不在のため、高畠自身が決裁に追われる構造になっている。

「お疲れさまです」

「終われそうか。慰労するよ」

冗談かと思ったが、高畠は本気のようだった。「一週間、大変だった。七時ぐらいに出ようか。私もそれまで仕事だ。それとも何か用事でもあるのか」

「いえ、用事などありません。ありがとうございます」

「礼を言いたいのはこっちだ」

高畠は私の肩をたたいて支店長席に戻り、未決裁箱に残った稟議書のファイルに目を通し始めた。実際、北川がためていた案件は、高畠が決裁することによって急激に片づいている。融資係にしてみれば本当にありがたかった。若手の間にもそれを歓迎するムードが高まってきているのを感じる。後任が誰であれ、北川が恋しくなるような人物はそういるとは思えない。

七時過ぎに支店を出て、高畠は駅の反対側になる宮益坂（みやますざか）の釜飯屋に私を誘った。支店の近くの店では顔見知りに会う。わざわざ歩いたのは、あまり人に聞かれたくない話がある証拠だ。

釜飯といっても、最後に腹が空（す）いていれば頼むだけで、焼き鳥と酒を目当てにサラリーマンが集まる店だ。

金曜日のかきいれ時ということもあって混雑していたが、ひと足早く五時頃から飲んでいる連中との入れ替わり時間でもある。五分と待たず中央のカウンター席が二つ空（あ）いた。テーブルよりカウンターのほうが話はしやすい。その頃になると、高畠の目的が単なる慰労だけではないことを薄々察していた。

ビールを一本頼み、乾杯をして喉を潤したあと、冷酒になった。樽酒を瓶につめたもので、鼻を近づけると檜（ひのき）の香りがする。

「大変な一週間だった」高畠はしみじみと言う。

「同感です。とはいえ、そうなった理由が問題ですがね」

「警察はまだ北川君を自殺とも他殺とも断定できずにいるようだね」

「そのようです」

そういえば昨日今日と、大庭からの連絡も途絶えている。李洋平（リー・ヨウヘイ）についての知らせがあって以来だ。頻繁に大庭の声を聞いているために、二日も電話がないとかえって気になる。もっともあれから私の周辺で李の気配を嗅いだことはない。

「君はどう考える」率直に高畠は聞いてきた。

「他殺です」

「根拠は」

「まだ漠然としてはいますが、坂本の事件と関係があると思います」

「彼の、不正送金疑惑のほうかね、それとも――」死のほうかね。そう聞こうとして言葉にするのを躊躇（ためら）った様子だ。

「両方です」

「教えてくれないか。君はいったい何を調べてるんだ」

支店長は私の杯に冷酒を注いで聞いた。高畠は同期入社のトップをいくエリートだが、同じ出世頭でも藤枝のようなアクはない。素直で、自然体を好む。言葉は穏やかで、刺すような殺し文句を吐いたのは聞いたことがない。

「坂本君の死に警察が疑問を抱いていることは私も知っている。古河君が襲われ、そして次は北川君だ。これらがてんでんばらばらに起きたのなら、私はよほど運の悪い人間と見える。だが、それぞれの事件の底に流れているものが同じだとすれば、これからでも打つべき手はあるのではないか、という気がする」

「坂本は東京シリコンの融通手形に気づいたのです」

東京シリコンのクレジット・ファイルに貼られた『109』という坂本の付箋から、信越マテリアルの融通手形に至った経緯を私は高畠に話した。

「あの割引が、か。君はそれを知っていたのかね」

「いいえ。もし私が気づいていれば、殺されたのは私でした。その意味で、坂本は私の身代わりになったんです。割り引いた金は、女性名義の口座へ送金されていました」

高畠はしばらく言葉の意味を吟味していた。

「振込先の名義になっている女性はベンチャー企業の経営者なんですが、その会社はいま信越マテリアルのライバル企業になっています。新宿にある会社で、今日の午後、のぞいてきました。振り込みについて本人は関係を否定していますが、本当とは思えません」

二度と来ないで、と言った仁科佐和子の声が耳の底で蘇った。

「女性の名前は」

「仁科佐和子といいます」

「仁科、佐和子か……」

高畠は心当たりを考えているようだったが、やがて「聞いたことがないな」と言った。藤枝からの引継事項でも思い出していたのだろう。

「それがこの事件と関係があるんだろうか」

「東京シリコンの不正な資金移動を調べる際に、マイクロ・フィルムからコピーした資料を盗まれるという妨害を受けました。単純なとるに足らない一件ですが、それをやった人間にしてみれば、少しでも発見を遅らせようという意図があったとしか思えません。半ば衝動的な行動だったと考えています。私はその犯人を知るために、当日の防犯カメラの録画テープを見てみることを思いつきました。ところが、ダビングに出している間に、宮下代理がテープの紛失に気づいて騒ぎになってしまったのです」

「それは知っている。あれは君だったのか。なぜ、名乗り出なかった」

諌めている口調でもなく、ただ興味から高畠は聞いたようだった。

「誰も信用できなかったからです。だから、いままでの話も申し訳ありませんが報告書も作成しませんでした」

高畠は黙っている。

「そのテープは実際には取引先の貸しビデオ屋へ預けていましたが、調査を妨害した犯人は、テープは私が鞄の中に隠し持っていると考えました。古河課長を刺した犯人の狙いは私の鞄にあったのです。古河課長が刺されたのはそれに気づいて抵抗したからで、最初から命を狙ったものではありません」

「すると、古河君を刺した犯人と、防犯テープに映っている君の調査を妨害した犯人とは同一人物だったのか」

「いえ、別人です。古河課長を刺した男は、李洋平（リー・ヨウヘイ）という男です。しかし、あとで見た防犯テープに映っていたのは別な人間、もちろん支店長もご存じの行内の人物でした」

「北川君か」

「そうです。おそらく北川副支店長は、この事件の背後にいる人間とつながりがあったんだと思います。だから警察に口を割る前に殺された」

「仮に北川君が殺されたものとして、きみは犯人の目処（めど）をつけているのかね」

「おそらく、古河課長を刺したのと同じ男だと思います」

「その、李という男か」

「ええ。ただ、李が単独で行動しているとは思えないんです」

「なんということだ」

高畠は呻いた。「誰がその李という男を操っているんだろう」

「わかりません。それに柳葉社長がなぜ仁科佐和子に送金していたのか、その理由もわからないんです。仁科もおそらくそのことは口を噤んだままでしょう」

「警察ならどうだ」

「もちろん、それも考えています。最終的には警察が動かなければどうにもならない。ところが、いまのところ坂本や北川副支店長の死と仁科佐和子とを結びつけるものがありません。融通手形も取引上の信義則にはもとりますが法律違反というわけではない。仮に商法などの違反があるにせよ、それを立証するものはまだありません」

「警察を動かすほどの証拠にはならんな、おそらく。だが、その李という男が動いているわけだろう」

「警察からは用心しろと言われてます」

皮肉をこめて私は言った。高畠は肩を揺すった。笑ったらしかった。口元は笑っているのに、目はすぐに真剣になった。

「しかし、いまの話では対策を打つといっても、なかなか難しいようだな」

「支店長が打つべき対策は別にあります」

高畠は太い眉を上げた。七三に分けた髪には白いものが混じり始めている。高畠の杯に私は冷酒を注いだ。

「支店長は、おかしいと思われませんか。なぜ、藤枝前支店長が一年ちょっとで本部に戻ったのか。東京シリコンが倒産したのはその一ヵ月後です」

高畠はじっと杯の酒を見つめたまま応えない。私は続けた。

「藤枝部長は、信越マテリアルが行き詰まることをあらかじめご存じだった。それを利用したんです」

「私が罠に嵌められたと？」

「来週でしたね。役員会議」

「そうだ」

高畠は遠くを見つめる目になり、漂白したように表情を消したが、振り返ったときには普段の温かみのある瞳になっていた。

「疲れる話だ」

「すみません」

「いや、君が悪いわけじゃない。背後はさしずめ佐伯さんあたりだろう」

私は高畠の推測の正しさに驚かされた。長く権力構造のなかで生きてきた男の独特の嗅覚だった。穏やかな人柄のどこでそんな感覚を養っているのか不思議だ。

高畠は興味深いものでも眺めるように私を見た。

「君はなぜそんなことを私に話す。たしか君は藤枝さんと同じ大学の後輩だったはずなのに」

「私は自分の考えで動いています」

「なるほど。いまどき珍しい人種だな、君は。正直いって羨ましいような、怖いような。きっとこれからもっと軽蔑すべき人間に出会うぞ、この世界では。覚悟しておいたほうがいい」

「支店長はどうなんです」

「私か。私も自分なりに戦ってきたつもりさ。正直いって、君に軽蔑されそうなこともした。ゲーム的に軽く考えることが多かったがね」

「ゲームで路頭に迷わされてはかないません」

「東京シリコンのことを言ってるのか。助けることができたはずだと」

「はい」

「手厳しいな」

　高畠は腕組みをして、宙をにらんだ。まるで六ヵ月前の午後、支店長席でそうしたような厳しい表情になった。

「私が下した判断は間違っていただろうか」

「わかりません。でも、あのあと、北川副支店長がとった行動は、明らかに間違っていたと思います」

った」

「柳葉さんには、気の毒なことをしたな。まさか、北川君があんなことをするとは思わなかった」

「もともと、信頼していたわけではないんでしょう」

言葉に詰まる。参ったな、というように口元に笑いをためる。

「どうも君には本音しか通用しないようだ」

それから不意にその笑いを消し、真剣な眼差しになった。

「君はさっき、北川君が背後にいる人物とつながりがあるから殺されたと言ったな。君の資料を隠そうとした、ということは北川君はその人物に糸をひかれていたことになる。どうやって、その人物は彼を懐に入れたんだろう」

「金、じゃないでしょうか」

私が薄々考えていたことを言うと、高畠はまさか、という顔をした。新橋にあるエトランゼという店のことを高畠は知らない。その店の資金がまっとうなところから出ているとは思えなかった。

「金の力で動かせる人間は少なくありません。そういう連中を買収するのは簡単です」

そう、あとは金を受け取ったことを逆手にとって、脅迫することもできたはずだ。将来を目指す銀行員にとって愛人の噂は命取りだ。北川のように上昇志向の強い者ほど、いったんどこかに綻びを作れば崩すのは容易いはずだ。

「買収されていたというのかね」

「新橋にエトランゼという店があります。北川副支店長が愛人にやらせている店です」

　高畠は天井を見上げた。

「あの、たわけが」

　高畠の口から罵りを聞いたのは初めてだった。それから、やおら私に向き直り質問をぶつけてきた。

「なぜ、彼を買収する必要があったんだろう」

　一つ思いついたことがあった。唐突だが、いままでの周到ともいえる相手の動きを見れば可能性のない話ではなかった。

「推測に過ぎませんが、北川副支店長は、東京シリコンの手形割引の真相についてあらかじめ承知していたはずです。買収され、東京シリコンの手形割引がスムーズに行くように監視していたということです。仁科佐和子への送金を裏でバックアップする役目だった」

「なるほど。可能性はあるな。藤枝さんもそれは見抜けなかったわけか」

「いえ。藤枝部長の思惑は別なところにあったのでしょう。この場合は利害が一致していたと言ったほうがいいかもしれません」

「つまり、知っていて見逃していたと」

　私は応えなかった。店内は賑やかで、嬌声と笑いが渦巻いている。私は高畠が考え込んでいる間、まわりで飲んでいる連中の表情を観察した。楽しそうな表情もあれば、沈み、鉛色をした瞳の持ち主もいる。弾けるような笑いもあれば、怒りに顔を赤らめ何事かを必死で主張するものもいる。これだけ大勢の人間がいながら、集団として捉えることはできない。あるのは個だ。都会特有の隔絶した感覚に、長い間かかって慣れてきた気がする。いま私の胸中には、この世の中で生きていくことの醜さ、むなしさが漂流するだけだ。

守るものが欲しい。何か。

渇望していた。想い出ではなく、現実のものとして。人生のなかで育む温かさを、私は渇望していた。

その夜、夢を見た。

死者が大勢登場する夢だ。

母がいて、ピアノの練習をする私に何か小言のようなことを言っている。坂本と曜子が遊びに来ていて、団欒のひとときを過ごしている。母の涙がすっと流れ、暖かさのある指が強く私の掌を握っている。

父がかたわらに立ち、私の耳元で何かささやいている。

「聞こえないよ、聞こえないよ」

何度も私は耳をそばだてるが、父の言葉を聞くことができない。

小さな窓から見える風景が旋回し、面影を摑もうと手を伸ばした私の目前に暗渠が横たわる。ニコルの眼鏡だ。薄暗い路地のセピア色の三角錐。

「――のせいだぞ」北川が言った。

せい？

目。ナイフのような視線。

嘘でしょ。

名前は？　名前は？

違う違う違う。何か、違う。

耳元でなま暖かい吐息を感じ、意識が戻った。堅いものがゆるく誘うように耳朶を噛んでいる。何度も、何度も。

菜緒が、不安げに私を見ていた。夢なのか、現実なのか、判別するのに時間がかかった。

「うなされてた」

「夢を見ていた」

「大丈夫よ。私はここにいる」

菜緒の白い腕が伸び、サイドテーブルに置かれたエアコンのリモコンスイッチを押した。

じっとりと汗をかきシーツを濡らしていた。死ぬかもしれないな、そんな予感めいたものすら感じる。ベッドサイドのデジタル時計が、白い文字を表示していた。午前二時。夜は感性を研ぎ澄ます。狂おしいほど敏感にする。菜緒はまた寝入ってしまったのか、動かない。エアコンから吹き出してきた風が部屋を冷やす間、私は目を閉じていた。

鼓動が激しい。私は、いま自分の精神に常駐しているものの一つが恐怖であることを否定できない。途轍もない恐怖。逃れようのない恐怖。そいつが魂をぐいと握りしめて放さないのだ。

——パパ！

ふいに脳裏に隠された別な部屋のドアが開け放たれ、恐怖にとってかわる。悲しみ。遺された子供の叫び。それが鋭い一瞥のように虚空を突き刺す。決して、もう決して届くことのない小さな祈り。帰らないものを無邪気に待ち続ける純真な心。

そして悲しみは怒りに変わる。しっかりとした方向性を持った怒りだ。

私は閉じた瞼の裏側で、……に対峙する。

形もなく、概念もないもの。あるのはただ、醜い思念のみ。まさに暗渠だ。魂の深淵、果つる底なき暗澹たるもの。それは単に価値観などという尺度で説明しうる範囲を超越している。始まりも終わりもなく、きっかけすらつかめない狂気。これ以上、こいつを生かしてはおけない。坂本のために。紗絵のために。曜子のために。菜緒のために。柳葉のために。古河のために。そして——私のために。

# 第五章　回収

## 1

朝七時過ぎ、甲州街道から環状八号線へ入った。練馬インターから関越自動車道に乗り、藤岡の分岐で長野方面へ向かうルートだ。

快晴。菜緒が入れたＦＭラジオが、梅雨明けを宣言していた。夏が到来したのだ。道はスムーズに流れた。藤岡の分岐を過ぎる辺りからさらに車の数が減って上信越道はかなり走りやすくなった。夏休みシーズンにしては渋滞らしい渋滞もない。西原のマンションを出て、二時間半ほどで長野市内に入った。

冬の間にスパイク・タイヤで削れた道路の修復作業を進めている市内を走り、難波俊造が知らせてきた長野市内のマンションを探しあてた。

各階のベランダには洗濯物や布団が干してあった。白い漆喰(しっくい)に似せたコンクリートの壁は薄汚れ、雨がつけた埃の跡がヒビのように建物全体を覆う。快晴の空にそびえる屋根には青い瓦がのっていたが、それは雲一つない空の下でくすんだ色に焼けて見えていた。

ビルの隣はセメント工場だ。コンクリートの塀越しに巨大な砂山が見え、そのパイプが複雑に入り組んでいる。工場とマンションとの間に閑散とした脇道があり、両側にぺんぺん草の生えたU字溝が埋まっていた。それに落とさないようにシビックを脇に寄せた。ちょうどマンションからさした影が車を覆っているが、念のためにフロントガラスにサンバイザーを立て、空気抜きに窓を小指ほどの幅だけ開けた。

ガラス・ドアが開け放たれた入り口をくぐると、脇に郵便箱がある。ダイヤル式の錠前のかかった七〇三号室の箱に名前は入っていない。

まっすぐ奥へ延びた通路の床は藍色のタイル張りで、薄暗く、洞窟のようにひんやりとしていた。上階に止まったままのエレベーターを降ろし、汚れの目立つクリーム色の箱の中に乗り込み「7」のボタンを押した。反応が鈍い。ごとんという音とともに扉が閉じ、さらに一拍遅れて鈍重な体を持ち上げ始めた。時々、揺れる。

「かなりね、これ」

階数を示す数字が変わっていくのを見上げながら菜緒が恐れをなして言う。扉が開くと、蒼い北アルプスの山稜が視界に飛び込んできた。遠くから運ばれてきた清涼な風が菜緒の髪を揺らす。

すぐ横が七〇七、それから四つドアを数えた。幼児の遊び場になるのか、通路にはおもちゃが転がっている。プラスチックの自動車。ピンク色の縄跳び。どこかで子供の騒ぐ声がした。

ところどころ錆の浮いた七〇三のドアに住人の表札はない。廊下側に面した部屋の窓にはカーテンも見えず、人が住んでいる気配すら感じさせない。菜緒と顔を見合わせた。菜緒が手にしていたメモと扉の数字を確認し、間違いないわね、というようにうなずく。インターホンを鳴らした。

男の短い返事があった。

菜緒が名乗る。かちっという音がしてインターホンが切れ、わずかだが足音がした。ドアが開き、五十前の男が顔を覗かせた。鍵はかかっていなかったようだ。グリーンのポロシャツにタックの入ったコットンパンツ姿は年齢に比べ若々しいが、薄汚れて膝が出ている。理知的な面立ちに、疲れと思い詰めたような表情が滲んでいた。男は菜緒を認め、それから背後に立っている私に視線を移して、小さく頭を下げた。昨日菜緒が来意を告げたとき、私も同道することは伝えてある。菜緒の友人だと説明してあった。

招き入れられ、半畳ほどのコンクリートの玄関に立つ。剝げかかったフローリングの床が延び、その向こうに居間らしい空間が見える。開け放った窓から夏の日差しに照り輝いている市街地の光景が覗いていた。部屋ではなく「空間」と感じたのは、家具らしい家具がまったくなかったからだ。絨毯もなく、焼けた畳がそのままになっている。カーテンレールの左端に、窓の丈よりも短い黄色い布が、申し訳なさそうに束ねてあった。

「どうぞ。ほんとに何もないところでお恥ずかしいのですが」

難波はかしこまった態度で言い、先に立ってその和室の六畳へ私たちを案内すると自分は座らず、「いまお茶を淹れますから」と言ってそのまま台所へ姿を消した。

部屋の中央には、いまどきテレビのホームドラマでしかお目にかかれないような卓袱台があった。テレビはない。時代遅れのダイヤル式電話が黒いコードを壁から畳へ這わせている。ベランダには洗濯物を干すためのひもが二本、それぞれ違う弛みでぶら下がり、端に二つピンチが止まっていた。ブルーとピンク。風鈴があったが、紐の下にあるべき風受けがなく白い糸がただ下がっているだけだ。エアコンもない。三十年前からタイムスリップしてきたような部屋だった。

私と菜緒は熱をもった畳の上に座り、台所のほうで食器がたてる音を聞いていた。

そこは紛れもなく破産した男の住居だった。

小さな盆に湯飲みを三つのせて、難波が戻ってきた。熱いお茶だ。冷蔵庫すら、あるか疑問だと思った。冷蔵庫がなければ冷たい麦茶というわけにはいかない。

「すみません。こんなものしかなくて」

本当に申し訳なさそうに、難波は、菜緒と私の前に青地に白い玉模様が入った平たい湯飲みを置いた。

「難波さん、どうぞお構いなく」

菜緒は言い、難波が卓袱台に座るのを待った。「ご家族の方はどうされてますか」

「妻とは先月離縁しまして、実家に戻しました。子供たちも一緒にいまは松本におります。とはいえ、妻とは実はもう五年以上も別居をしておりましたから単に法律上の問題にケリがついたという程度です。それより――」

難波は菜緒のほうに座り直し、両手を畳について深々と頭を下げた。

「たいへん申し訳ありませんでした。私の責任でこんなことになってしまって。どうか、許してください。この通りです――申し訳ありません」

額をささくれだった畳にすりつけている難波は声を詰まらせた。私のところから難波の汚れた裸足（はだし）が見えた。背中が震えていた。

「難波さん、どうぞお上げください」

しばらく難波の背中を見つめていた菜緒が、ふっと諦めたような表情になった。

「お気持ちはわかりましたから」

「ありがとう、ございます」

難波は濡れた頬を上げ、正座をした膝の上で固く拳を握った。

それから体を菜緒に向けたまま、私に向けて頭を下げた。「どうも申し訳ありません。こんなところをお見せして」

「あ、紹介が遅れましたけど、こちら私の友人で伊木さんといいます」

「難波です。いまは理由あってこんな生活をしておりますが、以前は柳葉さんに大変にお世話になりました」

「彼、その理由は知ってますから」

すると難波は、え、と顔をあげ、説明を求めるように菜緒を振り返った。

「二都銀行で東京シリコンを担当しています」

「そうでしたか。そうとは知りませんで失礼しました」

難波は体の向きを変え、私にも深々と頭を垂れた。

「難波さんにそういうお気持ちがあれば、なぜ隠れていらっしゃるんです」

まるで叱られてでもいるように難波は正座をしたまま俯き、静かに言葉を紡いだ。どこか東北地方の訛がある。

「そう言われると何も申し開きできません。半年前に信越マテリアルが行き詰まるまで、なんとか建て直そうと必死でした。金繰りを悪化させた直接的な原因は設備投資の失敗で、まったく申し開きのしようはありません。私の判断ミスです。和議になるまでの一年間に、私はその失敗を取り返そうと、ありとあらゆる努力をしてきました。最初の努力は営業の拡大に向けていました。要するに投資の失敗を回収するためには売り上げを増やせばいい、という単純な理由からです。ところがそれでは追いつかなくなって、最後には身売りまで考えなければならない事態になってしまったんです」

「二都商事さんに、ですか」

「お聞き及びですか」

「ええまあ」

聞き及んでいるなんてものじゃない。私はこの男が気の毒になった。おそらく、二都商事の思惑など何も知らなかったのだろう。それで、ただ自分は「迷惑をかけた」という一念に縛られている。急成長を遂げたベンチャー企業経営者の面影はそこになかった。

「万策尽きたとは、まさにああいうことをいうんでしょうね。すると、それまで張っていたものがぷつんと切れてしまった」

放心し、飾り気というものがいっさいない窓を見つめる。

「何もかも嫌になってしまいました。会社は私の人生そのものでしたが、和議申請した段階で私のすることはなくなりました。用済みになったのです。それはもう魂が指の間から抜け落ちていくほどの喪失感でした」

難波は自分の指先へ視線を移した。魂のかけらさえ、そこに残ってはいない。それを確かめてでもいるようだ。死んだ息子を抱いた感触を想い出そうとしている父親のような目だ。

「私の実家はもともと秋田で米作りをしていた貧乏農家でしてね、大学では親の反対を押し切って農学部ではなく工学部へ進みました。親は家業を継ぐ気がないのなら学費は出せないというので、仕方がなく新聞配達です。サークル活動もせず、女の子と遊ぶ暇も金もなく、貧乏で苦しくてね、いつか親父を見返してやる、というハングリー精神だけが唯一の支えのような学生生活でした。それからある電機メーカーの研究所に入って二十年近く研究に打ち込みました。でも、その間、研究者としての自分の地位は決して満足のいくものではありませんでした。研究所では一流大学の、しかも大学院を出た研究者しか認めてもらえません。私のような三流大の学卒はハナから相手にされず、ろくに意見も聞いてもらえないのです。この二十年間は私にとってまさに辛酸を舐めた年月でした。当然ですが、出世もしませんでした。会社を変わることも考えましたが、実状はどこの研究所でも似たようなものです。既存の大企業にいたのでは私のような男は飼い殺しにされる。そういう危機感をずっと抱きながら、そこから抜け出せる機会をうかがっていました。すみません。私事で」

難波は軽く頭を下げた。

「のちに信越マテリアルで事業化することになるアイデアを思いついたとき、私はそれを会社のために使うのはやめようと思いました。そんなことをすれば手柄は上席研究者に持ち去られ、いいように利用されるだけだということはわかっていたからです。私は会社のためにくだらない研究をするかたわら、ひそかに新たな技術開発を進めていました。その過程で、単なるアイデアは次第に確信に変わっていきました。これが半導体業界のコスト構造を一変させるほどの技術的革新（ブレーク・スルー）になると思ったとき、思い切って会社に辞表を出したのです」

難波は卓袱台に向き直り、自分で淹れた茶を一口すすった。あまり眠っていないのか表情は蒼白で、疲労の色が濃い。眼窩（がんか）の下にどす黒い窪みができていた。湯飲み茶碗を左の掌（てのひら）にのせ、右手でそれを撫でる。エアコンのない部屋は暑く、難波の額には大粒の汗が浮かんでいた。

はっ、という音が難波の喉から洩れた。笑ったのだ。嘲るように。

「しかし、考えてみれば因縁ですかねえ。ご存じかもしれませんが、半導体というのは、産業のコメといわれています。いまや電化製品のほとんどに半導体は使われている。皮肉な話ですね。米作りが嫌で農家を飛び出したバカ息子が、気がついてみるとコメを作っていたなんて」

難波は正座し、熱い湯飲みを持った手を腿（もも）に置いていた。背筋を伸ばし、眠っているかのように斜めに傾けた頭を揺らしていた。まるで老人に見える。

「仁科佐和子という方をご存じありませんか」

難波の体がぴくりとし、見上げた表情のなかで大きく目が見開かれた。瞳の奥に迷いのようなものが動いた。

「彼女が何か」

「お知り合いなんですね」

「ええ。私の、秘書でした」

「秘書?」

新宿御苑のビルで見た仁科佐和子の姿を思い浮かべた。見ようによっては、秘書にも、水商売の女にも、社長にも見える女だった。

「実は、東京シリコンから仁科さん宛にかなりの額を送金しているんです。その金は信越マテリアルが振り出した手形を二都銀行で割引して作ったものなのですが、このことは?」

「ええ、承知しています」

「何の資金だったんです」

「それは、裏金です」

「裏金?」

思わず、菜緒と顔を見合わせた。

「はい。私は、設備投資の失敗から営業を焦っていました。それまでは国内企業だけを相手にしていたのですが、それでは足りず、海外へ進出することにしたのです。その相手として選んだのが、いまや半導体生産で日本に迫る勢いのある韓国メーカーでした。私の計画では、韓国に工場を建設し、現地メーカーと取引することにより日本企業の浮沈に関係なく業績を安定的に伸ばすことができるはずでした。ところが、交渉段階になって大きな問題が出てきました。相手企業の幹部が取引額に見合う裏金を要求してきたのです。半端な額ではありません。正直、そんな金があったらこちらが欲しいぐらいで、とても出す余裕はありませんでしたが、韓国進出に社運を賭けるとまで考えていた私は、なんとかしようと思い、東京シリコンの柳葉社長に相談したんです。柳葉社長は私の考えに賛成してくれ、協力してくれることになりました」

「それで実体のない手形を振り出し、東京シリコンがそれに金融をつけたと」

「そうです」

「なぜ、自社で調達しなかったんです」

「残念ながらもう、信越マテリアルには資金を調達する力はなくなっていました。取引銀行からは追加融資どころか返済を迫られていました」

「じゃあどうして、秘書の口座に？」

「裏金を捻出するために振り出した手形は、経理部を通す正常なものではなかったのです。会社の預金口座を通すわけにはいきませんでした。それで仁科の口座を利用したのです」

話を聞いているうち、私には仁科佐和子と難波との関係がぴんときた。

「政治家ならともかく、一般企業では普通、秘書にそんなことはさせない」

「おっしゃりたいことはよくわかります。ご推察の通り、彼女は——私と特別な関係にありました。もともとは水商売をしていた女でしたが、私が自社に引っ張ったのです。バカとお思いかもしれませんが、彼女には商売のセンスというものがありました。私が悩み抜いているときにも、打開策として韓国進出を提案してくれたのは彼女です。相手幹部との交渉は実質的に彼女に任せていたほどです」

「そのために手形を発行したのは彼女ですか」

「そうです」

仁科佐和子が社長秘書という隠れ蓑の背後でどのような暗躍を見せていたのか私は理解することができた。難波は、優れた技術者ではあっても、奸智に長けた企業経営者ではなかった。難波にあるのは単なるハングリー精神と頭脳だけで、その遣い途を考える能力は欠落していたのだ。仁科佐和子の役割はそれをうまく引き出し、方向性をつけてやることだったのだろう。

「韓国進出の協力を求めるとき、難波さんの会社がどんな状況なのか、柳葉社長に説明しましたか」

「返す言葉がありません。柳葉さんには本当に申し訳ないと思っています。ただ、私は韓国進出が成功すれば、かならず業績は盛り返すものと確信していました。あとになれば笑い話で済む、そう自分にいい聞かせました。私も苦しかったんです」

難波は苦悩に喘いだ。その様子を凝視している菜緒の目が映しているのは、怒りではなく憐れみだ。

「仁科さんは、自分が信越マテリアルにいたことなど一言も話してくれませんでしたよ」

「彼女に会ったんですか」

難波は身を乗り出した。「教えてください。いま彼女はどこにいるんです。どこで何をしているんでしょうか」

私は難波の狼狽ぶりに驚かされ、信越マテリアルの行き詰まりとともに彼と仁科佐和子の関係が終わったことを悟った。

「新宿で会社をやっています」

「会社を？　なんの会社をやってるんですか」

「本当にご存じないんですか」

「知りません。和議申請して私が身も心もぼろぼろになったとき、彼女は住んでいたマンションから消えてしまったのです。それ以来、なんの連絡もありません。私も転々として、このマンションを友人から貸してもらうまでは電話も持てないような生活でした。彼女はいま何をしているんですか」

「半導体の企業を経営しています」

「はんどうたい？」

難波の唇が曖昧に言葉をたどった。はんどうたい。はんどうたい。はん、どうたい……。自らの言意（げんい）を探し求めるように、彼はしばらく黙っていた。それから、そうなんですか、と小さな声で言い、虚ろな視線を私の背後へ漂わせる。

「ところで、仁科さんには退職金はお支払いになったのですか」

難波はもの問いたげな視線を私に向けた。

「私が経営から身を引いた後のことですから詳しいことは。ただ、和議のような状況であっても、従業員の給与は優先的に支払われるはずですから、たぶん」

「支払われたと」

「そのはずです」

「立ち入ったことをお伺いしますが、秘書としての彼女の年収はどれくらいだったんですか」

「少し多目にしていましたが、それでも給料としては年間六百万円ぐらいだったはずです」

「彼女が入社して何年ぐらいになりますか」

「私が設立して二年目に彼女に出会いまして、それからですから、まだ五年くらいですか。退職金といってもそれほどの額は出ていないと思います」

難波は、幻を追うように遠くを見つめた。「彼女、元気でしたか」

「ええ」

「そうですか。それなら——」

難波はほっと息をついた。「よかった。今度彼女に会ったら伝えてください。いろいろありがとうって。夢は一瞬で終わったけど、私に夢を与えてくれたことは感謝しています」

その表情を菜緒が瞬きすら忘れて眺めていた。

「あの、難波さん。あなた――」

両手を胸の前で上げ、難波は、私の言葉を途中で遮った。

「いいんです、私は。彼女が元気でやっていれば、それで。それでいいんです。一つ教えてください。なんという会社ですか」

「テンナイン。株式会社テンナイン」

「てん、ないん、か」

懐かしい人の名を口にするようだった。「それは私にとって研究の原点ですよ。成功するといいですね。いや、今度こそ、ぜひ成功してもらいたい」

その言葉に、難波と仁科佐和子との間にあるものが単なる恋愛感情だけではないことを、察した。愛人というより、パートナーというほうが近かったのかもしれない。難波は仁科とともに夢を紡ぎだそうとしていたのだろう。

「聞いたことは？」

「ありません」

「資本金は二億円。全額を彼女が出しています」

その言葉の意味が難波にわからないわけはなかった。だが、難波は嬉しそうにうなずいただけだった。

「ところで、信越マテリアルの技術者の方をひとり紹介していただけないでしょうか。最近、あの会社の技術者が他社へ流出するケースが多くなっているというので、実態を聞いてみたいんです」

難波は目を丸くした。

「ご存じない？」

「ええ。もうマテリアルの連中とは半年ほど連絡を取っていません。和議申請後は管財人がすべてを取り仕切っていて、私は、まあいってみればA級戦犯ですからね。まさか、そんなことになっているとは知りませんでした。ちょっと失礼」

難波は、隣の部屋から薄っぺらな社員名簿をとってきた。

「技術部長に佐竹というのがおりますから、それに当たってみてはどうですか」

名簿を指でなぞり、見つけた連絡先を古い紙の切れ端に書き取って、私に手渡す。黄ばんだ新聞広告の裏側だった。難波は遠慮がちに言った。

「もし私の連絡先を聞かれたら知らないと言っていただけませんか。先ほどのご忠告はもっともですが、まだ彼らに会うだけの気持ちの整理ができないでいるのです。わがままなお願いですが、このとおりです。事実、このマンションのことは弁護士しか知らないことになっていますので」

頭を下げた難波から、私はメモを受け取った。

「わかりました。それともう一つ。李洋平（リー・ヨウヘイ）という男に心当たりはありませんか」

難波に心当たりはないようだった。

路地に出ると、シビックを覆っていた影はすっかり移動し、赤い車体が直射日光をきらきらと照り返して鎮座していた。

ドアを開け放ち、高温になった車内の空気を入れ替えた。エンジンを掛け、エアコンをフルにする。菜緒はセメント工場の壁にもたれたまま、古ぼけたマンションを見上げている。

車内の熱気がだいぶ抜けてきた。

「どうしてあんなに優しくなれるのかしら。仁科佐和子なんか庇（かば）うことないのよ」

不満そうに彼女が言った。菜緒は難波の気持ちがまったく理解できないというように浮かぬ顔をしている。

「きっと、根が優しい男なんだよ、難波という人は。あの人のハングリー精神は内面に向けられたものだ。外にじゃない――優しすぎたんだよ。ビジネスにも、女にも」

「まるで、女に優しくしすぎるとろくなことにならない、とでも言いたそうね」

菜緒は棘（とげ）のある口調で言った。「でも、今回はまさにそのとおりよ」

## 2

市街地の外れにあった難波のマンションから郊外へ向かった。東京シリコンの閉鎖した工場が次の目的地だ。長野市内から北へ抜ける道は、二十分も走るとロードサイドから商店街の並びが消えた。片側二車線、中央にコンクリートの中央分離帯を備えた白っぽい道路が続いている。

「くすねた裏金で信越マテリアルのライバル会社を設立していたなんて、恐れ入るわ。なんて女なの」

「しかし、坂本の言った『期待しないで期待してほしい』という言葉の意味がわかった。坂本のことだ、仁科佐和子について徹底的に調べて、難波の秘書だったことをつきとめたんだよ。奴は仁科に横領の事実をつきつけ、資金の返済を迫ろうとした——あるいは迫った。期待しないで、と言ったのは、横領した金の多くがテンナインという会社にすでに流れていることがわかっていたからじゃないか。これを回収するのは結構な腕っ節がいる。だけど、無理ではない」

ふとあることを考え、菜緒の横顔を見た。口にすべきかどうか迷ったが、言えなかった。菜緒の父、柳葉朔太郎の死について。菜緒はまだ割り切れない表情をフロントガラスの向こうに投げている。

「仁科と李とはどういう関係なのかしら。どこで知り合ったの」

「難波さんと会う前、仁科は水商売をしていたと言ってたけど、どうだろう」

「水商売といってもいろいろよね。ヒモのような関係かしら。だとすると、李が主導権を握っている可能性が高いんじゃない？」

仁科が李に命令されている姿などまったく想像できなかったが、それはなんとも言えない。一度会ったというだけで、私は仁科のことをそれほど知っているわけではない。李についてはさらに情報は少ない。

信号が赤に変わった。郊外に向かうにつれ交通量が減り、対向車の数も減ってきている。ふいに低いディーゼル・エンジンの音が近づいてきた。ミラーの中をタンクローリーが走ってきて、黒いラジエーター・グリルが後方の視界を埋めた。左車線は空いていた。

青。ミラーの中で、銀色の車体が威圧するように揺れ、動き出す。車線を変更した。道をゆずるつもりだった。抜いてこない。ボディを揺らして左に入ってきた。同じ車線だ。ギアが一つ落ち、黒煙が鋭い音とともに排気される。車間距離がみるみる縮まる。

心の中にぽとりと黒い染みが落ちた。

加速した。ホンダの軽快なエンジンが吹き上がり、するすると前に出る。五十キロ。制限速度一杯だ。タンクローリーはあっという間に迫ってきた。制限速度をはるかにオーバーしている。右車線に入る。ついて来た。黒い染みが大きくなった。

「どうしたの」菜緒は私の変化を微妙に察して表情を強張らせた。

「リア」親指を後ろへ振る。

アクセルを踏み込んだ。相手のスピードはそれを上回っている。急接近してくる。菜緒のひきつった顔が振り返った。

「つかまれ、来るぞ！」

重い衝撃がきた。ザッ、という音。リアウィンドウが割れ落ちた。視界が揺れ、足下でタイヤが鳴った。菜緒が短い悲鳴を呑み込み、首をすくめる。

「なんなの⁉」

衝撃のあと、数メートル間隔が開いた。百メートルほど走った。次の信号が迫っていた。青から赤に変わったところだ。菜緒の体が凍りつく。右折車線に白いセダンが一台信号待ちで止まっているのが見える。アクセル全開。小型エンジンが高回転の唸りを上げた。頭の芯が熱くなり、視界がかすむ。車窓の光景が無秩序に歪み、引きちぎられていく。

いったん引き離した。相手はそれに火を注がれたように、猛然と突進してくる。フロントグリルがぐいぐい迫る。運転席は角度が悪く見えない。

前方を横切っていた車の流れが、途切れた。信号は赤のままだ。ゆっくり三つ数えた。
3、2、1——！

ブレーキを踏み込み、スピンターンに備えた。タイヤが鳴り、たじろいだようにフロントグリルが揺れる。ディーゼル・エンジンの咆哮（ほうこう）が耳のすぐ後ろで炸裂した。左手をサイドブレーキに置いた。

賭け。

突っ込む。

サイドブレーキを引くと同時に、路面をグリップしていたタイヤが浮いた。そのとき、交差点の右側で影が動いた。全身の血がひいた。進入車だ。スカイライン。

流された。視界が歪む。焦点が合わない。菜緒の絶叫が研ぎ澄まされた刃のように耳に突き刺さった。スカイラインのリアが視界に迫った。

駄目か――！

そう思ったとき、なんとかかわして反対車線に回り込んでいた。同時に背後から強烈な衝撃音が追ってくる。私の車のものではない。車の向きをコントロールするため、逆にハンドルを回した。軽い。効いていない。フロントが回転し、ガードレールが眼前にきた。まだ流れていく。止まれ！　祈った。止まれ。止まれ。止まれ――！

その刹那（せつな）、手応えがあった。

ワンテンポ、遅い。がつん、という鈍い音とともに左サイドの後部ガラスが崩れ落ちた。横から衝撃がきて止まった。

しばらくは頭の芯が白々として言葉が出なかった。心臓が猛烈な勢いで脈を打っている。反対車線のガードレールだ。左のフェンダーに食い込んでいる。

「菜緒——菜緒」

しばらく返事がなかった。

菜緒が深呼吸するかのように大きく胸を上下させている。私を見ると、無理に笑って見せた。蒼白な表情で、焦点の合わない視線を前方に漂わせる。怪我はないようだ。

震える指でノブを引き、ドアを押し開けて外に降りた。膝が震えていた。スカイラインが歩道の向こうの畑に落ちていた。交差点にはスカイラインのものらしいタイヤと粉々に砕け散ったガラスが散乱していた。えぐりとられたフェンダーの一部が中央分離帯のコンクリートの上に転がっている。

タンクローリーの姿はすでに見えなくなっていた。菜緒が運転席側から外に出て来た。右折車線で信号待ちをしていた白いセダンがのろのろと動いて道路脇に車を停めると、顔を引きつらせた中年の男が運転席から顔を出した。

「お、おい、大丈夫だったかね」

手をあげてそれに応えた。私は交差点を横切り、畑で仰向けになっているスカイラインのほうへ歩いていった。走ろうとしているのに、足がいうことをきかなかった。

畑におり、ドアから中を覗いた。茶髪(ちゃぱつ)の若い男がいた。フロントガラスはほとんど抜け落ち、粉々になって真夏の雹（ひょう）のようにあたりに広がっている。レカロシートで宙づりになっているその男は額から血を流しながら、それでも苦労してシートベルトを外そうとしていた。ドアを引っ張った。開かなかった。男の体からシートベルトを外す作業を手伝い、割れた窓から車外へ出るのを支えた。

「大丈夫か？」

若い男は、言葉が出てこないようだった。タンクローリーが走り去った方向を呆然として目で追っている。額を切ったのか血が流れて髪を濡らしていた。強いガソリンの匂いが立ち込めている。私は肩を貸してその場から離し、沿道に座らせた。近くのガソリンスタンドから人が走ってくるのが見えた。

「ひっでえな」

土地の人だろう。白いセダンから降りた男は、タンクローリーが消えていった方向と若い男、それに黒い腹をみせているスカイラインとを交互に見ている。そのとき、腹を押さえていた若い男の体から力が抜け、路上に横たわった。

救急車のサイレンが遠くから聞こえ、私たちが立っているすぐそばまで来て止まった。

「こっちこっち」

男が叫んだ。

救急車から隊員が降り、ストレッチャーが近づいてきた。手際よく若い男を担架に乗せ、白いセダンから降りた男がそれに同乗した。私はもう一度交差点を横切り、シビックのところへ戻った。菜緒はまだそこに座っていた。

「立てるか?」

「ええ。でも、震えが止まらないのよ」

菜緒はまるで真冬の路上にいるかのように、両手で体を抱いている。

シビックはリアと左のサイドの損傷がひどい。最初の一撃を受け止めたリアはバンパーが落ちかけ、強い圧力を物語るように内側へくの字に窪んでいた。左サイドにはガードレールが食い込み、赤い塗料の欠片が地面に落下している。

自転車に乗った警官が、いつのまにかでき上がった人だかりを割って走ってきた。

私はその警官に免許証を見せ、事情を説明した。ルームミラーで見たタンクローリーの特徴を話す。ナンバープレートも、運転していた者の顔も見ていない。やがてパトカーが到着し、同じ話を二度、繰り返し、代々木警察の大庭の名前を出した。

「しっかし、これはひでえなあ。レッカー車、呼ぼっか」

現場での聴取が終わると、警官があらためてシビックを眺めた。

エンジンを掛けてみる。二、三度、セルが回り、掛かった。音を聞いた。大丈夫のようだ。ボディは惨憺たる有り様だったが、エンジンをやられなかったのは運がよかった。

サイドブレーキが引かれたままになっていた。それを下ろし、オートマチックのシフトレバーをバックに入れて静かにアクセルを踏む。ガードレールとボディがこすれ、耳障りな音をたてた。シビックのボディはガードレールに接触したまま動かなかった。強くアクセルを踏み、もう一度ハンドルを切る。

ぼこん、という鈍い音がして、外れた。

呆れた顔をして警官がその作業を見ていた。助手席のドアを菜緒が引っ張り、「だめ」というように手を横に振った。いったん、私が運転席から降り、彼女が小さなシビックの中へ体を滑り込ませた。

「悪いが、工場見学は次の機会にしてくれ」

「どこへ行くの」

「難波さんのところだ。放っておくとあの人も危ない」

シフトをドライブに入れ、アクセルを踏んだ。いつもの加速が出た。しばらく走ったが、駆動系にもとくに故障はない。

「怖いわ」

菜緒はシートにもたれかかり、血の気のない蒼ざめた顔で前方を見つめている。

「難波さん、どうするの」

「東京へ連れていこう。あのマンションで狙われたらひとたまりもない。だれが来ようとフリーパス状態だ」

「オーケイするかしら」

「わからん。説得するしかない」

再び難波の住むマンションに到着し、七階までエレベーターで上った。ドアから顔を出した難波は驚いて、どうしたんです、と聞いた。私は事情を説明した。

「私たちと一緒に、東京に来てもらえませんか。ここにいてはあなたも狙われる」

難波は穏やかな表情をしていた。

「仁科は私を殺そうとはしないでしょう」

「なぜです」

「私は仁科のことを赦(ゆる)しています」

「でも、仁科佐和子はそうは思っていないわ、きっと」

菜緒が言った。

「いいえ。わかっているはずです。彼女は私のことをよく理解しています。私がどんな人間か。いま自分を恨んでいるのか、いないのか。彼女がしたことを告発しようとするか、しないか。つまり赦すか、赦さないか。それは彼女自身、よくわかっているはずです。私たちは五年間もそうやってお互いを理解し合ってきました」

「彼女はあなたを裏切ったのよ、難波さん」

「もし、彼女が私を殺そうとするのなら、私もそれを運命だと思って諦めますよ。でも、仁科佐和子はそんな女ではありません」

　私は、仁科の深い泉のような瞳を思い出していた。難波は仁科の魔力に幻惑されているのか、あるいは真実を突いているのか。いずれにせよ、説得するのは無理のようだった。

「お心遣いは本当にありがたく頂戴しておきます。バカな奴だと思われるでしょうが、私はいまでも仁科のことを信用しています。彼女は、金のために人を殺すほど性根の腐った女ではありません」

「でも、実際にもう——」

　反論しようとした菜緒を制し、首を振った。

「わかりました。余計なことを申し上げたようです。行こう。これは難波さんと仁科の問題のようだ」

　難波はその言葉に微笑んだ。

　私たちは難波のマンションを出て、廃車寸前のシビックに戻った。

「いったい、あの人どうなっちゃってるの」

　憤然として、菜緒は助手席で頬を膨らませた。

「仁科は、難波さんにとって本当に必要な人だったんだろう。仁科にとってもそうだった。所詮、他人が口を挟む問題じゃなかったのかもしれん」

「じゃあ、なんで仁科は難波さんを捨てたの」

「難波のビジネスに魅力がなくなったからじゃないだろうか」ふとそんな気がした。

「金の切れ目が縁の切れ目だってことじゃないの」

「金だけじゃない。仁科佐和子も半導体にとり憑かれた一人だってことさ。たしかに難波さんは技術力はあっただろう。だけど、ベンチャー精神というか、商才というようなものは彼にはあまり感じられない。仁科が去ったのは、信越マテリアルに夢がなくなったからじゃないかと思う」

私はキーを回し、シビックのエンジンを掛けた。

「仁科は難波さんと一緒にシリコン・サイクルをコントロールする日を夢見ていたんだよ、きっと。いまは別会社をこしらえてその夢を追いかけてるわけだ」

「そのために人まで殺すような女よ」

「本当にそうだろうか」

「どういうこと?」

私は応えなかった。何か、そう、何かが違うのだ。

「技術力のあるベンチャー企業なんてこの世の中にごまんとある。だが、そのなかで成功するのはほんの一握りだ。テンナインがあれだけの成長を遂げている背景には、何かあるはずだ。仁科一人であれだけのことができたとは思えない。それに技術者が引き抜かれてるって話も気になる。引き抜きというと簡単そうに聞こえるが、和議になっても信越マテリアルには実績がある。それを捨てて、設立して半年に満たないような新興企業に移るからにはそれなりの理由があるはずだ。そう思わないか」

菜緒は不機嫌な表情のまま肩をすくめた。

リアと左後方の窓が割れて、エアコンはほとんど効かなかった。スイッチを切り、運転席の窓を下ろし、風を取り込んだ。

最初に見つけた公衆電話ボックスの脇で車を停め、難波からもらったメモの番号に掛けてみた。

電話会社のメッセージが流れてきた。移転の知らせだ。

私はその後に続く十桁の番号を暗記した。

〇四四で始まる番号。川崎だ。今度は相手が出た。

「佐竹でございます」

女性の声だった。名前を言い、難波の紹介で電話をしていることを告げた。

「ああ、難波さんの」

相手は一応納得したが、少し躊躇いがちな響きが言外にこもっている。

「孝治さんはいらっしゃいますか」

佐竹孝治。信越マテリアルの技術部長だ。しばらくして本人が電話口に出た。

「私、二都銀行渋谷支店の伊木と申します。佐竹さんにお話を伺いたいのですが」

相手は束の間沈黙し、ぶっきらぼうな返事をした。「なんの用件です」

「信越マテリアルに関係したことですが、ちょっと電話では。お時間をいただくわけにはいきませんか」

「あのね、せっかくだけど、私はその会社をもう退職したんだ」

川崎と知ったとき、その答えはある程度は予測していた。

「いまはどちらの会社へいらっしゃってるんですか」

「そんなこと、お宅に関係ないでしょう」

「テンナインですか」

相手は口籠もった。テンナインの研究所は川崎市川崎区にある。

「いいでしょう。どこだって」

「実はお伺いしようと思ったのはそのことです」

「どういうことですか」

「信越マテリアルからテンナインへ人材が流出していると聞きまして。二都銀行は信越マテリアルにかなり債権があります。私はその担当なのですが、技術者の流出は債権回収に重大な影響が出てくる可能性がある。無関心ではいられない問題なんです」

相手は黙って聞いている。「信越マテリアルの今後の見通しについて聞かせていただけませんか。佐竹さんもテンナインを選ばれたからには、それなりに考えがあってのことでしょう。それを聞かせてくださいませんか」

「そんな話には興味はありませんね」

冷たく佐竹は言った。「難波さんに頼まれたんじゃないの、あんた」

「何を、頼まれるんですか」

「信越マテリアルに戻れって」

「難波さんは、佐竹さんのことを信越マテリアルの技術部長として私に紹介してくれたんです。いろいろ教えてくれるはずだと言って。長野市内の電話番号に掛けたら、こちらの番号を案内していたのでこうしてご連絡をしたわけなんです。とくに他意はありません」

「しかし、人事のことだからね。そんなに話すことなどないよ」

佐竹は、難波による引き留め工作だと本気で心配していたようだ。その疑いが晴れて少し態度が軟化してきた。

「参考にさせていただくだけです。お手間はとらせませんので、少しだけ時間を頂戴できませんか。そちらにお伺いしますから。ご住所は川崎ですか」

「まあ、そうだけど。私の自宅に来られるのはちょっと」

警戒して、佐竹は言った。私のことをまだ信用していない。もっとも、信用されるとも思っていない。

「それじゃあ、最寄り駅の喫茶店で結構です。よろしくお願いします」

「それなら、いいけど」

　折れた。

「これからでは？」

　佐竹が逆に提案した。嫌なことは早く済ませるタイプらしい。

「実はいま長野市内から電話をしているんです」

　そう言うと相手は、ああ、と曖昧な反応を示した。「車ですか」

「そうです。これからすぐにインターへ向かいますが。遅めでも構いませんでしょうか」

「まあ、僕は構わない。そこから東京までだと三時間はみておかないと。八時に、東急東横線の武蔵小杉駅へ来られますか」

「わかりました」

　五十度数のテレフォンカードが十から九へ変わるところだった。

　車に戻ると菜緒が地図を開いて待っていた。

「ここから近いの？」

「川崎だ」

「はあ？」

　口を開けた彼女の顔を見た。「テンナインに引き抜かれてた」

「技術部長なんでしょう、この人？」

「ああ、ここまで徹底して人材を引き抜くなんて、たいしたもんだ」

菜緒は真顔でうなずいた。


佐竹は長野から三時間と言ったが、実際には四時間近くかかった。

マンションの地下駐車場へシビックを入れ、ようやく車外へ出て折れ曲がった体を伸ばしたとき、夕方六時を過ぎていた。途中、渋滞にはまったために、車の排気と汗で全身薄汚れている。菜緒が運転席側から出るのを手伝い、さすがに疲れを感じながらマンションのエレベーターに乗り込んだ。

「サキ」

ピアノの上にいた黒猫がするりと床におり、しなやかな足取りで近づいてくる。菜緒の体に染みついた排気ガスの匂いに不満げに鳴いた。

「シャワー浴びたい」

菜緒が言ったとき、インターホンが鳴った。顔を見合わせた。出ないでおこうかとも思ったが、思い直した。

部屋に入るなり、大庭は菜緒がそこにいるのを見て少し驚いた顔をした。私の部屋に女性がいるのが相当意外なようだった。しかも、彼らが疑っていた曜子ではない。大庭に続いてきた滝川は、相変わらず感情のこもらない目を、それでも丸くして菜緒と私の顔を見比べた。

「これはどうも。お取り込み中でしたか」

いいぐさがおかしかったので思わず笑った。「別に取り込み中というわけではありませんから、ご遠慮なく」

二人をいつものソファへ案内した。菜緒が台所に立って湯を沸かし始める。長いドライブのあとで、ひどくコーヒーが飲みたい気分だった。

「ちょうど、いま帰ってきたところです。部屋の空気の入れ替えをしたいんですが、いいですか」

「どうぞどうぞ」

私はカーテンを開け、ベランダのサッシを開けた。エアコンの室外機があるだけの殺風景なベランダが妙に懐かしく感じられた。

「長野県警から連絡がありましてね。事故にあわれたようで」

私がソファに戻るのを待って大庭が言った。事故、という言葉は適当ではないが、それは同時にあのタンクローリーを運転していた人物がまだ捕まっていないことも説明していた。

「何かわかったんですか」

「ええ。タンクローリーは現場から十キロほど離れた場所にある自動車整備工場から盗まれたものだそうです。その後、道路脇に乗り捨てられているのが発見されたようですが、運転していた者は見つかっていません」

大庭は私を見た。肝心なことを聞く真剣な表情だ。「よく思い出してくださいよ。運転していたのは、李洋平（リー・ヨウヘイ）、でしたか」

「わかりません。見えなかったんです。ですが、事故ではなく、あきらかに意図的なものでした。猛スピードで追突してきたんです」

「なるほど。それで若者が一人、死んだというわけですか」

私は、はっとなって大庭を見つめた。

「本当ですか。あの、スカイラインに乗っていた？」

言ってから、スカイラインに乗っていたかどうか、大庭は知らないはずだと気づいたが、大庭の代わりに滝川が持っていたボードのページをめくり、そこに書きつけた情報を読んだ。

「長野県警からの情報ですが、内臓破裂で病院に運ばれたとき危篤状態でした。さっき連絡がありました。十八時十一分、お亡くなりになりました」

「そうですか」

菜緒がキッチンの向こうから啞然とした眼差しを向けている。

「伊木さん、あなた今日なんのために長野へいらしたんです。それを聞かせてください」

大庭は鋭い視線で私を見た。

# 3

七時前、スーツに着替え、疲れた様子の菜緒を残して信越マテリアルの元技術部長に会うためにマンションを出た。薄暮のなかを、幡ヶ谷駅まで歩く。新宿経由で渋谷へ出た。通勤ルートと同じだ。約束した武蔵小杉駅は、東急東横線の急行に乗って十五分ほどかかる。乗り継ぎがうまくいき、七時四十五分には、武蔵小杉駅のロータリー側の改札に私は立っていた。駅に電車が停まるたびに、かなりの乗客が改札から吐き出されていく。駅前のロータリーでは頻繁にバスが発着している。等々力(とどろき)競技場でサッカーの試合があったのか、グリーンのペイントを顔に施した集団が大勢歩いていた。私はといえば、土曜日だというのにスーツ姿で、脇にいつもの手帳を一冊抱えている。李(リー)に奪われて以来、新しいカバンを買う暇さえない。待ち合わせをしている人は他にもいたが、スーツ姿というのは私だけで、佐竹にもすぐにわかるはずだ。

「伊木さん……？」

八時になろうかというとき、青白い顔をした痩せた男が近づいてきて私に声を掛けた。紺のダンガリーシャツにジーンズ。裸足でサンダルを突っかけ、短髪に黒縁の眼鏡をかけていた。

「佐竹さんですか」

ひょい、と男は頭を下げた。時間には正確な男らしい。それから私の格好を見て、「休みなのに大変ですね」と言った。

佐竹はロータリーに降り、駅の横にあるホテルの喫茶ルームへ私を案内した。壁際のテーブルにつき、コーヒーを二つ注文してから、私は名刺を出してあらためて自己紹介した。

「二都銀行の伊木と申します。お休みのところわざわざご足労いただきましてありがとうございました」

いえいえ、というように男は顔の前で右手を振った。

「電話では失礼しました。てっきり前の会社からの引き留め工作か何かかと勘違いしました」

「まだ会社を変わられてそれほど？」

「ええ。半月ほどです」

「そうでしたか。ご存じかどうかわかりませんが、実は私どもの銀行では信越マテリアルさんに数億円の債権があるんです。今回の和議にも賛成させていただいたわけですが、肝心の技術者の方がかなり流出しているという話を聞きまして、危機感を強めているわけなんです」

もっともらしく私は説明した。債権額は実際よりも多く言った。

「それにしても、佐竹さんご自身が退職されたとは知りませんでした」

「私もだいぶ悩んだんですが、やはり将来性を考えると和議会社にいても仕方がありませんしねえ」

「新しく入社されたのはテンナインという会社ですね」

「そうです」

「ほとんどの方がその会社へ引き抜かれているようですが。本当ですか」

「ええ、事実です」

佐竹は少しはにかんだような表情を見せた。コーヒーが運ばれてきたが、手をつけようとはしない。

「仁科佐和子さんという方はご存じですか」

テーブルの一端を見ていた佐竹の視線が動いた。表情に逡巡のようなものが現われたが、すぐに消えた。

「ええ、知っています」

「以前から？」

「はい」

「どういう方ですか」

「難波社長の秘書でした」

「どんな性格の人ですか」

佐竹は困ったように顔をしかめた。「まあ、なんというか、商売っ気の強い人ですね」

「聞くところによると、いまはテンナインの社長をつとめていらっしゃるとか」

佐竹は黙って私を見つめた。軽い不審の念が瞳に浮かんだ。

「ご存じだったんですか」

「ええ。佐竹さん、信越マテリアルからテンナインへお移りになった理由はなんですか」

佐竹は困惑顔で腕組みした。私と会ったことを後悔し始めているようだった。角張った顔の中で生真面目そうな瞳を落ち着かなげに動かしている。

「まあ、いろいろ考えていまの会社のほうが将来性があると判断したんです」

「条件的なことは、どうなんですか。給料、福利厚生、待遇――」

「正直言って、いまのテンナインがそれほどいいわけではありません。ただ、将来性はあると思います。事実、伸びていますし」

誇らしげな調子が若干混じる。あるいはそうやって自分を納得させようとしているのかもしれない。

「仁科さんとは信越マテリアル時代から親しく付き合っておられた？」

「いいえ」

佐竹は否定した。「あの人――社長は、難波さんにべったりという感じでね」

「べったりというのは？」

「まあ。なんていうか、個人秘書みたいなね」佐竹は言葉を濁す。

「愛人のような、ですか」

佐竹は言いにくそうに表情を歪めただけだった。

「ご存じだったわけですね、それを」

「いえ、はっきりとそうだとは」

佐竹は断定を避け、逃れるようにコーヒーに手を伸ばした。私は話題を変えた。

「何人ぐらいの方が信越マテリアルからテンナインへ移籍されたんですか」

「私を入れて、十人です」

「主だった方はほとんど移籍したわけですか。すると、技術的に見て、信越マテリアルの将来は明るいものではないと」

渋い表情で佐竹は認めた。「ま、そういうことに、なりますかね」

「そういう方たちは、どうやってテンナインという会社を知り、移って行かれたんですか」

「なにぶん、人事のことですから」

「佐竹さんはどうですか。ご自分からテンナインへ移ろうと決心されたわけですか」

「まあそういうわけじゃありませんが」

「誰かに誘われたと」

佐竹は迷っている。私は、いかにも技術屋らしい神経質な表情の向こう側にあるものを探ろうとした。

「まあ、そうですね」

曖昧な返事。だが、聞きたいのは、まさにその部分だった。「どなたからのお誘いですか？」

返事はない。

「仁科佐和子さんからですか」

返事なし。違う。

「それは言えない約束になっているので」

「あなたに移籍を持ちかけた人との約束ですか」

「まあ、そんなところです」

目を逸らして佐竹は指先でたばこを弄ぶ。

「移籍に際して準備金の支払いはありましたか」

「それは銀行さんには関係ないことですよね」

「関係あるんです」

はっきり言った。隣のテーブルに座っているカップルがこちらを振り返った。佐竹は、憚るように座り直した。「どういう関係？」

「ご存じないようなので、はっきり申し上げます。信越マテリアルから、巨額の資金を横領した者がいます。それがどのように流れたかここで申し上げるわけにいきませんが、あなたに支払われた移籍金がその一部で賄われているのはまず間違いありません。ですから、近日中に返還請求をするかもしれません。もちろん、請求するのは私たち債権者です」

返還請求云々ははったりだったが、効果は十分だった。

佐竹は口を開きかけたが、驚きで声が出ない。

「ここだけの話ですが、いずれ警察からも参考人として聴取を受けることになると思ってください。私どもとしては、民事裁判も検討していますが、時間や費用のことを考えると、できれば話し合いで解決したいというのが本音です。そうでなければ、佐竹さんにも出廷の上、証言していただくことになるでしょう。もし、裁判になれば、ですが」

裁判という言葉に佐竹は取り乱した。

「裁判——？　冗談じゃないよ、私たちはそんなことは知らなかったんだ。いわゆる善意の第三者だぞ、君。それを返せと言うのかね。退職金だって規定ぎりぎりしか出ないし、長野からこっちに越してくるだけでも大変だったんだ。それをいまさら返せって言われても困るよ」

「それは私ではなく法廷で決めることです」

「裁判だなんて」

佐竹は虫歯でも痛むような顔で懊悩(おうのう)する。

「この件について、その方からはなんのお話もありませんでしたか」

「もちろん」

語気を強める。その目を見ながら、もう一度聞いた。

「誰なんです」

「それは……」

「民事に訴えたところで、お互い時間と労力がかかるだけです。隠しておかれても、なんのメリットもない。いずれわかることなのに、それを法廷でやるとなると面倒なことになる」

「しかし、私の口から洩れたとなると」

「佐竹さんからお伺いしたということは絶対に口外しません。それはお約束いたします」

佐竹は、迷っている。

落ち着かなげに二本目のたばこに点火した。

私は待つことにした。

「本当に口外しないと約束できるんですか」

案の定、佐竹の決断は早かった。

「もちろんです」

「それならいいが。ただ、面倒なことに巻き込まれるのはごめんだからね」

「わかっています。私どもも面倒なことは避けたいと思っているから、こうしてお会いしたんです」

佐竹はコップの水を飲んだ。

「そうだよね。でも、名前を言ってもあんたの知らない人だと思うよ」

手帳を開き、佐竹の言葉を待つ。

「名前だけじゃなくて、所属とかもわかっているんですか。会社名とか、役職とか」

「もちろん、わかってる。だから私も信じたんだ」

「誰なんです？」

佐竹は、一人の男の名前を私に告げた。メモをとる必要はなかった。

4

東横線で渋谷まで戻り、駅前からタクシーに乗った。土曜のタクシー乗り場に乗車待ちの列はなかった。渋谷駅南口から旧山手通りを通り、東大駒場キャンパスの脇から代々木上原へ抜ける。渋滞する時間帯ではない。

ドアを開けた菜緒の、表情が怯えきっていた。

「どうした？」

「さっき、警察から連絡があった」

「警察から？」

菜緒はうなずいた。その胸にサキを抱いている。「難波さん、亡くなった。マンションから飛び降りた」

菜緒の瞳に涙が溢れてきた。

「私、怖い。怖いのよ。難波さん、自殺なんかしない。ねえ、そう思わない？　きっと誰かが突き落としたのよ。そうに決まっている。どうして、そんなひどいこと」

私は震えている菜緒を抱きしめた。

「誰から電話があった」

「大庭さんっていう人。さっき来た人だって言ったわ。あなたはって聞かれたから、用事で出掛けてるって言ったの。そしたら、伝えてほしいって。君たちが会いに行った難波という人が夕方マンションの一階で死んでるのが見つかったって」

私は壁に掛かっている時計が九時半になろうとしているのを見届けた。あいつだ。李洋平（リー・ヨウヘイ）。もう東京に戻ってきているに違いない。

来る――。

あいつは必ず、ここに来る。

菜緒を抱きしめている私の背筋に冷たいものが走った。突然、菜緒は体を離して悲痛な表情で私を見つめた。

「教えて。父は本当に自殺だったの？　遥、そのこと、もう知ってるんでしょ」

「自殺するような弱い人ではなかった、柳葉朔太郎は」

菜緒の瞳にたまっていたものがはらりと落ちた。私の腕の中に泣き崩れ、嗚咽とともに菜緒はその小さな背中を震わせた。彼女が落ち着くまで、その体を抱きしめていた。

「出掛けてくる」

腕の中の体が強ばった。私を見上げ、怯えたような目になる。

「どこ行くの」

「仁科佐和子のところだ」

菜緒をソファに座らせ、隣室のデスクにあったテンナインの資料で彼女の自宅住所を確認した。麻布十番。車なら二十分もかからない。

「私も行く」

「いや、君は来ないほうがいい」

「危険だわ」

「もう時間がない。決着をつけなきゃいけないんだ」

私は菜緒の肩に手を置いた。「仁科佐和子と話をするだけだ。債権回収さ。手荒なことにはならない」

「警察からまた電話が掛かってくるかもしれないわ。なんて言えばいい？」

「李が東京に戻ってると伝えてくれ」

「わかった」

マンションを出て、地下駐車場に入った。スロープを下ると、向こうの壁際に、夕方、戻ってきたときのままの無惨な姿で、シビックは蹲っている。私は立ち止まって気配をうかがった。李が狙うにはちょうどいい場所だ。そのとき、ヘッドライトを点けたベンツが一台スロープを下ってきた。ライトの強い光が私を照射する。どうやらまだ運があるようだった。ベンツは、シビックの斜め向かいの駐車スペースへ入り始めた。ネクタイを締めた初老の男と、まだ若い女が二人で乗っている。

私は足早にシビックまで歩くと、ガラスの抜けたリアを確認し、イグニッション・キーを回した。ベンツから降りたマンションの住人は、私のシビックを呆れた表情で見ている。私はその二人に軽く会釈をし、スロープを駆け上がるとウィークエンドの夜の街へ走り出た。

原宿から青山通りへ出る道路は空いていた。平日に比べるとタクシーなどの業務用車の割合が少ない。私は表参道を直進し、両側に暗澹たる闇を降ろしている青山霊園に入ると、見通しのいい道路脇に寄せてエンジンを切った。赤いコルベットと、黒か紺のBMWが先を競うように走り抜けていった。一分待った。今度は五台。国産のセダンが三台とランドローバー、最後はブルーバードだった。車をやり過ごし、ずっとルームミラーを見ていた。つけてきているものはいない。私は再び、車線にシビックを出した。突き当たった信号を右折。六本木トンネルを抜け、いくつかの交差点をやり過ごした後、右のウィンカーを出した。

車載しているロードマップで麻布十番の二丁目を探し、あとはゆっくり車を走らせながら目的の住所を探した。ガソリンスタンドのちょうど裏手辺りに、赤い煉瓦造りのマンションを探し当てた。高級には違いないだろうが、「超」がつくほどではない。仁科佐和子の自宅はその六階だった。

オーク材のドアを入ると左の壁にインターホンがあった。0から9までのボタンが並んでいる。6、0、1。続けて「通話」ボタンを押した。

女の声が出るまで数秒の時間があった。

「二都銀行の伊木と申します。ちょっとお話がしたいのですが」

「銀行？　なんですか、こんな時間に」

声に驚きと苛立ちが混じった。「お引き取りください」

「あなたの横領の件です。それでも帰れとおっしゃるんですか」

「なんのことです。警察を呼びますよ」仁科は息巻く。

「どうぞ呼んでください。そのほうが好都合だ。開けていただけないのなら、私が警察を呼びましょうか」

ドアでかちっという音がした。ロックが外れたのだ。

ホールの右手に一基あるエレベーターに乗った。内装に飾り細工を施した扉が閉まり、モーターの音とともに私を上階へと運ぶ。

ドアが開いた。用心して、「開く」のボタンをしばらく押し続けてみる。何も起こらない。気配もなかった。私はエレベーターの外の通路に出た。マンション内はしんと静まり返り、桜田通り辺りの騒音もほとんど聞こえない。部屋番号を確認し、入り口脇にあるインターホンのベルを押したのとドアが開いたのは、ほぼ同時だった。

仁科佐和子が不機嫌な表情で私の前に立ちはだかっていた。ライトブルーのパンツにノースリーブの白いシャツというくつろいだ格好とは裏腹な、激しい気性を剝き出しにしていた。

「二度と来ないでって言ったでしょう」

仁科は気分屋の女王様を彷彿させる剣幕で言った。

「あなたはこう言った。二度とくだらない用事で来ないでってね。くだらない用事かどうか、あなた自身が一番よくご存じのはずだ」

深い瞳の奥で怒りが滾った。ショートカットを後ろに流し、耳には大粒のパール・ピアスが揺れていた。

「入んなさい」

命令口調で言うと、仁科はさっと踵を返して奥へ消えた。

私は玄関で革靴を脱ぎ、広い玄関から続きの部屋へ向かった。ホールの突き当たりにガラスのドアがあり、床が一段下がっている。開けると、ゆったりとしたリビングになっていた。手前にはエキゾチックなラグの上に木製のローテーブル、シェルタイプのラブソファと三人掛けソファがそれを囲んでいる。コーナーにはステンドグラスをあしらった小振りのスタンドが灯っていた。窓にはグリーンのカーテン。その向こうには、ダイニング・テーブル。突き当たりの右側がキッチンになっている。豪勢な部屋だ。

仁科は腕を組み、ソファのかたわらに立って私を待っていた。

「座んなさいよ」

三人掛けのソファのほうへとがった顎を乱暴にしゃくった。私が腰掛けるのを待って、仁科ははす向かいのシェル・ソファで足を組んだ。

「もうすべてわかっていますから、妙な隠し立てはやめませんか、仁科さん」

仁科の精一杯強がった表情に、わずかな恐怖が入り混じった。

「なんのことよ」

「私がなぜ、ここに来たかおわかりになりますね」

「わからないわね」

仁科はまっすぐに私を見て、挑戦的に言った。

「じゃあ、教えてあげましょう。あなたが信越マテリアルから横領した数億円の金を返してもらうためです。いや、信越マテリアルから横領したという言葉にはやや語弊がありますね。もっと正確にいうなら信越マテリアルの難波さんを利用して東京シリコンの柳葉社長から騙し取った金です」

仁科はあっけにとられたように私の顔を見たが、すぐに思い当たったようだった。

「あの振り込みのこと、言ってるの？　だったら騙し取ったなんて人聞きの悪いこと言わないで。あれはね、海外進出のために使ったのよ」

「それじゃあ、お伺いしますが、会社を設立した金はどこから出てきたんですか」

「あなたには関係ないでしょう、そんなこと。私はチャンスを摑んだ。ただそれだけ。あなたに何がわかるっていうの」

「私は会社設立の金はどこから出てきたのかと聞いてるんです、仁科さん」

「関係ないって言ってるのよ、私は」

睨みあった。

「何人死んだと思ってるんですか」

静かに言った。

「なに？」

「何人、死んだと思ってるんです。たしかにあなたにとってはチャンスだった。事実、難波さんはあなたを赦していた。だけど、他の人はどうなる」

「難波が私を赦すってどういうことよ」

「あなたの不正をですよ、仁科さん。もういい加減しらを切るのをやめませんか」

「なんのこと言ってるの、あなた」

私は彼女の瞳の底を見つめた。彼女がもう一度、今度は低い声で言った。

「死んだって、どういうことよ」

その目を直視した。深い瞳だ。何がある？　怒り、戸惑い、怯え、誇り、そして、混乱
——。

彼女は、嘘をついていない。

その直感に、私は動揺した。方向性を持っていたはずの思考が迷走する。この事件における彼女の役割はなんだったのか。それがわからなくなっている。仁科の視線に射られたまま、猛烈な勢いで頭を回転させた。仮説を組み立て直す。手からすり抜けていった真実をたぐりよせようと、もがく。

「柳葉社長が亡くなったことはご存じですね」

仁科の瞳の中に、また一つ、新しい成分が加わった。——驚き。

「柳葉さんが？　いいえ、知らないわ」

「あなたが柳葉社長に最後に会ったのはいつです」

「会社を設立した一ヵ月ぐらい後よ。いきなり血相を変えて私の会社に押し掛けてきたわ」

「どんな話をしたんですか」

「あなたと同じようなことよ。金を返してくれって」

「で、あなたは」

「追い返したわ。なんで私が返さなきゃいけないの。別に着服したわけでもないのに」

「仁科さん、あなたが会社を設立された資金は、他の人から借りたんじゃないんですか？　そのことを柳葉さんにも話した？」

仁科は、黙って私を見ていたが、そうよ、と呟いた。

「だからなんなの？　その通りよ。私は人からお金を借りてテンナインという会社を設立したわけ。それが何か法律に触れるんですか」

「誰から借りたのか、話しましたか。あなたが誰の支援を得て会社を設立することができたのか、話しましたか？」

「話したわよ。それがなんなの。もう、いい加減にしてよ」

仁科佐和子は癇癪を起こしかけ、凄い形相で私を睨んだ。

「誰なんです。あなたの背後にいるのは——？」

不意に仁科の視線が動いた。振り返ろうとしたとき、後頭部に衝撃が走った。

床に吹き飛んでいた。ローテーブルの足が私の鼻先に屹立している。激痛に視界が霞んだ。口の中に血の味が広がる。鼻に水が入ったときのようなつんとする痛みがあった。

「妙なところで会ったな、伊木君」

頭上で声がした。のんびりとして余裕のある口調だ。ソファを回り込み、ゆっくり私に近づいた人物は、哀れなものでも見下ろすように私の前に立つ。近くには来ない。一メートルほど距離を保っている。

いつもの爽快な笑顔はそこにない。

「お前か、山崎——！」

「銀行員の悪いところは人の金に興味を持ちすぎるところだ。長生きできない所以だ」

起きあがろうとした。山崎は足を蹴り上げた。

腹に入った。強烈な一撃に、折れ曲がる。ラグが敷かれた床から外れ、フローリングのひやりとした感覚が頬に伝わった。息が止まった。

「坂本を——殺した、のも、お前、か」

声がかすれた。途切れた言葉が山崎に伝わったか、それはわからない。応えの代わりに二発目が腹に入った。苦いものがこみあげる。吐くほどのものは胃に入っていない。

「やめて。死んじゃうわ」

仁科の切迫した声がした。山崎の応えはない。私には耳の奥から鼓動を打つ音だけが聞こえてくる。痛みが全身から力を奪いとっていく。

「この期に及んでもまだ友達のことが気になるか。あの男は知らなくていいことまで知ろうとした。おかげで私の事業計画が台無しになるところだった。私の壮大な夢がね。死んで当然だったのだ」

「夢だと――バカな。ただの世迷い言じゃないか」

自分の声だというのに、その問いははるか遠くから聞こえる。

「これだ」

山崎があきれたように両手をあげるのが見えた。「君たち銀行屋はいつもそうだ。計画を話すとあれこれケチばかりつける。そのくせ成功すると揉み手で近づいてきて要りもしない金を借りてくれとうるさいほどだ。精一杯の愛想笑いを浮かべてな。君たちに見えるのは過ぎ去ったことだけだ。だが私は違う。私には未来が見える。それだけじゃない、実際に未来を作ることができるんだ、この手でな」

「違うぞ、山崎。俺たち銀行屋が過去に目を向けるのは、そこに将来があるからだ。もしお前に将来を作る能力があるのなら、この現実はなんだ。この状況を作ったのは、過去におけるお前自身じゃないのか。妄想なんだよ、山崎。お前は現実を信じたくないだけだ。そうやって現実から逃避しているだけなんだ。お前のは将来を創造するビジョンじゃない。ただの妄想に過ぎないんだ」

山崎は嗤ったようだった。

「ふん、なんとでも言えばいい。殺す必要があれば何人でも殺す。君も含めてな。私は、このビジネスで夢を実現するのだ。そのためにすべてをこれに賭けた。わかるかね、決して後戻りのできない賭けだよ。ブタ箱に入るか、半導体業界に君臨するか、二つに一つ。横領？　殺人？　いいだろう、なんだってやるさ。ブタ箱に入るくらいならいっそ死んだほうがましだからね。いまの私から仕事を奪ったら何も残りはしないさ」

山崎の足が動いた。全身に力を込めた。蹴られたのは最初と同じ右の腹だった。強烈だったが構えた分だけ、痛みは少なかった。転がる。仁科のスリッパを履いた足が見え、それが怯えたようにあとずさった。

「それで柳葉社長まで殺したのか」

山崎は肩をすくめて見せた。「あの男は勘のいい男でね。それにちょっと調子にのる癖がある。君の同僚の坂本という男は頭がよすぎたよ。なかなか鋭い男だった、君と違ってね。私は君のことが嫌いではないよ。その単純なところがいい。なかなかのナイスガイだ。君には相手にこびるようなところがまったくない。組織のなかで生きている人間にしては珍しいタイプだ。殺すのは惜しいが仕方がない。私を恨むな。悪いのは君なんだ。警告を無視したんだからな。君は殺されると知っていながら私の邪魔をした。走っているトラックの前に飛び出したんだ」

「難波まで殺す必要はなかった」

口の中に広がる血の臭いを嗅ぎながら言った。ひゅっという音を立てたのは仁科佐和子だった。悲鳴を手で押し殺したのだ。

「なぜ殺した。あの人はもう関係なかったはずだ」

「そうかな。いまおとなしくしていても、そのうち気が変われば妙なことを喚(わめ)いてしゃしゃり出てくる。人間というのは欲をかく。そういう連中を私は死ぬほど見てきた。そうなる前に始末した、それだけのことだ。リスクはできるだけ事前に回避するのがビジネスの鉄則だからね。君も私にとっては大きなリスクだ」

手を動かすと、冷たいものが触れた。アイボリーの円柱が床から天井へ伸びていた。ほんとに洒落た部屋だ——そんなどうでもいい感想が頭に浮かんだ。それに凭(もた)れながら、なんとか両脚に力を入れた。ふと、郵便受けの蜂を思い出した。翅(はね)を毟(むし)られ床を這っていた。途絶えそうになる命にしがみつき、最期のときまで何かに向かって這っていた。

毟られるか。

山崎は間合いを詰めた。体の動きは素早い。拳が腹に来た。体ごと持ち上がるような一発だった。酸欠状態になる。頭が下がった。崩れる。崩れそうになる。山崎がそれを待っている。

毟られるのか——。

両膝が曲がる。時は細い砂へ吸い込まれていく。惜しげもなく。流砂の一粒一粒は音もなく。この瞬間(とき)。また瞬間。瞬間。瞬間。瞬間。耳鳴りが体の奥のほうで重なっている。潮騒(しおさい)

のような音だ。飛行機の窓。四角い町は四十五度に傾いて。泣くな。泣くなよ。お父さんと二人で生きていこう。お母さんの分も。な、な。

膝に全神経を集中してなんとか立とうとする。

つかめない、伸ばしても。届かない、叫んでも。それが絶対的な別れなら。誰のせい？

——これは貸しだ。貸しだ。貸しだ。か、し、だ。わかったよ。わかったって。「パパ！」もう、たくさんだ。「このぬいぐるみ、パパにあげるね」それは、もう——たくさんだ。

生かしてはおけぬ。

両足で床を蹴った。

頭のてっぺんに衝撃があった。顎に入った。がちん、と鈍い音がした。そのまま床に転がる。

耳のすぐ横からうめき声が聞こえていた。

視線を上げていく。サイドテーブルが見え、その上にスタンドが輝いている。口を押さえている山崎の指の間から血が流れ出ている。腕を伸ばした。指がスタンドに触れる。振りかざしたそれを足下に転がっている男の顔面に振り下ろした。派手にガラスが割れ、飛び散った。

「おおっ！」

悲鳴があがる。口を押さえている山崎の顔面に膝を落とした。体重がかかっている。鼻のいている。スタンドの根本にあるスイッチをひねり、割れた電球をその中に力任せに突っ込んだ。

折れる音がした。今度の悲鳴は膝の下でくぐもった。山崎の口が何かを訴えるように開いている。スタンドの根本にあるスイッチをひねり、割れた電球をその中に力任せに突っ込んだ。

山崎の目に恐怖が貼りついた。

「スイッチを入れてやろうか」

つまみに指を伸ばす。本気だった。山崎の目から涙が溢れてきた。いやいやをするように顔を揺すった。スタンドの柄をくわえているために言葉にならなかった。

「お前に殺された連中がどんなに苦しんで死んでいったか、教えてやる」

スタンドをひねり、山崎の目の前にスイッチを向けた。

「見えるか。見えるか山崎。スイッチを入れるぞ、入れるぞっ！」

恐怖におののく。死の恐怖に。

私の指がスイッチに触れた。山崎の額が汗で濡れていた。頭は、口を床にピンで止められてしまったかのように動かない。尻の下から弱々しい抵抗を試みている。

指に力を入れた。

山崎の体が激しく震えた。最後の力を振り絞っている。私は手にしているスタンドに力を込めた。柄が口の中にさらに沈んだ。山崎の動きは完全に封じられ、吐き気を催して何度ものどを鳴らした。

「苦しいか。もっと苦しめ。そうやって死んでいったんだ。苦しめ、山崎！　お前は人間のクズだ。お前のくだらん夢のために殺された人たちのことを考えろ。頭に浮かべろっ！　どうやって死んでいった。こうか、こうか、こうか——」

私はぐいぐいとスタンドの柄を押した。涙が、山崎の目から止めどなく流れる。

「何人でも殺すだと。人を殺すぐらい。ふざけるな。それじゃお前が死んでみろ。どうだ死んでみろ。簡単なんだろ、人を殺すぐらい。自分が死ぬのは怖いのか。怖いのかっ、どうだ山崎っ！」

スイッチに指を触れたまま、胃からこみ上げてきた胆汁を口と鼻から流し始めた男の顔面を眺めた。山崎の目は、凍りついたかのように私の指から離れない。

スイッチを——

入れた。

かちっという音がした。山崎が白目を剝いた。

何も起こらなかった。私はコンセントの抜けたスタンドを投げ、顔面を殴りつけた。殴り続けた。

坂本のために。

曜子のために。

紗絵のために。

菜緒のために。

古河のために。

難波のために。

そして、名も知らぬ若者のために。

体の下で山崎が気を失った。

肩で息をしながら立ち上がると、部屋の片隅で仁科佐和子が震えていた。

「あの人が――難波が殺されたって――ねえ、それはほんとうなの？」

虚ろな声で私に聞いた。

うなずいた。

「いつ？」

私はズボンの尻ポケットからハンカチを出して口元の血を拭った。手を動かすとわき腹にひどい痛みがあった。

「今日の夕方。警察から連絡がありました」

「この人が殺したの？」

「命令したのは、そうです。あなたが渡した裏金を、こいつは交渉なんかに使っていなかった。すべて自分の懐に入れていたんです。裏金なんていうのは、でっち上げだ。こいつの立場なら、裏金なんか使わなくてもいくらでも取引は開けたんですよ。騙されてたんです、あなたも、難波さんも」

「なんてことなの」

仁科の瞳が震えだし、みるみる涙がたまっていった。

「仁科さん、あなたはこの男に利用されていたんだ。私はここにくるまで、あなたとこの男が組んでいるものとばかり思っていた。だが、どうやら間違っていたようだ。難波さんが言ったように、あなたはそんな人じゃなかった」

「難波が、私のことを……」

難波の言葉を思い出した。

「難波さんから、あなたに伝言がある」

「伝言?」

「夢をありがとう、そう伝えてくれと」

仁科佐和子は絶句し、それから魂が抜けたように膝からすとんと崩れ落ちた。その瞳から大粒の涙がぽろぽろとこぼれ始めた。

山崎が呻いた。気がついたようだ。私はスタンドのコードを拾い、背中で両手首を縛り上げた。

「電話を借りますよ」

私はサイドボードの上にある電話で代々木警察に電話を掛けた。大庭はあいにく外出中とのことだった。この刑事は肝心なときいつも不在だ。応対した相手に、事情を説明して受話器を置いた。

ボードの中にブランデーがあった。私はそれをグラスに注いで仁科佐和子のところへ持っていった。

転がっている男を仰向けにした。唇の端から血が流れている。山崎の目は虚ろだ。

「李はどこだ」

言葉が相手の耳にまで届かなかったのか、山崎の表情には変化がなかった。

「答えろ！　李はどこだ！」

胸元を激しく揺すると、頭が床にぶつかって音をたてた。

宙をさまよっていた男の視線がぐるっと回って私の顔の上で止まった。そして、嗤った。

つかみどころのない平板な視線が見上げていた。そのとき、思いがけない直観が私の背筋を突き抜けた。

「今頃はお前のかわいいガールフレンドを刻んでるだろうよ、ばあか」

その顔面に拳を叩き込み、私のマンションに電話を掛けた。

相手が出た。無言だ。

「菜緒？」

「よかった。大丈夫なのね」

菜緒は、安堵の息をついた。

「いいか。絶対にドアを開けるな。何があってもな。李がそっちに向かっている。これから帰る」

背後から低い声が上がった。

「いまに後悔するぜ。知らないよ」

サイレンの音が近づいてきて、近くで止まった。私は仁科佐和子に別れを告げ、再び都会の夜へと出ていった。濃密な夜空の下、深く傷ついたちっぽけな車体を駆る。ねっとりとした夜気が車内で渦巻き、すぐに痛みの感覚を拭い去っていった。

## 5

マンションの正面玄関前でシビックを停めた。

エントランスに人影はない。痛む体を運転席から引きずり出し、自動ドアに立つと私のひん曲がった郵便受けがいつも通りに迎えた。キーパッドに暗証番号を入力する。内側のドアが開いた。内心、ほっとする。李の姿はなかった。それでも襲撃に備え、内ドアが閉まるまで外を見ていた。李が襲ってくるとしたらこの瞬間しかあり得ない。

しかし、ドアは、私の目の前でそっと閉まった。

思わず、深い溜め息が洩れた。

そのときだ。

背中に激痛が走った。閉まったドアに体をぶつけた。ニコチンの混ざった口臭がした。痛みは背中から脇腹へ突き抜けている。体がつっぱったまま動かない。背中に刃物を突き立てられた熱い感覚がある。

呼吸すらまともにできなかった。額から冷たいものが滲みでてくる。

「妙なまねをすると、こうだぞ」

その瞬間、痛みが倍増した。火箸を突き立てられているようだ。切っ先が内臓を切り刻む痛みだった。

「歩け」

冷えきった声だった。面白がっているようなところもある。歩いた。一歩、また、一歩。気の遠くなるほどの痛みが頭の芯を突き抜けていく。足が震えた。倒れることも許されなかった。私は木偶（でく）となって、ゆっくり、足を交互に動かした。ホールを進み、やがてエレベーターの前まで来た。永遠とも思われるほど長い時間に感じられた。

「ボタン、押せ」

言われる通りにした。待機していたエレベーターのドアが開いた。

「どうすんだ」

耳のすぐそばで鼻にかかった声が言った。ボタンを押した。指が震えている。今度は焼けつく痛みが耳にあった。痛みはすぐに失せた。口に挟んだたばこの火の痛みだと気づいたとき、エレベーターが上昇し始めた。歯を食いしばっていないと気を失ってしまいそうだった。もし気を失えば、私はそのまま死ぬことになるだろう。

扉が開いた。フロアに人影はない。私は死神を背負ったままの格好で、自室のドアまで辿り着いた。

「開けろ」

中には菜緒がいる。躊躇(ためら)った。

背中を押された。激痛が襲った。うめいた。声はどうしても喉から漏れた。涙が滲んだ。

私はズボンのポケットに右手を入れ、体を垂直に保ったまま、キーホルダーを引っ張り出した。鍵を差し、回した。

ドアを開けた。足元に灯(あか)りがこぼれる。玄関に入る。靴は脱げない。そのまま上がった。

何かが靴先にぶつかった。視界の下に男物の靴が転がっているのが見えた。

ドアの開く音を聞きつけ、菜緒が不安そうな顔を出した。廊下の突き当たり、リビングの入り口だ。

「おかえり――」

その表情にゆっくりと驚愕が貼りつくさまを私は見ていた。言葉を呑み込んだまま、菜緒は立ちつくす。そして、ゆっくりあとずさる。背後で穏やかともいえる声が代わりに聞こえた。

「ただいま」

そして、ひきつった音を喉で鳴らした。

歩く。リビングの入り口に立った。菜緒はそのまま後退する。激痛にリビングの色彩は抜け落ち、全体的に黄色く見えている。何度も瞬きした。白い粉雪のようなものが視界を舞っている。底が抜けそうな意識の底に、冬空から舞い落ちる粉雪を眺めている自分がいた。職場のデスクから見える、いつもの光景だ。冬空の見える窓。バスを待つ人の列。それが一体いつの光景なのか思い出せない。

意識の動きに合わせ、室内の光景が戻ってきた。L字形に組んだソファとガラステーブルが見えた。母のピアノの手前に立っている。サキが定位置に座っているのが見えた。不意の来客に警戒し、尻尾を立てる。喉の底で玉を転がすような低い唸り声が続いていた。

男は菜緒との間合いを詰めるために私の背中を押した。冷や汗が体中から吹き出してきた。目を閉じ、そして開いた。サキのグリーンの目が私を見ていた。紫煙が流れる。サキの唸り声が一段と高まった。私はその前で立ち止まった。

限界は、もうすぐそこだ。

賭けるしかなかった。

「歩け」

李の声がした。私は歩かなかった。視界の端でサキの体が丸みを帯びる。

「悪いが、ここは禁煙なんだ」

膝の力が抜けそうだ。立っていることさえ、奇跡に近い。

「いつまで強がり言ってられっかな。ここで腹かっさばいてやってもいいんだぜ」

「いきがるなよ、山崎」

そう呟いたとき、李の動きが止まった。座っていたサキがそっと体を上げるのが見えた。

「山崎――っていうんだろ、あんた。わからなかったよ。さっきまで。でもな、噛うとそっくりなんだよ。どこかで見た顔だと思ったんだ」

サキの尻尾がゆっくり揺れた。獲物を見る目が私の背後に注がれている。

腕に力が込められる。背中が縦に引き裂かれるような痛みがきた。熱く燃えた鉄の棒が腸(はらわた)を焼く。

「面白いこと言うじゃねえか。ご褒美(ほうび)をやろうな」

視界がかすれた。ベールが降り始めた、その端で、黒い塊が跳躍した。

男の息が乱れた。背中を押していた力が一瞬、緩んだ。

床を蹴った。体が宙に浮いたかさえ、よくわからなかった。フローリングの床に顔面が激突した。痛みに呼吸が止まった。もう動けなかった。キッチンの陰から大庭が飛び出してきた。体を丸めて私の背後へ猛然と突進していく。滝川がそれに続いた。

私は這った。翅のない蜂のように、這おうとした。力尽き、最期のときを迎えるまで、私は這おうとしていた。


寒い。

体が震えた。

痛い、痛い、痛い。

涙が出てきた。口を開けているのに、空気が入ってこない。私は――私は、自分の目の前にぱっくりと口を開けた死の深淵に両手をかけている。

誰か、頼む。助けてくれよ。

別な声が聞こえてきた。私の中にいるもう一人の声だ。

死ぬんだよ、お前は。このまま死ぬんだ。死ね、死ね、死ねえ。

嫌だよ。いやだあっ――！

意識が戻った。暖かい手が私の頬を撫でている。

「ねえ、死なないで。死なないで。お願いよ、お願いよ」

再び意識が遠のく瞬間、菜緒の嗚咽と甘酸っぱい香りをかいだ。

どれくらい時間が経ったのか、耳鳴りを聞いていた私はそっと目を開けた。白衣の男の膝が見え、グリーンのカーテンが揺れている。顔が横向きにされ、何かが強く押しつけられていた。濃縮された気体がその中で動いている。耳鳴り？　違う。サイレンの音だ。救急車か……。ぼんやりそんなことを思った。感想はとくにない。菜緒が私を見ていた。李は？　そう聞いたつもりだったが、言葉にはならなかった。

「声を出さないでください」

男の声が私を叱った。その瞬間、すっと意識が落ちた。

## 6

鈍痛が続いている。

時間の感覚はまるでない。

音だけが響いている。風を切るような音がずっとしていた。不思議にそれだけを遠い意識の底で聞いていた。

目を開けた。

ブラインドを降ろした窓と、そこに座っている女の姿が見えた。菜緒だった。私は傷のある背中と脇腹を上にして横になっていた。彼女は折り畳み式の椅子に腰を下ろし、白衣を着て本を読んでいる。題名のわからない洋書で、ブルーの表紙を名画が飾っている。なつかしい素朴さが感じられる絵。

目を閉じた。しばらくそうしていた。眠ったようだった。

——ヴィーナスの誕生か。

名画のタイトルがなぜか頭に浮かんできた。思考はどうやらコマ送りにしか展開しないらしい。不愉快だ。いや、愉快だ。笑いがこみ上げた。声は出なかった。ただ、息が洩れていっただけだ。

不意に、本を読んでいる菜緒が私に視線を向けた。まるで電車の中で向かいに座っている人に投げた一瞥のような、そんな自然な視線だ。それが私と菜緒との初めての出会いであるかのような、素敵な視線。

菜緒の頬から一筋の涙がこぼれ落ちた。

彼女は私に手をさしのべ、点滴の針の刺さった腕に触れた。暖かな血潮がそこに流れているのが感じられた。

「菜緒」

今度は声が出た。

「窓から何が見える」

「山手線の線路」

なんて殺風景なんだろう。そう思ったらまた笑い出したくなった。

「見たい」

私は言った。菜緒はほっそりした腰を私に向けると、ブラインドを上げた。空と線路の上の電線しか見えなかった。熱湯を張ったような銀色の空だった。

「生きてる」

「そうよ。あなたは生きてる」

彼女はそっと顔を近づけ、私の乾いた唇にキスをした。

「看(み)てくれたのか、ずっと」

菜緒は微笑み、指先で涙を拭った。

「ありがとう」

心から言い、しずかに目を閉じた。

## 7

大庭が見舞いにきたのは、一週間ほど過ぎた日差しの強い午後だった。額に吹き出した汗を拭いながら消毒した手で白衣を羽織りながら入ってくると、大庭は私の枕元に果物の入ったバスケットを置いた。

「だいぶ元気になってよかったですなあ」

大庭の目はこうして近くで見るとどことなく茶目っ気がある。

「山崎はしゃべりましたか」

「それをお伝えしようと思いましてね」

大庭は窮屈そうに椅子に座り直し、白衣の下の胸ポケットから苦労して手帳を取り出した。警察手帳ではない、どこにでも売っている普通の手帳だ。

「少し長い話なので聞きたくなくなったらそう言ってください。敬称略でいきます」

最初にそう断って語り始めた。


信越マテリアルの技術力に惚れ込んだ山崎耕太は、難波社長と柳葉の反対で結実しない買収工作に苛立っていた。しかも、技術屋で拡大路線を突き進む難波の経営戦略が裏目に出て経営の屋台骨が揺らぎ始め、山崎の旗振りで進めた取引によって二都商事は十億を越える損失が確実な状況になっていた。

山崎は自分の失敗が会社に知られるのを恐れて信越マテリアルの財務内容が極端に悪化していることを隠し、起死回生の計画を立てたのだ。

「そのために山崎は、まず難波と特別な関係にあった仁科佐和子に近づき関係を持ったわけです。本丸を落とす前にまず外堀からということですかな」

大庭は言葉を切って額にハンカチを当てた。大庭には似合わない、真新しいジバンシーのハンカチ。私は足元にある小さな冷蔵庫を指さし、扉のポケットに入っている缶入りの緑茶を勧めた。

山崎は仁科佐和子を通じて、韓国への投資話を難波に持ちかけた。難波社長に直言するのではなく、難波から絶大な信頼を寄せられていた仁科佐和子という女性を利用した巧妙な懐柔策だ。

東京シリコンを利用した金融手形のからくりで捻出された資金はすべて山崎の懐に入り、後にテンナインという新会社の設立資金になった。

「韓国企業だの、裏金だのなんていうのは、山崎の作り話だったわけです。それに仁科も難波も騙された。冷静に考えることができれば疑ったかもしれませんが、それだけ山崎の進め方がうまかったし、信越マテリアルの業績もかなり追いつめられていたということでしょうな。専門家からみてどう思いますか、伊木さん」

私は窮屈なベッドで、かろうじて肩を竦（すく）めてみせた。

「坂本がそれに気づかなかったら、あいつは今だって生きてましたよね」

見上げると、返事のかわりに大庭はやりきれない表情で私を見下ろした。

「山崎の周到なところは、東京シリコンの融資枠を広げる必要があることを見越して、取引のある二都銀行の北川副支店長を買収したことでしょうな。あとになって坂本さんが気づいたとき、その動きは北川が察知して山崎に知らせていたんです。どこまでも周到な男です、山崎というのは」

瀬戸際に追いつめられた信越マテリアルが二都商事に救済を申し入れたとき、山崎の役員会への稟議事項は、救済するのではなく行き詰まらせ——つまり、和議を申請させて安く買いたたくという手荒なものだった。この提案は二都商事役員会で全会一致で承認され、もう一つの希望通り、山崎の信越マテリアル出向が決まった。すべては山崎の思惑通りだった。

もし二都商事が信越マテリアルをこの段階で救済すれば、早晩、山崎の悪事が露見することになる。山崎は、信越マテリアルとの取引を推進してきた責任を全うするという名目で和議会社になった信越マテリアルへの出向を志願し、仁科佐和子が振り出した手形など、自分が画策した不正の痕をすべて処理したのである。

私は、自信に溢れ、洗練されたビジネスマンの風格をもって銀行のカウンターで私を待っていた山崎を思い出していた。あの男の胸にこれほどの秘密が隠されていたことが空恐ろしい。

「信越マテリアルの行き詰まりが決定的になったとき、山崎は計画の第二段階に入っていました。仁科佐和子に信越マテリアルと同じベンチャー企業を設立してはどうかと提案し、金を出そうと申し出たのです。なんのことはない仁科自身を利用して着服した金でしたが、難波の愛人という立場に縛られ、自由に会社を動かすことができなかった仁科佐和子の不満を巧みについた提案でもあったわけです。案の定、チャンスとばかりに彼女はこの話に乗りました。そして、信越マテリアルからめぼしい技術者を引き抜くと、あとは二都商事内での影響力を誇示して、設立後間もないテンナインという会社を急成長させる。山崎が株主としても表に出なかったのは、二都商事との取引拡大を工作するのに自分の名前が出ていては邪魔になるからでした。二都商事には、山崎の息のかかった部下が大勢いて、テンナインとの取引をバックアップしていた、とまあこんなからくりですな」

「仁科佐和子は、山崎が二都商事内部をとりまとめてテンナインを支えてくれるということを承知していたのですか」

「そうです。彼女はまさに勝ち馬に乗った気分だったと思いますよ。ここまでは、山崎の計画通り進んでいました。和議が成立しても最後はどうなるかわからない。仮に行き詰まってもテンナインという〝本命〟がそのときには軌道に乗っているというわけです。山崎は、将来的にテンナインに信越マテリアルを買収させる計画を持っていました。その取りまとめ役はもちろん山崎です。山崎自身、信越マテリアルの和議が順調に進むか懐疑的に見ていましたが、それでもテンナインがある程度成長すれば、あとはなんとかなると踏んでいたわけです。そして自分は、その功績により再び二都商事へ栄転するという筋書きです」

「たいしたアイデアです」

皮肉ではなく、本気でそう思った。

その計画を東京シリコンの柳葉社長に看破されたとき、山崎は最大の決断を下したに違いない。柳葉は業界の噂でテンナインという会社が設立されたこと、仁科佐和子がその社長であることを知り、彼女を問いただした。そして山崎の存在に気づき近づいてきた。柳葉社長を生かしておけば、いずれ二都商事に知られることになる。そこで山崎が頼ったのは李洋平（リー・ヨウヘイ）だった。李は柳葉を誘い出し、自殺に見せかけて殺した。

「李洋平というのは通称だと言いましたが、本名は山崎洋平といいます。いきがって外国姓をつけていますが、日本人です。山崎耕太とは母親が同じでしてね。母親は、山崎耕太を生んだ後離婚し、別の男との間に生まれたのが山崎洋平です。ただ、この男とも二人がまだ幼い頃に離婚して二人は女手ひとつで育てられました。山崎が一流企業のサラリーマンで、弟が街のチンピラになっても、異父兄弟の親しい関係は続いていたわけですな。ちょっと疲れました？」

大庭が私を覗き込んだ。首を振って先を促す。しかし、大庭の話を聞きながら、私はまったく別のことを考えていた。

父親と別れなければならなかった山崎兄弟は孤独な少年時代を送ったに違いない。山崎は私や菜緒と同じ痛みを持つ人間なのではないか。大庭が話を続けていた。

「柳葉さんの後、計略に気づいたのは坂本さんでした。あなたが坂本さんと最後に別れた朝、坂本さんは、山崎と原宿駅で待ち合わせをしていたのです。坂本さんは原宿駅に近い代々木公園の路上パーキングに車を停めて駅まで歩き、駅の改札前で山崎を待っていたそうです。その間に、李が北川のつくったスペア・キーで車のドアを開け、運転席に蜂と巣が入った紙袋を置きました。しかし、結局、山崎は現われなかった。当然です。そういう計画なんですから。諦めた坂本さんは車に戻り、そこで紙袋を開け、刺されたというわけです。巣の入った袋は李が回収して公園に捨てたと言っていますがまだ見つかっていません。坂本さんのカード・キーを利用した不正送金、あれは北川の仕業でしたが、あの金は、これらの事件で実際に手を汚した李への報酬として支払われたそうです」

大庭は沈鬱な表情になって視線を伏せた。ゆっくり指を動かし缶のプルトップを引く。いただきます、と猪首を下げ、喉を見せた。私はそんな大庭の様子から窓に視線を移した。クリーム色のブラインドがかかった窓だ。外の景色は遮られて見えない。

「坂本さんの預金通帳やキャッシュカードは机の中に眠っていたのを北川が盗んでおいたものです。そして、伊木さん、あなたが東京シリコンの金の動きについて調べ始めたことに気づいたのも北川だった。最大のミスは、慌ててあなたの資料を隠匿する場面が防犯カメラに映ってしまったことです。そしてテープの奪還にも失敗した。関係が露見することを恐れた山崎は、北川を殺したわけです。あれは土曜日でしたな。あなたの家から出ていった北川はそのまま山崎と会いました。そこで勧められるままに酒を飲んだんです。帰りは北川の車を李が運転しました。酩酊した北川を乗せた李は、埠頭で北川を殴り、そのまま車を海に落としたというわけです」

「李が私のマンションに入れたのはなぜです」

「暗証番号の出所は、北川です。伊木さん、あなた、銀行のカード・キーとマンションのパスワード、同じですね」

　その通りだった。どうやら私は、銀行員にはなれても私立探偵にはなれそうにない。

「最後は難波さんです。難波さんは居所を転々としていたために、山崎自身も手の下しようがなかった。それをあなた方のあとをつけていて偶然、発見したというわけです。あなた方を襲ったあと、難波のマンションにもどった李は、部屋のベランダから突き落としました」

　大庭は手帳を閉じて、まぶしい窓の外の景色に目を瞬かせる。ほっと溜め息をついて私を振り返った。

「刑事がこんなことを言うのは変と思われるでしょうが、伊木さん、この事件はきっとあなたが解決すべき事件だったんですよ。坂本さんからあなたに引き継がれた、銀行員としての本能というか執念というか、それが事件を解決したように思うんですよ」

　だが坂本はもう戻ってこない。事件が解明されても、失われたものの重さを背負うこれからの時間のほうが、私にはいっそう苦しいことに感じられるのだ。

　こうして病院のベッドに横たわって天井を見ていると、この数週間に起きたことがまるで別世界のような錯覚に陥ることがある。かと思うと、夜、耳の後ろに李の熱い吐息を感じた気がして、目覚めることもあった。こうしたときは大抵、悪い夢を見ていて、汗だくになり、背中の傷が疼いている。背中の傷は心の傷になり、おそらくこれからの人生で癒えることはないだろう。

大庭が話を終えると、しばらく虚脱したような時間が訪れた。静かで、部屋の隅にあるエアコンが例によって低い音をたてていた。

「今日はお一人ですか」

ふと滝川の姿が見えないことに気づいて聞いてみる。

「ええ、そうなんですよ、彼、先週本庁のほうへ転勤になりましてね。まだ若いから、これから楽しみです」

大庭はハンカチを開いて見せ、うれしそうな顔をする。

「餞別です、あいつからの。役だってますよ」

思わず笑ってしまい、その拍子に背中に軽い痛みが走った。大庭は私のしかめっ面に戸惑いながら、ハンカチを尻ポケットに入れて、さてと膝を叩いた。

「長居しました。すみませんな。お大事に。あ、これいただいていきます」

緑茶の缶をかざすと、小さく頭を下げて大庭はカーテンの後ろへ消えた。そのスリッパのぱたぱたという音が遠ざかり、ドアの向こうへ消えると静かに疲れが押し寄せてきた。

8

西口が訪ねてきたのは、それからさらに一週間後の午後だった。平日で、銀行を抜け出してきた西口は、本屋の包みを抱えて入ってくると、それをベッドサイドに置いた。心なしか疲れているように見える。

「だいぶよくなったって聞いたんでな。退屈だろうと思って本を二、三冊、買ってきた。趣味に合わんかもしれんが、気に入ったら読んでくれ。一応、俺が読んで面白いと思ったミステリーばかりだけど。どうだ、調子は？」

「おかげさまでなんとか」西口の心遣いがありがたい。

「この際だから他の悪いところも全部みてもらうといいよ」

西口はいったん置いた本屋の袋を開け、読みやすいように枕元に積んだ。袋は折り畳み、ゴミにならないよう背広のポケットに入れる。口は悪いが繊細な神経を持っている男なのだ。先日、新宿で西口と会ったときのことを思い出して、申し訳ない思いに駆られた。

「この前はすみませんでした」

詫びると、西口一流のとぼけで応じた。「あ？　なんのことだ。もうちょっと早く見舞いに来るつもりだったんだが、部長が代わって忙しくてな。その話、聞いてるか」

「ええ」

「藤枝部長は見事、八重洲だか京橋だかにある金物問屋の常務殿にご出向遊ばした」

それから探るように私の目を見て、おかしそうにふっと笑った。

「これで、俺も次はどこへ行くかわからんというわけだ。それだけじゃないぞ。明日、役員の異動がある」

「佐伯副頭取ですか」

「二都カードの代表取締役だ。わかるか、伊木。これでわが派閥はお家断絶だ」

「断絶するような潔い派閥でもないでしょう。もっとゴキブリみたいにしぶとかったはずですが」

「わかったような口を利くんじゃない。相変わらずふてぶてしいやつだ。まったく俺もとんだ後輩を持ったもんだよ。あげくの果てに、これだしな」

西口は私のベッドを眺め、嘆息する。

「高畠支店長はどうなりました?」たしか、役員会が開かれたはずだ。

「ああ、別にどうにも。あの人はやっぱり本部人脈に関しちゃ、ちょっとしたもんだな。敵ながらたいしたもんだ。たった二、三日でこっちの根回しがうっちゃられた」

だからどうというわけでもなく、平然と西口は言ってのけた。

「そんなことより、いい知らせがある。今日はお前にこれを伝えようと思ったんだ。テンナインの金がどうやら戻ってきそうな雰囲気だ。出がけに融資部の回収チームから聞いた話だから間違いない」

「そうですか、ついに……」

山崎の野望を託したテンナインは、二都商事による買収が決まっていた。その買収資金は、仁科佐和子を通じて東京シリコンへ返還され、その金を東京シリコンが二都銀行の借入返済に充てるという回収スキームが進められていたのだ。債権を回収し、そして柳葉が心血を注いだ東京シリコンをどんな形にせよ復活させること。それこそ、死んでいった坂本や柳葉に対する、唯一の弔(とむら)いなのだ。

「東京シリコンの焦げつきもこれで回収できる」

西口は言い、病室の入り口のほうを気にする。「ところで、今日は彼女ここへ来るのか。菜緒ちゃん、だっけ？」

私は呆れ返った。「なんでそんなことまで知ってるんです」

西口は他の病床の迷惑にならないよう低く声をたてた。

「バカ野郎。お前らの噂なんざ本部で知らない奴はいないくらい広まってるんだ」

「もしかして――」北川だ。西口が察してにっと歯を見せた。

「そう。でも心配するな。そんな話に目くじら立てる奴は、しょせん小モノに過ぎん。お前のことをよく知ってるやつはみんな大歓迎だ。伊木に浮いた話、大いに結構ってな。それより彼女が来たら早速伝えてやるといい。きっと喜ぶから」

それから西口は真面目な表情に戻った。

「伊木。お前、また企画部へ戻らないか。その気があるんなら、新しい部長に掛け合ってやる。どうだ、また一緒にやらないか」

私は首を振った。

「そう言っていただくのはありがたいですが、どうも私に銀行というところは向いていないようです」

すると、ふん、と西口は鼻を鳴らした。「何言ってやがる。そうじゃないだろ。銀行がお前に向いてないんじゃない。お前が、そもそも会社組織というものに向いていないんだ。だから、銀行には必要なんだよ、お前のような男がさ」

「たしかに、そうかもしれません」

憚るように西口が声をたてて笑った。

9

菜緒が私の郵便受けに入っていた一枚のはがきを持って来てくれた。曜子からだ。

——引っ越しました。

その言葉が大きく半円を描くように印刷されていた。真ん中に荷物を積んだトラックの絵。はがきには、調布市内の住所と曜子と紗絵の名前が並んでいる。真ん中の余白に、短いメッセージが手書きで添えられていた。

苦しくても生きなければいけない。
生きていれば、いつか
苦しさを忘れることもできる。
そう信じてる。

私はしばらくその文面を眺めていた。少しだけ気分が楽になった。

10

その夏。西原のマンションに戻ったのは九月の初めで、高気圧が張り巡らせた青空が少し高く見え始めた夕方だった。久しぶりの我が家には安らぎがあった。あるべきところにものがあり、いるべき人がそこにいる。その平凡な距離感がこの上もなく素晴らしい。

私の背後で荷物を床に下ろした菜緒がゆっくり歩いてきて、耳元で囁いた。

「おかえり」

ピアノからするりと黒い影が床におり、私の足元へきた。そのしなやかな体を抱き寄せる。

「サキ、サキ――」

あのとき、この黒猫は李洋平――山崎洋平の頬に飛びかかり、私を助けることになった深い三本の傷をつけた。李が銜えていたたばこがサキの恐怖と闘争本能に火を点けたのである。

「ありがとう、サキ。お前のおかげだ」

抱きしめたサキの左耳がお辞儀をするように半分に折れていた。

「あのとき、ピアノに叩きつけられたの。それで」

不意に熱いものがこみ上げてきた。

「そうだったのか。ごめんな、サキ」

私の肩に菜緒はそっと手を置く。「大丈夫よ。ねえ、サキは立派なオス猫だもの。お腹すいたかな」

菜緒はキッチンへ歩いていき、猫用の餌が入った缶詰を開けた。サキが一声鳴き、私は腕の中の小さな体をそっと床の上に下ろした。体を屈めると、背中の皮膚が引っ張られるような違和感がある。痛みはない。少し、ごわごわした感じがする。それだけだ。

テーブルに、東京シリコンの「新規事業計画書」がのっていた。菜緒がまとめた力作だ。東京シリコンは、社員の多くを呼び戻し、すでに事業再開の準備が整っている。

窓から風を入れようとして、閉め切ったカーテンを開けたそのままの姿勢で私は立ちつくした。殺風景だったベランダが植物園さながらの緑で覆われていたからだ。背の高い観葉植物が気持ちよさそうに陽の光を受けてそよいでいる。

振り返ると、菜緒が得意げに腕組みをして立っていた。

「どう、驚いたでしょ。緑化計画を推進したの。気に入った？」

言葉が出ない。やっと気づいたことを言った。

「ああ、気に入った。でも、水をやる人がいる」

「計画によると、管理責任者はあなたよ」

「俺が？」

「たまには手伝ってあげるわよ」

菜緒は気取った素振りでピアノの蓋を開け、赤いフェルトを折り畳んだ。

「弾けたっけ？」

「練習したの。私の好きな曲。弾けるのは、最初のとこだけなんだけど」

鍵盤に指をのせる。たどたどしいメロディが昼下がりの静けさのなかに響き出した。ゴールトベルク変奏曲だ。アリア。あっけにとられている私の足元を、尻尾を立てたサキが陶然とした足取りですり抜けていく。私には、死んでいった者たちへの鎮魂の曲に聞こえる。厳(おごそ)かで、静粛な旋律だ。

私が入院している間に坂本の四十九日が過ぎた。あいつが遺した仕事は、なんとかやり遂げることができるだろう。それを早く坂本に報告してやりたかった。紗絵が喜びそうなプレゼントを忘れずに持っていこう。どんなものがいいだろうか。

菜緒のピアノが止まった。

彼女に代わって続きを弾くために、私は、窓辺を離れた。

# 解説

郷原　宏

池井戸潤氏の『果つる底なき』は、平成十年（一九九八）に福井晴敏氏の『Ｔｗｅｌｖｅ Ｙ．Ｏ．』とともに第四十四回江戸川乱歩賞を受賞し、同年九月に四六判ハードカバーの単行本として講談社から刊行された。金融不祥事がクローズアップされた年に、元銀行員の大型新人が都市銀行の内幕を描き切った作品という話題性もあって大きな反響を呼び、年末には「週刊文春」の傑作ミステリーベスト10で新人ながら第八位に選ばれた。

この作品が刊行された直後、私は「週刊現代」（九月二十六日号）のブックレビュー欄に大意次のような書評を書いた。期限切れの証文を持ち出すようで気が引けるのだが、タイムリーな銀行ミステリーの登場を歓迎する当時の読書界の雰囲気だけは伝えていると思うので、ここに一部を修正して再録することをお許し願いたい。

日本の資本主義も、いよいよ末期症状を呈し始めた。新聞を開くと、連日のように、銀行の倒産、不正融資、不良債権の焦げ付き、幹部行員の横領など、いわゆる金融不祥事を伝える大見出しが躍っている。これはもうバブルの崩壊にともなう一時的な社会現象といったものではないはずだ。いささか悲観的な見方をすれば、将来の展望を見失った資本主義が根元から腐り始めた証（あかし）である。

ミステリーは時代を映す紙の鏡である。始祖ポオの昔から、その時代の最も先端的な風俗を描き、名探偵の推理という形式を借りて時代の病の処方箋を書き続けてきた。ミステリー百五十年の歴史は、そのまま近代の裏面史だといっても過言ではない。

現代ミステリーもまた現代の鏡であることに変わりはない。われわれはさまざまなミステリー作品を通じて、冷戦後の国際情勢から芸能界の内幕にいたるまで、あらゆる情報とその処方箋を手に入れてきた。だが残念なことに、この鏡には資本主義社会の病巣ともいうべき銀行の内部だけは映らなかった。銀行を外側から描いた作品はたくさんあるが、内側から描ける作家がいなかったからである。

今年度の江戸川乱歩賞を受賞した池井戸潤の『果つる底なき』は、銀行の腐敗を内部から描いた待望久しき現代ミステリーである。作者は最近まで三菱銀行で法人向け融資を担当していたという経歴の持ち主で、子供のころから乱歩賞をとって推理作家になるのが夢だったという。この元銀行員の受賞は、われわれ読者にとっても推理小説のサブジャンルとしての銀行ミステリーの誕生という新しい夢の実現につながった。現代は夢のない時代だといわれるが、この分野にだけはまだ見るべき夢が残されていたのである。

二都銀行渋谷支店で融資担当の課長代理をつとめる「私」は、ある朝、同期入行の坂本から「なあ、伊木、これは貸しだからな」という意味不明の言葉をかけられる。その数時間後、坂本は業務用車のなかで気を失っているところを発見され、まもなく病院で息を引き取った。やがて坂本の不正送金疑惑が浮かび上がる。顧客の口座から三千万円を引き出し、他の銀行の自分名義の口座に振り込んでいたというのである。

坂本の死因はアナフィラキシー・ショック（蜂に刺されたことによるアレルギーの過剰反応）という珍しいものだった。彼のこの異常体質を知る者は、行内でも限られている。坂本の妻曜子は、かつては「私」の恋人だった。そのせいもあって、代々木署の大庭刑事は「私」に疑惑の眼を向け始める。

ミステリーの生命は主人公の性格と状況の設定にあるといっていいが、このオープニングストーリーはきわめて自然で渋滞がなく、まさに新人離れのした話術を感じさせる。こうして読者をたくみに銀行の内部に誘い込んだあと、物語はいきなり佳境に入る。

支店長の指示で坂本の仕事を引き継いだ「私」は、ある企業のファイルに着目する。東京シリコン。かつて「私」が融資を担当し、経営が行き詰まると同時に債権回収係の坂本の手に移った先端企業である。社長は不審な死を遂げ、あとには菜緒という大学院生の娘が残された。なんとかして会社を救うことはできなかったのかという思いが、今も「私」を苦しめている。

坂本の残したファイルから「私」が発見したのは、自分のミスの記録だった。「私」は主に手形の割引を通じて東京シリコンへの融資を続けていたのだが、その大部分は商品取引の実体のない融通手形だったのだ。それなら、あの巨額の融資はいったいどこへ消えたのか。「私」が菜緒とともに資金の流れをたどっていくと、やがて身辺に死の匂いをまとった黒い影が出没し始める。

この作品の第一の読みどころが、銀行の内幕情報小説としての面白さにあることは疑う余地がない。ここには銀行独自の職制や人間関係、銀行と企業との取引関係、銀行を通じた資金や情報の流れなど、銀行と銀行員のすべてがじつにわかりやすく描かれていて、これ一冊を熟読すれば、われわれは現代の都市銀行に関していっぱしの通を気取ることができる。その意味で、「これは銀行ミステリーの誕生を宣言する作品だ」という選考委員阿刀田高氏の選評の言葉に、私もまったく同感である。

とはいえ、しかし、内幕情報小説的な興味は、この作品の面白さのほんの一部、さながら普通預金の利子のようなものにすぎない。私が何よりも感銘を受けたのは、主人公が事件の真相解明にあたって、銀行員としての立場よりも人間としての生き方を優先させ、困難な状況のなかで最後まで男の誇りを捨てなかったことである。その意味でなら、思い切ってこれを「銀行ハードボイルドの誕生」と名付けることも許されるだろう。

いずれにしろ、これは書くべき時期に書くべき才能によって書かれた日本人必読の現代ミステリーである。この作品を読み逃すような人と、私はともにミステリーを語りたくない。

それから三年近くたった今も、基本的にこの感想に付け加えることはない。今回久しぶりに読み返してみて、私はこの作品の鮮度がまったく落ちていないことに驚かされた。それは銀行の腐敗という中心テーマが今もなお深刻な社会問題でありつづけているからだけではない。ひとくちにいえば、作者の筆先が現代日本の社会構造とそこで生きる人々の意識のいちばん深いところに届いているので、風俗として風化することがないのである。だから、ここでは若干の補足説明に併せて、作者のその後の活躍ぶりを紹介しておけば、文庫版解説者としての役目は果たせるだろう。

本書の第四章「半導体」の末尾に、こういう一節がある。

「形もなく、概念もないもの。あるのはただ、醜い思念のみ。まさに暗渠だ。魂の深淵、果つる底なき暗澹（あんたん）たるもの。それは単に価値観などという尺度で説明しうる範囲を超越している。始まりも終わりもなく、きっかけすらつかめない狂気。これ以上、こいつを生かしてはおけない。坂本のために。紗絵のために。曜子のために。菜緒のために。柳葉のために。古河のために。そして――私のために」

これは仮寝の悪夢から醒めた「私」が、姿なき敵に対して敢然と立ち向かうことを決意する重要な場面で、作品の題名もここから採られている。「果つる底なき暗澹たるもの」とは、おそらくはこの姿なき犯人の底知れぬ悪意を意味しているが、一方では幼時に母を失った「私」自身の孤独の深さをも表しているはずだ。そしてもしそういってよければ、邪悪と正義が果つる底なき魂の深淵で対峙するところに、この作品の小説としての奥ゆきの深さがあるといえる。

池井戸氏は、その後しばらく鳴りをひそめて読者をやきもきさせたが、二〇〇〇年の初めに書き下ろし長編『M1（エム・ワン）』（講談社）を発表して健在を印象づけた。狭義のマネーサプライ（通貨供給量）、すなわち現金と預金の総量を表す経済用語をそのまま題名にしたこの作品は、中部地方のある企業城下町を舞台に、私企業の発行した闇の通貨が次第に地域経済を蝕んでいく経過を、信用調査アナリスト上がりの高校教師の目を通して描いたもので、まさにこの作家にしか書けない金融サスペンスの傑作である。

果つる底なき混迷の時代に、こういう中身の濃い作品に巡り合った読者の幸福を思わずにはいられない。

本書は一九九八年九月、小社より単行本として刊行されました。

|著者| 池井戸 潤　1963年、岐阜県生まれ。慶應義塾大学卒。1998年、『果つる底なき』（本書）で第44回江戸川乱歩賞、2010年、『鉄の骨』（講談社文庫）で第31回吉川英治文学新人賞、2011年、『下町ロケット』（小学館文庫）で第145回直木賞を受賞。著書に『架空通貨』『銀行狐』『新装版　銀行総務特命』『仇敵』『BT'63（上）（下）』『新装版　不祥事』『空飛ぶタイヤ（上）（下）』『ルーズヴェルト・ゲーム』（以上、講談社文庫）、『株価暴落』『オレたちバブル入行組』『オレたち花のバブル組』『シャイロックの子供たち』『民王』（以上、文春文庫）、『ロスジェネの逆襲』（ダイヤモンド社）、『七つの会議』（日本経済新聞出版社）などがある。

果つる底なき

池井戸 潤



2001年6月15日第1刷発行
2014年7月25日第41刷発行

講談社文庫
定価はカバーに表示してあります

発行者──鈴木　哲
発行所──株式会社　講談社
東京都文京区音羽2-12-21　〒112-8001
電話　出版部（03）5395-3510
　　　販売部（03）5395-5817
　　　業務部（03）5395-3615

デザイン─菊地信義
製版───株式会社精興社
印刷───豊国印刷株式会社
製本───株式会社若林製本工場

Printed in Japan



ISBN4-06-273179-7

# 講談社文庫刊行の辞

二十一世紀の到来を目睫に望みながら、われわれはいま、人類史上かつて例を見ない巨大な転換期をむかえようとしている。

世界も、日本も、激動の予兆に対する期待とおののきを内に蔵して、未知の時代に歩み入ろうとしている。このときにあたり、創業の人野間清治の「ナショナル・エデュケイター」への志を現代に甦らせようと意図して、われわれはここに古今の文芸作品はいうまでもなく、ひろく人文・社会・自然の諸科学から東西の名著を網羅する、新しい綜合文庫の発刊を決意した。

激動の転換期はまた断絶の時代である。われわれは戦後二十五年間の出版文化のありかたへの深い反省をこめて、この断絶の時代にあえて人間的な持続を求めようとする。いたずらに浮薄な商業主義のあだ花を追い求めることなく、長期にわたって良書に生命をあたえようとつとめるところにしか、今後の出版文化の真の繁栄はあり得ないと信じるからである。

同時にわれわれはこの綜合文庫の刊行を通じて、人文・社会・自然の諸科学が、結局人間の学にほかならないことを立証しようと願っている。かつて知識とは、「汝自身を知る」ことにつきていた。現代社会の瑣末な情報の氾濫のなかから、力強い知識の源泉を掘り起し、技術文明のただなかに、生きた人間の姿を復活させること。それこそわれわれの切なる希求である。

われわれは権威に盲従せず、俗流に媚びることなく、渾然一体となって日本の「草の根」をかたちづくる若く新しい世代の人々に、心をこめてこの新しい綜合文庫をおくり届けたい。それは知識の泉であるとともに感受性のふるさとであり、もっとも有機的に組織され、社会に開かれた万人のための大学をめざしている。大方の支援と協力を衷心より切望してやまない。

一九七一年七月

野間省一

今西錦司　生物の世界
井沢元彦　義経幻殺録
井沢元彦　光と影の武蔵〈切支丹秘録〉
井沢元彦　新装版　猿丸幻視行
一ノ瀬泰造　地雷を踏んだらサヨウナラ
泉　麻人　ありえなくない。
泉　麻人　お天気おじさんへの道
伊井直行　ポケットの中のレワニワ
伊集院　静　乳房
伊集院　静　遠い昨日
伊集院　静　夢は枯野を〈競輪躁鬱旅行〉
伊集院　静　野球で学んだこと ヒデキ君に教わったこと
伊集院　静　峠の声
伊集院　静　白秋
伊集院　静　潮流
伊集院　静　機関車先生
伊集院　静　冬の蜻蛉
伊集院　静　オルゴール
伊集院　静　昨日スケッチ
伊集院　静　アフリカの王(上)(下)〈『アフリカの絵本』改題〉
伊集院　静　あづま橋
伊集院　静　ぼくのボールが君に届けば
伊集院　静　駅までの道をおしえて
伊集院　静　受け月
伊集院　静　坂の上のμ〈野球小説アンソロジー〉
伊集院　静　ねむりねこ
伊集院　静　新装版　三年坂
伊集院　静　お父やんとオジさん(上)(下)
岩崎正吾　信長殺すべし〈異説本能寺〉
井上夢人　おかしな二人〈岡嶋二人盛衰記〉
井上夢人　メドゥサ、鏡をごらん
井上夢人　ダレカガナカニイル…
井上夢人　プラスティック
井上夢人　オルファクトグラム(上)(下)
井上夢人　もつれっぱなし
井上夢人　あわせ鏡に飛び込んで
井上夢人　魔法使いの弟子たち(上)(下)
井上夢人　ラバー・ソウル
家田荘子　渋谷チルドレン
池宮彰一郎　高杉晋作(上)(下)
池宮彰一郎他　異色忠臣蔵大傑作集
井上祐美子　公主帰還
井上祐美子・塚本青史・森福都　妃・殺・蝗〈中国三色奇譚〉
飯島　勲　代議士秘書〈永田町、笑っちゃうけどホントの話〉
池井戸　潤　果つる底なき
池井戸　潤　架空通貨
池井戸　潤　銀行狐
池井戸　潤　仇敵
池井戸　潤　BT'63(上)(下)
池井戸　潤　空飛ぶタイヤ(上)(下)
池井戸　潤　鉄の骨
池井戸　潤　新装版　銀行総務特命
池井戸　潤　新装版　不祥事
池井戸　潤　ルーズヴェルト・ゲーム
岩瀬達哉　新聞が面白くない理由
岩瀬達哉　完全版　年金大崩壊
乾くるみ　匣の中

乾くるみ　新装版 塔の断章
岩城宏之　森のうた〈山本直純との芸大青春記〉
石月正広　渡世人
石月正広　笑う花魁〈結わえ師・紋重郎始末記〉
石月正広　握られ同心〈結わえ師・紋重郎始末記〉
石月正広　糸のさだめ〈結わえ師・紋重郎始末記〉
糸井重里　ほぼ日刊イトイ新聞の本
岩井志麻子　東京のオカヤマ人
岩井志麻子　私小説
乾　荘次郎　妻敵討ち〈鴉道場日月抄〉
乾　荘次郎　夜襲〈鴉道場日月抄〉
乾　荘次郎　介錯〈鴉道場日月抄〉
石田衣良　LAST［ラスト］
石田衣良　東京DOLL
石田衣良　てのひらの迷路
石田衣良　40 翼ふたたび
石田衣良　sex
井上荒野　ひどい感じ―父・井上光晴
井上荒野　不恰好な朝の馬

飯田譲治　NIGHT HEAD 誘発者
飯田譲治／梓河人　アナン、(上)(下)
飯田譲治／梓河人　Gift
飯田譲治／梓河人　盗作(上)(下)
飯田譲治／梓河人　黒帯
稲葉稔　武者とゆく
稲葉稔　闇夜の義賊〈武者とゆく㈡〉
稲葉稔　真夏の凶刃〈武者とゆく㈢〉
稲葉稔　月夜の始末〈武者とゆく㈣〉
稲葉稔　陽月の契り〈武者とゆく㈤〉
稲葉稔　武士の約定〈武者とゆく㈥〉
稲葉稔　夕焼け雲〈武者とゆく㈦〉
稲葉稔　百両の舞い〈武者とゆく㈧〉
稲葉稔　大江戸人情花火
稲葉稔　隠密拝命〈八丁堀手控え帖〉
稲葉稔　囮同心〈八丁堀手控え帖〉
稲葉稔　椋鳥の影〈八丁堀手控え帖〉
稲葉稔　奉行の杞憂〈八丁堀手控え帖〉
井村仁美　アナリストの淫らな生活〈ベンチマーク〉

池内ひろ美　リストラ離婚〈妻が・夫を・捨てたわけ〉
池内ひろ美　読むだけで「いい夫婦」になる本
いしいしんじ　プラネタリウムのふたご
伊藤たかみ　アンダー・マイ・サム
池永陽　指を切る女
池永陽　雲を斬る
池永陽　緋色の空
池永陽　剣客瓦版つれづれ日誌
井川香四郎　冬の蝶〈梟与力吟味帳〉
井川香四郎　日照り草〈梟与力吟味帳〉
井川香四郎　忍冬〈梟与力吟味帳〉
井川香四郎　花詞〈梟与力吟味帳〉
井川香四郎　雪の花火〈梟与力吟味帳〉
井川香四郎　鬼雨〈梟与力吟味帳〉
井川香四郎　科戸の風〈梟与力吟味帳〉
井川香四郎　紅の露〈梟与力吟味帳〉
井川香四郎　惻隠の灯〈梟与力吟味帳〉
井川香四郎　三人羽織〈梟与力吟味帳〉
井川香四郎　闇夜の梅〈梟与力吟味帳〉

井川香四郎 吹花の風〈梟与力吟味帳〉
井川香四郎 ホトガラ彦馬〈写真探偵開化帳〉
井川香四郎 飯盛り侍
伊坂幸太郎 チルドレン
伊坂幸太郎 魔王
伊坂幸太郎 モダンタイムス(上)(下)
岩井三四二 逆ろうて候
岩井三四二 戦国連歌師
岩井三四二 銀閣建立
岩井三四二 竹千代を盗め
岩井三四二 村を助くは誰ぞ
岩井三四二 一所懸命
岩井三四二 鬼弾〈鹿王丸、翔ぶ〉
絲山秋子 逃亡くそたわけ
絲山秋子 袋小路の男
絲山秋子 絲的メイソウ
絲山秋子 絲的炊事記〈豚キムチにジンクスはあるのか〉
絲山秋子 ラジ&ピース
絲山秋子 絲的サバイバル
絲山秋子 北緯14度〈セネガルでの2ヵ月〉
石黒耀 死都日本
石黒耀 震災列島
石黒耀 富士覚醒
石黒耀 忠臣蔵異聞〈家老 大野九郎兵衛の長い仇討ち〉
石井睦美 レモン・ドロップス
石井睦美 白い月黄色い月
石井睦美 キャベツ
石井睦美 皿と紙ひこうき
犬飼六岐 筋違い半介
犬飼六岐 吉岡清三郎貸腕帳
犬飼六岐 桜下の決闘〈吉岡清三郎貸腕帳〉
犬飼六岐 囲碁小町 嫁入り七番勝負
犬飼六岐 蛻
石川大我 ボクの彼氏はどこにいる?
石松宏章 マジでガチなボランティア
池澤夏樹 虹の彼方に
伊藤比呂美 とげ抜き〈新巣鴨地蔵縁起〉
伊東潤 戦国無常 首獲り
伊東潤 疾き雲のごとく
伊東潤 戦国鬼譚 惨
伊東潤 虚けの舞
伊東潤 戦国鎌倉悲譚 剋
石塚健司 特捜崩壊
市川森一 蝶々さん(上)(下)
池田清彦 すこしの努力で「できる子」をつくる
市川拓司 吸涙鬼
石飛幸三 「平穏死」のすすめ〈口から食べられなくなったらどうしますか〉
石井光太 感染宣告〈エイズウイルスに人生を変えられた人々の物語〉
内田康夫 死者の木霊
内田康夫 シーラカンス殺人事件
内田康夫 パソコン探偵の名推理
内田康夫 「横山大観」殺人事件
内田康夫 漂泊の楽人
内田康夫 江田島殺人事件
内田康夫 琵琶湖周航殺人歌
内田康夫 夏泊殺人岬
内田康夫 平城山を越えた女

## 講談社文庫　目録


内田康夫 「信濃の国」殺人事件
内田康夫 鐘
内田康夫 風葬の城
内田康夫 透明な遺書
内田康夫 鞆(とも)の浦(うら)殺人事件
内田康夫 箱庭
内田康夫 終幕(フィナーレ)のない殺人
内田康夫 御堂筋殺人事件
内田康夫 記憶の中の殺人
内田康夫 北国街道殺人事件
内田康夫 蜃気楼
内田康夫 「紅藍(くれない)の女(ひと)」殺人事件
内田康夫 「紫(むらさき)の女(ひと)」殺人事件
内田康夫 藍色回廊殺人事件
内田康夫 明日香の皇子
内田康夫 伊香保殺人事件
内田康夫 不知火海(しらぬいかい)
内田康夫 華の下にて
内田康夫 博多殺人事件
内田康夫 中央構造帯(上)(下)
内田康夫 黄金の石橋
内田康夫 金沢殺人事件
内田康夫 朝日殺人事件
内田康夫 湯布院殺人事件
内田康夫 釧路湿原殺人事件
内田康夫 貴賓室の怪人〈「飛鳥」編〉
内田康夫 イタリア幻想曲 貴賓室の怪人2
内田康夫 靖国への帰還
内田康夫 若狭殺人事件
内田康夫 化生の海
内田康夫 日光殺人事件
内田康夫 不等辺三角形
内田康夫 ぼくが探偵だった夏
内田康夫 怪談の道
内田康夫 逃げろ光彦〈内田康夫と5人の女たち〉
梅棹忠夫 夜はまだあけぬか
歌野晶午 死体を買う男
歌野晶午 安達ヶ原の鬼密室
歌野晶午 新装版 長い家の殺人
歌野晶午 新装版 白い家の殺人
歌野晶午 新装版 動く家の殺人
歌野晶午 密室殺人ゲーム王手飛車取り
歌野晶午 新装版 ROMMY 越境者の夢
歌野晶午 増補版 放浪探偵と七つの殺人
歌野晶午 新装版 正月十一日、鏡殺し
歌野晶午 密室殺人ゲーム2.0
内館牧子 リトルボーイ・リトルガール
内館牧子 切ないOLに捧ぐ
内館牧子 あなたが好きだった
内館牧子 ハートが砕けた！
内館牧子 B・U・S・U〈すべてのプリティ・ウーマンへ〉
内館牧子 別れてよかった
内館牧子 愛しすぎなくてよかった
内館牧子 あなたはオバサンと呼ばれてる
内館牧子 養老院より大学院
内館牧子 愛し続けるのは無理である。
内館牧子 食べるのが好き 飲むのも好き 料理は嫌い


2014年6月15日現在